10
18

12, AVENUE D'ITALIE. PARIS XIIIe

Sur l'auteur

Ressortissant britannique né en 1948 au Zimbabwe, où il a grandi, Alexander McCall Smith vit aujourd'hui à Édimbourg et exerce les fonctions de professeur de droit appliqué à la médecine. Il est internationalement connu pour avoir créé le personnage de la première femme détective du Botswana, Mma Precious Ramotswe, héroïne d'une série qui compte déjà huit volumes. Quand il n'écrit pas, Alexander McCall Smith s'adonne à la musique – il fait partie de « l'Orchestre épouvantable » – et aux voyages. Il est également l'auteur des aventures d'Isabel Dalhousie, présidente du *Club des philosophes amateurs* et de *44 Scotland Street*, qui inaugure les « Chroniques d'Édimbourg », un roman-feuilleton relatant les tribulations d'un immeuble peuplé de personnages hauts en couleur.

ALEXANDER McCALL SMITH

44 SCOTLAND STREET

Traduit de l'anglais
par Élisabeth Kern

**10
18**

« Domaine étranger »

créé par Jean-Claude Zylberstein

Du même auteur
aux Éditions 10/18

LA FEMME QUI ÉPOUSA UN LION, n° 3877

« Les chroniques d'Édimbourg »

▶ 44 SCOTLAND STREET, n° 4137
ÉDIMBOURG EXPRESS, n° 4235
L'AMOUR EN KILT, n° 4352
LE MONDE SELON BERTIE

« Les enquêtes de Mma Ramotswe »

MMA RAMOTSWE DÉTECTIVE, n° 3573
LES LARMES DE LA GIRAFE, n° 3574
VAGUE À L'ÂME AU BOTSWANA, n° 3637
LA VIE COMME ELLE VA, n° 3688
LES MOTS PERDUS DU KALAHARI, n° 3718
EN CHARMANTE COMPAGNIE, n° 3820
1 COBRA, 2 SOULIERS ET BEAUCOUP D'ENNUIS, n° 3975
LE BON MARI DE ZEBRA DRIVE, n° 4097
MIRACLE À SPEEDY MOTORS, n° 4226
VÉRITÉ ET FEUILLES DE THÉ, n° 4297

« Les enquêtes d'Isabel Dalhousie »

LE CLUB DES PHILOSOPHES AMATEURS, n° 3931
AMIS, AMANTS, CHOCOLAT, n° 4062
UNE QUESTION D'ATTITUDE, n° 4159
LE BON USAGE DES COMPLIMENTS, n° 4271

Titre original :
44 Scotland Street

© Alexander McCall Smith, 2005.
© Éditions 10/18, Département d'Univers Poche, 2007,
pour la traduction française.
ISBN 978-2-264-04759-5

À Lucinda Mackay

Préface

La plupart des livres naissent d'une idée qui germe dans la tête de leur auteur. Ce livre-ci a débuté à la suite d'une conversation que j'ai eue en Californie, au cours d'une soirée organisée par la romancière Amy Tan, qui m'a témoigné une remarquable générosité. Ce fameux soir, j'ai longuement bavardé avec Armistead Maupin, auteur des *Chroniques de San Francisco*. Avec son très populaire roman-feuilleton paru dans le quotidien *The San Francisco Chronicle*, Maupin avait remis au goût du jour le principe du récit à épisodes. À mon retour en Écosse, le journal *The Herald* m'a demandé de rédiger un article sur mon voyage en Californie. Ce que j'ai fait, mentionnant ma conversation avec Maupin et remarquant au passage à quel point il était regrettable que les quotidiens ne publient plus de romans-feuilletons. Cette tradition, bien sûr, avait connu son apogée au XIXᵉ siècle, les œuvres de Dickens en constituant sans doute le meilleur exemple. Mais il y en avait eu d'autres aussi, dont le *Madame Bovary* de Flaubert, pour lequel l'auteur manqua se retrouver en prison.

Mon article tomba entre les mains du comité de rédaction du journal *The Scotsman*, qui décida de relever le défi que j'avais involontairement lancé. Iain Martin, alors rédacteur en chef de ce quotidien, m'invita au restaurant. À table avec nous se trouvaient David Robinson, responsable de la rubrique livres, Charlotte Ross, chargée des chroniques, et Jan Rutherford, mon agent. Iain m'a regardé droit dans les yeux et m'a lancé : « À vous de jouer ! » À ce stade, je n'avais pas vraiment réfléchi à ce que représenterait l'écriture d'un roman à épisodes quotidiens, qui n'avait rien à voir avec l'approche hebdomadaire ou mensuelle adoptée par les précédents auteurs de romans-feuilletons. Mais il y avait tant d'optimisme autour de ce déjeuner que j'ai accepté sur-le-champ.

L'expérience s'est révélée à la fois formidable et pleine d'enseignement. La structure d'un roman à épisodes diffère totalement de celle d'un livre traditionnel. Il doit se passer au moins un événement par épisode, chacun de ceux-ci ouvrant sur une perspective pour la suite du récit. Il faut également bien comprendre ce qu'est le lectorat d'un quotidien, doté de caractéristiques très particulières.

La véritable difficulté, lorsqu'on écrit un roman découpé de cette manière – c'est-à-dire en segments relativement brefs – consiste à donner un rythme à la narration, sans pour autant adopter un ton trop haché. L'auteur doit retenir l'attention du lecteur, sollicité dans une multitude de directions : par d'autres articles publiés sur la même page ou la suivante, par tout ce qui se passe autour de lui pendant qu'il lit son journal… Et surtout, un roman à épisodes doit être plaisant. Cela ne signifie pas que l'on ne puisse aborder de sujets graves ni faire appel aux émotions nobles du lecteur, mais il importe de conserver une certaine légèreté de ton.

Au moment où la parution a débuté, j'avais un certain nombre d'épisodes déjà prêts. À mesure que les mois passaient, toutefois, je me suis retrouvé avec de moins en moins de pages entre les mains et, vers la fin, il ne me restait plus que trois épisodes d'avance, prêts pour la publication. Le travail se révélait donc fort différent de celui qui consiste à prendre un manuscrit déjà achevé pour le découper en sections. Le livre continuait d'être écrit tandis qu'il était publié. La conséquence évidente de cela, c'est que je ne pouvais revenir en arrière pour opérer des modifications : il était trop tard pour le faire.

Ce que j'ai cherché à réaliser dans *44, Scotland Street*, c'est parler de la vie à Édimbourg de manière à frapper les lecteurs, afin qu'ils ne puissent douter que l'action se déroule bien dans cette ville extraordinaire, mais sans s'éloigner de la fiction légère. Je pense qu'il est possible d'écrire sur des sujets amusants sans pour autant quitter le domaine d'une fiction sérieuse. C'est en observant la façon dont les gens se comportent au quotidien que l'on perçoit très clairement les dilemmes moraux de notre temps. L'un des rôles du roman est de nous rappeler certaines vertus – celles de l'amour et du pardon, par exemple –, qui peuvent être abordées tout aussi bien à travers la description de la vie quotidienne que dans un tableau plus ambitieux et rédigé sans contrainte de temps.

J'ai adoré créer ces personnages, tous inspirés de types d'individus que j'ai rencontrés et appris à connaître en vivant à Édimbourg. Ce n'est qu'une tranche de vie au sein de cette ville, mais une tranche de vie qui peut être divertissante. Certains des personnages du livre sont réels et apparaissent sous leur vrai nom. Mon collègue écrivain Ian Rankin, par exemple, intervient sous ses propres traits. Il m'a affirmé que je l'avais dépeint comme beaucoup plus bienveillant qu'il ne l'était en réalité, et que, dans la vraie vie, il n'aurait certainement pas agi de manière aussi noble. Je lui ai répondu que cette remarque trop modeste ne faisait que confirmer ma suggestion de départ. D'autres apparaissent également, mais n'ont pas de rôle parlant. C'est le cas de ce grand homme qu'est Tam Dalyell. Nous le voyons, mais sans entendre ce qu'il dit. Il est aussi fait

11

mention de deux admirables personnages, très aimés du public : Malcolm Rifkind et Lord James Douglas Hamilton, qui traversent une page, mais qui, comme Mr Dalyell, gardent le silence. Peut-être tous trois auront-ils un rôle parlant dans un volume futur... s'ils acceptent, bien sûr.

Dans cette tâche quelque peu exigeante que représente la rédaction de ce roman-feuilleton, j'ai été soutenu par les lecteurs du journal, qui m'ont poussé à continuer et m'ont fourni une mine de suggestions et de commentaires. Je me sens immensément privilégié d'avoir pu soutenir une très longue conversation fictive avec eux. Parmi eux, je voudrais saluer tout particulièrement Florence Christie, qui m'a écrit régulièrement, parfois tous les deux ou trois jours, en m'adressant ses remarques sur ce qui se passait dans *44, Scotland Street*. Cette correspondance a été un plaisir pour moi et m'a beaucoup aidé dans ce travail solitaire qu'est l'écriture. J'ai également eu de très utiles conversations avec Dilly Emslie, James Holloway et Mary McIsaac. Beaucoup d'autres, hélas trop nombreux pour être mentionnés, m'ont écrit ou parlé de l'évolution des personnages et de l'intrigue. Je leur suis à tous redevable. Et, bien sûr, tout au long de cet exercice, j'ai pu compter sur le soutien quotidien généreux de Iain Martin et David Robinson, du *Scotsman*. J'ai été également bien encouragé par Alistair Clark et William Lyons, du même journal.

1. Il y a des trucs qui se passent...

Debout devant la porte, au pied de l'escalier, Pat lut tous les noms inscrits sur l'interphone : *Syme, Macdonald, Pollock...*, avant de repérer celui qu'elle cherchait : *Anderson*. Il devait s'agir de Bruce Anderson, l'expert immobilier, qu'elle avait eu au téléphone. C'était lui qui collectait les loyers, avait-il expliqué, et réglait les factures. Il lui avait suggéré de venir jeter un coup d'œil à l'appartement avant de décider si elle avait envie de s'y installer.

— Et comme ça, on en profitera pour voir à quoi tu ressembles, avait-il ajouté. Si ça ne te dérange pas.

On allait donc lui faire subir un examen, pensait-elle à présent, la soumettre à une expertise qui déterminerait si, oui ou non, elle convenait aux autres colocataires, la jauger pour savoir si elle était susceptible de mettre la musique à fond ou de recevoir des amis qui dévasteraient l'appartement. Ou encore, supposait-elle, de taper sur les nerfs de tout le monde.

Elle sonna et attendit. Au bout d'un moment, un bourdonnement se fit entendre et elle poussa la lourde porte noire du numéro 44, ornée d'un heurtoir en forme de tête de lion et d'une plaque de cuivre ternie, au-dessus de la poignée. C'était une porte en mauvais état ; elle réclamait une bonne couche de peinture, car elle était rayée et s'écaillait en plusieurs endroits. Il est vrai que l'on était dans Scotland Street, et non sur Moray Place ou Doune Terrace, ou même sur Drummond Place, la jolie place d'où Scotland Street descendait en pente raide. Cette rue se trouvait à la limite du quartier bohème de la nouvelle ville d'Édimbourg, un secteur où les cabinets juridiques et comptables étaient minoritaires (quoique de justesse).

Elle gravit à pied quatre étages pour atteindre le dernier palier, qui desservait deux appartements. La première porte, vert foncé, ne portait aucune inscription. Sur la seconde, peinte en bleu, était scotchée une feuille de papier avec trois noms écrits à la main, en gros caractères. Lorsque la jeune fille déboucha en haut de l'escalier, cette porte était ouverte, aussi se retrouva-t-elle d'emblée face à un grand jeune homme qui devait avoir trois ou quatre ans de plus qu'elle. Il avait des cheveux bruns coupés *en brosse*[*1] et portait un maillot de rugby. *Triple Crown*[2], lut-elle. *Next Year*. Et au-dessous, entre parenthèses, la mention *Maybe*[3].

— Je suis Bruce, dit-il. Et je suppose que tu es Pat.

Avec un sourire, il lui fit signe d'entrer.

— J'aime bien la rue, lança-t-elle. J'aime bien cette partie de la ville.

Il hocha la tête.

— Moi aussi. J'habitais Marchmont jusqu'à il y a un an et maintenant, je suis là. C'est central. C'est calme. Marchmont, c'était un peu trop étudiant...

Elle le suivit dans le salon, grande pièce dotée d'une cheminée en marbre noir d'un côté et d'une bibliothèque branlante adossée au mur opposé.

---

1. Les mots en italique suivis d'un astérisque sont en français dans le texte. (*N.d.T.*)
2. Coupe disputée entre les quatre équipes de rugby britanniques (Angleterre, pays de Galles, Irlande et Écosse). Pour la remporter, il faut battre les trois autres équipes. (*N.d.T.*)
3. « L'an prochain – peut-être. » (*N.d.T.*)

— Voilà le salon, déclara-t-il. Il n'a rien de génial, mais il est ensoleillé.

Elle posa les yeux sur le vieux canapé délavé, qui arborait deux ou trois taches de café ou de thé. C'était le genre de canapé que l'on trouvait dans n'importe quel appartement d'étudiants en colocation : un canapé malmené, voire humilié, sur lequel avaient dormi des hôtes de passage plus ou moins sobres et qui, si l'on s'avisait de le nettoyer, dégorgerait de copieuses sommes en petite monnaie, mais aussi des stylos et autres objets divers tombés de plusieurs générations de poches.

Elle regarda Bruce. Il avait un physique agréable, dans un style que l'on pouvait décrire comme… Voyons, comment pouvait-on le décrire ? Visage poupin ? Ouvert ? Bien sûr, le maillot de rugby mettait sur la voie : c'était le genre de garçon que l'on voyait déboucher par centaines, voire par milliers, du stade de Murrayfield après une rencontre internationale de rugby. La mère de Pat, sans doute, l'aurait qualifié de garçon « sain » et Pat se serait empressée de la railler. Et cependant, le terme se révélait fort efficace lorsqu'il s'agissait de décrire Bruce : une beauté saine.

Tandis qu'elle l'observait ainsi, Bruce lui renvoyait son regard. Vingt ans, songeait-il. Vêtements plutôt chics. Bronzée, ce qui suggère des activités de plein air. Taille moyenne. Assez jolie, dans le genre svelte. Pas mon type (cette conclusion fut teintée d'un léger regret).

— Et tu fais quoi, dans la vie ? interrogea-t-il.

En des occasions comme celle-ci, pensait-il, on n'y allait pas par quatre chemins. Il convenait d'en apprendre le plus possible sur cette fille avant de décider si on la prendrait ou non, et ce serait à lui seul de trancher, puisque Ian et Sheila, absents pour quelques mois, s'en remettaient à lui.

Pat fixa la corniche du plafond.

— Je suis en année sabbatique, répondit-elle, avant d'ajouter, par souci de franchise : C'est ma deuxième, en fait.

Bruce la dévisagea, puis éclata de rire.

— Ta *deuxième* année sabbatique ?

Pat hocha la tête. Elle se sentait lamentable. Tout le monde réagissait de la même façon. Tout le monde réagissait ainsi, parce que personne ne savait ce qui s'était passé.

— La première a été un désastre, expliqua-t-elle. Alors, je m'en accorde une autre...

Bruce saisit une boîte d'allumettes, qu'il secoua d'un air pensif.

— Qu'est-ce qui t'est arrivé ? s'enquit-il.

— Ça t'ennuie si je ne réponds pas ? Du moins, pas maintenant ?

Il haussa les épaules.

— Il y a des trucs qui se passent, des fois, commenta-t-il. C'est sûr...

Après sa rencontre avec Bruce, Pat retourna chez ses parents, dans les quartiers sud d'Édimbourg. Elle trouva son père dans son bureau, une pièce en désordre où s'empilaient de vieux numéros de la revue du Collège royal des psychiatres. Elle lui raconta l'entrevue.

— Cela n'a pas duré longtemps, expliqua-t-elle. Je m'étais imaginé qu'ils seraient tous là, mais en fait, il n'y avait que lui. Les autres sont partis je ne sais où...

Le père haussa les sourcils. À son époque, on partageait les appartements avec des jeunes du même sexe. Il y en avait certes qui se mélangeaient, mais ils passaient pour – comment dire ? – *audacieux*. Lui-même avait habité un appartement d'Argyle Place, à l'ombre de l'hôpital des Enfants malades, avec trois autres étudiants en médecine. Ils avaient vécu là plusieurs années, jusqu'à l'obtention de leur diplôme, et l'un d'eux était même resté un an de plus pour passer son internat. De temps à autre, on invitait des filles le week-end, mais de façon exceptionnelle seulement. Désormais, garçons et filles cohabitaient en toute innocence (parfois), comme au jardin d'Éden.

— Parce qu'il n'y a pas que lui ? demanda-t-il. Il y en a d'autres ?

— Oui, répondit-elle. Enfin, je crois. Il y a quatre chambres en tout. Mais ne t'inquiète pas.

— Je ne m'inquiète pas.

— Si.

Il esquissa une petite moue.

— Tu sais que tu peux encore changer d'avis et rester à la maison, si tu veux. On ne te dérangera pas.

Elle lui lança un regard et il secoua la tête.

— D'accord, reprit-il. J'ai compris. Tu dois vivre ta vie. Nous le savons. C'est à ça que servent les années sabbatiques.

— Exactement, acquiesça Pat. Une année sabbatique, c'est…

Sa voix s'éteignit. À vrai dire, elle ne savait pas très bien à quoi servait une année sabbatique, et elle s'apprêtait à en entamer une seconde. Était-ce un caprice dispendieux, un *rite de passage** pour progéniture de parents aisés ? Dans de nombreux cas, songea-t-elle, il ne s'agissait que de vacances coûteuses : un tour en Amérique du Sud, où l'on s'imposait dans un village pour apprendre l'anglais à des autochtones perplexes et repeindre leur école. Une multitude d'organismes proposaient ce genre de séjours. Il en existait même un qui portait le nom de *SOS-Peinture*, lui semblait-il, et qui se donnait pour mission de repeindre tous les locaux qui en avaient besoin. Pat elle-même avait ainsi rafraîchi une moitié d'école en Équateur, jusqu'au jour où les bidons de peinture avaient disparu, de sorte que le groupe avait dû tout arrêter.

Son père attendit quelques instants la suite de la phrase, mais, ne voyant rien venir, il changea de sujet pour lui demander quand elle comptait emménager. Il transporterait ses affaires, comme il le faisait toujours : les cartons de vêtements, la lampe de chevet, les valises, la bouilloire. Et il ne s'en plaindrait pas.

— Et ton travail ? interrogea-t-il encore. Quand commences-tu à la galerie ?

— Mardi, répondit Pat. C'est fermé le lundi.

— Tu dois être contente de travailler dans une galerie d'art. N'est-ce pas ce dont vous rêvez tous, vous autres ?

— Pas spécialement, rétorqua Pat, irritée.

Son père employait l'expression « vous autres » pour englober indifféremment Pat, sa génération et son cercle d'amis. Certes, le travail dans une galerie en tentait certains – et peut-être même beaucoup –, mais ce n'était pas pour autant un désir universel. Il y avait aussi des jeunes qui souhaitaient trouver des emplois dans des bars, travailler « dans la bière », pour ainsi dire ; et il en existait même qui se seraient sentis très mal à l'aise dans une galerie d'art. Bruce, par exemple, avec son maillot de rugby et ses cheveux *en brosse**, n'était pas fait pour ce genre d'endroit.

L'entretien d'embauche s'était révélé fort différent de la visite à l'appartement. Pat avait aperçu la discrète annonce, rédigée à la main et scotchée sur la vitrine. « Petit coup de main demandé. Accueil. Répondre au téléphone, etc. » La formulation semblait embarrassée, comme s'il paraissait presque indécent de suggérer que l'un de ceux qui liraient l'annonce pourrait bel et bien chercher quelque chose à faire. Toutefois, dès qu'elle était entrée et avait découvert ce grand jeune homme un peu hébété assis derrière son bureau, Pat avait compris.

— Ce n'est pas vraiment un travail, avait-il expliqué. Tu n'auras pas à vendre de tableaux, je pense. Tu seras juste là pour me remplacer au besoin. Et il y aura aussi un ou deux trucs à faire. Ci et ça. Enfin, tu vois le genre...

18

Elle ne voyait pas, mais ne posa aucune question. Elle avait l'impression que cela aurait ennuyé son interlocuteur de détailler les tâches qu'elle serait amenée à accomplir. D'ailleurs, lui-même ne lui demanda rien, pas même son nom, avant de s'adosser à son siège, de croiser les bras et de déclarer :

— Si ça te tente, le boulot est à toi. Alors ?

2. Drôle d'odeur

En montrant à Pat la chambre inoccupée, Bruce s'était remémoré quelle garce était Anna. Avant son départ, il lui avait demandé – à deux reprises – de nettoyer et elle lui avait assuré – à deux reprises – qu'elle le ferait. Il aurait dû se douter toutefois qu'elle n'en avait pas la moindre intention et, tandis qu'il découvrait la chambre avec l'œil de sa visiteuse, il constatait le résultat. L'aspirateur avait été passé au milieu de la moquette et le centre de la pièce semblait en effet assez propre, mais tout le reste était sale et négligé. Sous le lit, que l'on avait éloigné du mur, on apercevait de grosses pelotes de poussière, ainsi qu'une pile de magazines renversée. Un verre d'eau portant des traces de rouge à lèvres avait été abandonné sur la table de nuit. La jeune fille était partie depuis une semaine et il aurait dû venir vérifier, mais il avait toujours répugné à entrer dans cette chambre quand elle s'y trouvait et sa présence, d'une certaine manière, restait perceptible. Il avait donc laissé la porte close en tentant d'oublier qu'elle avait vécu là.

Pat s'immobilisa quelques instants sur le seuil. La pièce sentait le renfermé, mais on décelait également une forte odeur de linge sale.

— Il y a une vue géniale, lança Bruce en gagnant la fenêtre pour ouvrir les rideaux. Regarde, ça donne sur l'arrière et il y a de la verdure. Tu as vu les pigeons ?

— C'est assez grand, commenta Pat d'une voix incertaine.

— Ce n'est pas *assez* grand, c'est immense. Immense !

Pat s'approcha de l'armoire, un vieux meuble de chêne bancal dont les deux portes s'ornaient de vagues motifs Art déco. Elle tendit la main vers la clé et Bruce retint son souffle. Cette chipie d'Anna, cette petite garce, avait dû laisser son linge sale à l'intérieur. C'était exactement le genre de choses dont elle était capable : comme une enfant gâtée, une gamine qui laisse traîner ses affaires par terre en sachant très bien qu'un adulte les ramassera.

— C'est une armoire, intervint-il, espérant que Pat renoncerait à ouvrir. Je vais la nettoyer. Il reste peut-être encore des trucs à elle dedans.

Pat hésita. L'odeur était-elle plus forte de ce côté ? Elle n'en était pas convaincue.

— Cette fille ne faisait pas beaucoup le ménage, hein ? hasarda-t-elle.

Bruce éclata de rire.

— Tu as raison. C'était une garce. On a tous été très contents quand elle a annoncé qu'elle partait pour Glasgow. Je l'ai encouragée, d'ailleurs. Je lui ai dit que le boulot qu'on lui offrait là-bas avait l'air bien. Super, même. Une occasion à ne pas laisser filer.

— Et ce n'était pas vrai ?

Bruce haussa les épaules.

— Elle voulait absolument travailler comme journaliste à la télé. On lui a proposé de servir le thé à un producteur. Une place géniale ! De grandes ouvertures… dans le domaine du thé !

Pat se dirigea vers le bureau. L'un des tiroirs était entrouvert et elle aperçut des papiers à l'intérieur.

— On dirait presque qu'elle compte revenir, fit-elle remarquer. Elle n'a peut-être pas vraiment déménagé, en fait.

Bruce baissa les yeux sur le tiroir. Dès que Pat aurait tourné les talons, il jetterait tout ça à la poubelle. Et il cesserait aussi de faire suivre le courrier.

— S'il y a le moindre risque qu'elle revienne, assura-t-il en souriant, on changera les serrures.

Après le départ de Pat, il retourna dans la chambre et ouvrit la fenêtre, puis inspecta le contenu de l'armoire. Le côté droit était vide, mais dans la partie penderie, il découvrit un grand sac en plastique rempli de vêtements. C'était de là que venait l'odeur. Il le saisit avec dégoût et le sortit. Au-dessous se trouvait une paire de chaussures aux semelles décollées. Il s'en empara, les examina avec répugnance et les jeta dans la gueule béante du sac.

Puis il s'occupa du bureau. Le tiroir supérieur avait été vidé ; il n'y restait que quelques trombones et une vieille règle en plastique. En revanche, le deuxième, entrouvert, était plein de papiers. Bruce en saisit un et l'examina. C'était une lettre émanant d'un parti politique, qui réclamait de l'argent pour mener sa lutte. En photo apparaissait un homme tout sourire : « Je sais que vous vous sentez concernés, déclarait-il en caractères gras. Je sais que vous vous sentez assez concernés pour m'aider à préserver notre avenir commun. » Avec une grimace, Bruce froissa le papier en boule et le jeta dans le grand sac en plastique. Il s'empara ensuite de la feuille suivante et commença à lire. Le texte était rédigé à la main. Il devait s'agir de la deuxième ou troisième page d'une lettre, puisqu'il débutait au milieu d'une phrase : « ce qui n'était pas très malin de ma part ! Mais de toute façon, je n'allais pas les revoir et ça ne changeait rien. Et toi ? Tu ne m'as pas raconté comment tu t'en sors, finalement, avec tes colocs. Allez, écoute-moi, viens à Glasgow ! Je connais quelqu'un qui a une chambre libre et qui cherche à la louer. Ce type, ce Bruce, a vraiment l'air d'une ordure. Je n'arrive pas à te croire quand tu me dis que tu penses qu'il lit ton courrier. Es-tu en train de lire ça, Bruce ? ».

L'affaire était réglée. Pat avait accepté d'emménager et elle paierait à partir du lundi suivant. La chambre n'était pas bon marché, malgré l'odeur (qui, avait affirmé Bruce, n'était que provisoire) et l'aspect minable du mobilier (sur lequel Bruce ne s'était pas appesanti). Après tout, avait-il fait remarquer, on était dans la nouvelle ville et la nouvelle ville était chère, que l'on habite un rez-de-chaussée d'East Claremont Street (à la limite extrême, avait précisé Bruce) ou un atelier d'artiste d'Heriot Row. Et il savait de quoi il parlait, avait-il conclu : il travaillait dans l'immobilier !

— Tu as trouvé un job, non ? avait-il interrogé avec hésitation. Le loyer…

Elle lui avait assuré qu'elle réglerait d'avance et il s'était détendu. Anna était partie en laissant une ardoise et les deux autres et lui-même avaient dû payer sa part. Mais rien que pour se débarrasser d'elle, songeait-il, cela en valait la peine.

Il avait reconduit Pat à la porte en lui donnant une clé.

— C'est pour toi. Tu peux apporter tes affaires quand tu veux à partir de maintenant.

Après un bref temps d'arrêt, il avait ajouté :

— Je suis sûr que tu vas te plaire ici.

Pat avait souri, et elle continuait de sourire en descendant les marches. Après le désastre de l'année précédente, elle n'avait qu'une envie : se fixer quelque part. Et puis, Bruce avait l'air gentil. Il lui rappelait un cousin à elle qui adorait le rugby, comme lui, et qui, les soirs de grands matches, l'emmenait dans des pubs avec sa bande d'amis qui chantaient à voix rauque et lui distribuaient des baisers humides de bière sur la joue. Les garçons de ce genre ne présentaient aucun danger : ils étaient d'humeur égale, ne broyaient jamais du noir et ne s'embarrassaient pas de grands sentiments : ils étaient là, tout simplement. Non qu'elle eût jamais envisagé de s'engager sentimentalement avec l'un d'entre eux. Son homme, le jour où elle le trouverait, serait…

— Très contrariant ! Vraiment très contrariant !

Pat leva les yeux. Elle était parvenue au bas des marches et avait ouvert la porte d'entrée pour découvrir, sur le seuil, une femme d'un certain âge qui fourrageait dans un volumineux sac à main.

— C'est vrai, c'est contrariant ! répéta la dame en dévisageant Pat par-dessus ses lunettes en demi-lunes. C'est la deuxième fois en un mois que je sors sans emporter la clé du bas. J'ai deux clés, voyez-vous : une pour l'appartement et une pour l'immeuble. Et quand j'oublie de prendre celle de l'immeuble avec moi, je suis obligée de déranger quelqu'un pour entrer, et j'ai horreur de cela. Autant vous dire que cela me fait plaisir de vous trouver là !

— Oui, ça tombe bien, répondit Pat en reculant pour la laisser passer.

— Merci. En général, Bruce a la gentillesse de m'ouvrir. Lui, ou l'une de ses amies.

Elle s'interrompit.

— Seriez-vous une amie de Bruce ? s'enquit-elle.

— Je viens tout juste de faire sa connaissance.

La femme hocha la tête.

— On ne peut jamais savoir. Il a tellement de petites amies que je perds le fil… Dès que je commence à m'habituer à l'une, il en surgit une autre, totalement différente. Certains hommes sont comme ça, vous savez.

Pat ne répondit pas. Peut-être, après tout, le qualificatif de *sain*, qu'elle avait trouvé un peu plus tôt pour décrire Bruce, était-il inapproprié.

La femme ajusta ses lunettes et dévisagea Pat.

— Certains hommes, voyez-vous, ont un appétit immodéré, précisa-t-elle. Ils semblent avoir été génétiquement programmés pour enchaîner les partenaires. Et s'il s'agit

23

d'une prédisposition génétique, je ne vois pas comment on pourrait le leur reprocher. Qu'en pensez-vous ?

Pat hésita.

— Peut-être qu'ils pourraient faire un peu plus d'efforts pour ne pas être infidèles ?

La femme secoua la tête.

— Ce n'est pas si facile, assura-t-elle. Selon moi, nous avons beaucoup moins de libre arbitre que nous ne l'imaginons. Franchement, c'est une illusion de nous croire libres, non ? Nous ne le sommes pas. Ce qui signifie que, si ce cher Bruce est destiné à avoir beaucoup de petites amies, il ne peut pas y faire grand-chose.

Pat garda le silence. Bruce n'avait rien dit des autres habitants de l'immeuble et telle en était sans doute la raison.

— Mais voilà qui est très impoli de ma part ! s'exclama soudain la dame. J'ai engagé la conversation avec vous sans même me présenter ! Vous devez sans doute vous demander : mais qui est donc cette déterministe ? Eh bien, je m'appelle Domenica Macdonald et j'habite l'appartement en face de celui de Bruce et ses amis. Voilà.

Pat déclina à son tour son identité et elles se serrèrent la main. Lorsque la jeune femme expliqua qu'elle venait de donner son accord pour louer la chambre inoccupée de l'appartement de Bruce, Domenica eut un large sourire.

— Vous m'en voyez ravie, affirma-t-elle. Vous savez, la jeune fille précédente, celle dont vous allez reprendre la chambre…

Elle secoua la tête.

— … devait être génétiquement programmée pour avoir quantité de petits amis, je pense…

— C'était une… une garce ? En tout cas, c'est ce que Bruce a dit d'elle devant moi.

Ce terme parut surprendre la dame.

— Ah, les hommes et leur manie de faire deux poids, deux mesures ! soupira-t-elle. Mais bien sûr, il faut reconnaître que c'est une pratique généralisée, ici, à Édimbourg, non ? Chez nous, l'hypocrisie est gravée dans la pierre.

— Je n'en suis pas sûre… protesta Pat.

Pour elle, Édimbourg ressemblait à n'importe quelle autre ville de ce point de vue. Pourquoi devait-on y trouver plus d'hypocrisie qu'ailleurs ?

— Eh bien, vous verrez ! conclut Domenica. Vous verrez…

3. Où l'on fait plus ample connaissance avec Bruce

— Splendide ! s'exclama Bruce en déboutonnant son maillot de rugby Triple Crown. Carrément splendide !

Debout devant le miroir de la salle de bains, il attendait que le bain coule. C'était l'un de ses miroirs préférés, en pied – contrairement aux miroirs de salles de bains habituels –, ce qui lui permettait de s'inspecter de très près pour constater les bénéfices de son entraînement trihebdomadaire en salle de musculation. Et ces bénéfices s'imposaient à l'évidence, quel que fût l'angle sous lequel on les considérait.

Il ôta son maillot et le projeta dans le panier à linge sale en osier. Fléchissant les biceps, il regarda de nouveau le miroir et apprécia l'image que celui-ci lui renvoyait. Puis il se ramassa légèrement sur lui-même, comme pour se préparer à bondir, et les muscles situés le long du torse – il ignorait leur nom, mais pourrait toujours consulter le schéma fourni par son coach particulier –, ces muscles se contractèrent comme une succession de petites bosselures sur une piste de ski. Tiens,

« bosselures » ferait un nom parfait pour ces muscles-là, songea-t-il. Biceps, pectoraux, bosselures…

Il retira le reste de ses vêtements et se contempla de nouveau. Très satisfaisant, se dit-il. *Très* satisfaisant. Il passa ensuite les doigts dans ses cheveux *en brosse**. Il faudrait peut-être raccourcir un tantinet sur les côtés, la semaine prochaine. Ou bien non. Il pourrait consulter sa nouvelle colocataire pour lui demander son avis. Est-ce que je ne serais pas mieux avec les cheveux plus longs ? l'interrogerait-il. Hein, Pat, qu'est-ce que tu en dis ?

Il ne savait pas trop que penser de cette fille. À coup sûr, elle ne poserait aucun problème : elle paierait son loyer et il ne doutait pas qu'elle tiendrait la chambre propre. Il avait remarqué sa consternation en découvrant la pièce, ce qu'il voyait comme un bon signe. Seulement, Pat était un peu jeune et cela risquait de se révéler problématique. Les quatre ans qui les séparaient représentaient, dans l'esprit de Bruce, des années cruciales. Non qu'il n'ait pas de temps à consacrer aux filles de vingt ans, mais celles-ci avaient des sujets de conversation différents et n'écoutaient pas les mêmes musiques. Que de fois il avait dû frapper à la porte d'Anna, tard dans la nuit, quand les incessants *Boum Boum* de ses disques l'empêchaient de dormir ! Elle repassait les mêmes groupes du matin au soir et, lorsqu'il lui avait suggéré de changer un peu de disque, elle l'avait dévisagé avec une expression de patience exagérée, comme elle aurait regardé un pauvre type qui ne comprenait rien à rien.

Et, évidemment, Bruce ne trouvait jamais quoi lui dire. Il eût adoré lui lancer une réplique bien sentie, mais les idées, semblait-il, ne se présentaient jamais au moment opportun… ni à d'autres, d'ailleurs, quand il y réfléchissait.

Il vérifia la température du bain, puis se coula dans l'eau. Après le nettoyage de la chambre, il se sentait sale, mais une bonne petite trempette aurait raison de ce désagrément. C'était une baignoire fantastique, l'un des points forts de l'appartement. Elle devait se trouver là depuis cinquante ans, peut-être même plus : une large baignoire généreuse, perchée sur quatre pieds en forme de pattes de félin, et que venait remplir un robinet argenté à gros débit. Il trouvait rarement des baignoires comme celle-ci lorsqu'il procédait à ses estimations d'appartements, mais à chaque fois, il portait ce détail à l'attention du client. « Belles installations sanitaires », écrivait-il, tout en sachant qu'il rédigeait peut-être là l'épitaphe de la baignoire, dont le nouveau propriétaire se débarrasserait très vite pour la remplacer par une autre, deux fois plus légère et deux fois moins durable.

Il se laissa aller dans l'eau et songea à Pat. Il avait déjà décidé qu'elle n'était pas son genre et, de toute façon, il préférait entretenir avec ses colocataires des relations platoniques. Toutefois, pensa-t-il, on ne devait jamais instaurer des règles trop rigides. À la réflexion, cette fille était plutôt mignonne, même s'il n'était pas sûr que, dans la rue, il se serait retourné sur son passage. Agréable, c'était le mot, sans doute. Tranquille. Correcte.

Peut-être valait-il cependant la peine de lui porter un peu d'attention. Après tout, il n'avait plus personne depuis que Laura était partie vivre à Londres. Au départ, ils avaient convenu qu'elle reviendrait à Édimbourg une fois par mois et que lui-même se rendrait dans la capitale à la même fréquence, mais cela n'avait pas fonctionné. La jeune fille avait effectué le voyage trois mois d'affilée, mais lui, de son côté, n'avait pas trouvé le temps de remplir son engagement. Et elle s'était montrée bien peu raisonnable à ce propos, estimait-il.

— Si tu éprouvais un minimum de sentiment pour moi, lui avait-elle déclaré, tu aurais fait l'effort. Mais, en réalité, tu ne m'aimes pas et tu t'en fiches !

Cette attaque l'avait consterné. S'il n'était pas allé à Londres, c'était pour d'excellentes raisons, mis à part le prix du billet, bien sûr. D'ailleurs, il pouvait justifier sans peine son manquement du dernier week-end : il s'était trompé en notant dans son agenda la date du match international à Murrayfield et n'avait constaté son erreur que quatre jours avant son départ pour Londres. Si elle se figurait qu'il allait manquer ça juste pour un week-end, qui pouvait aussi bien être remis à plus tard, elle allait devoir y réfléchir à deux fois ! Ce qu'elle avait fait.

Il se releva et sortit du bain. Au passage, il jeta un coup d'œil à son reflet dans le miroir et sourit.

4. *Pères et fils*

Quelqu'un avait fourré dans la boîte aux lettres de la galerie Something Special une grosse liasse de publicités, ce qui irrita Matthew Duncan. On était mardi matin, début d'une nouvelle semaine de travail après sa pause hebdomadaire des dimanche et lundi. Il était arrivé de bonne heure ce jour-là – il ouvrait habituellement à dix heures, car jamais, de mémoire de galeriste, on n'avait vendu un tableau avant dix, voire onze heures du matin. Matthew estimait que le meilleur moment pour réaliser une vente se situait le samedi, peu avant le déjeuner, lorsque le client avait accepté un verre de sherry. Bien entendu, plus lucratives encore étaient les ventes privées, quand la psychologie des foules entrait en ligne de compte : les pastilles rouges proliféraient alors comme les boutons de varicelle. C'était du moins ce qu'il s'était laissé dire en reprenant la galerie, quelques semaines plus tôt, et il n'avait pas eu l'occasion de vérifier ces affirmations, n'ayant pour l'heure rien vendu. Pas un tableau, pas une lithographie, rien n'avait tenté les rares curieux qui avaient poussé la porte, observé les tableaux un à un, puis, comme à regret dans certains cas, avec une gêne sensible dans d'autres, repris le chemin de la sortie.

Matthew jeta les publicités à la corbeille et gagna le fond de la galerie pour désactiver le système d'alarme, qui, ayant détecté sa présence, lançait ses premiers bips. Une fois le code composé, il poussa les commutateurs, donnant vie aux spots qui couraient le long des murs et illuminaient la plupart des tableaux. Il adorait ce moment, où la pièce se métamorphosait, passant d'un lieu sans âme et, somme toute, assez sinistre dans la blafarde lumière du jour qui entrait par les vitrines à une salle chaleureuse et pleine de couleurs.

La galerie n'était pas immense. La salle principale, ou plutôt l'espace, comme Matthew avait appris à l'appeler, s'étendait sur une dizaine de mètres depuis les deux larges vitrines donnant sur la rue. Contre l'un des murs, au centre, se trouvait un bureau orienté vers l'entrée et doté d'un téléphone et d'un discret ordinateur. Près de lui, une bibliothèque tournante comportait une trentaine de livres, dont un dictionnaire des artistes écossais, des catalogues reliés de rétrospectives et un guide des prix en salles des ventes. Il s'agissait d'outils de travail laissés là, comme le reste, par le précédent galeriste.

Matthew avait acquis la galerie sur un coup de tête, non pas personnel, mais paternel. Car son père, propriétaire du local, en avait repris possession au départ du dernier locataire. Homme d'affaires réputé intraitable, le père de Matthew avait fait preuve, vis-à-vis de cette galerie, d'une tolérance qui ne lui ressemblait guère. Il avait laissé s'accumuler les loyers impayés jusqu'au jour où le locataire s'était révélé incapable de s'en acquitter. Et, même alors, au lieu de réclamer son dû pour les deux ans d'occupation des lieux, il avait accepté le stock de la galerie en guise de règlement et payé de surcroît tout le reste avec une relative générosité.

Le père de Matthew se désespérait de voir son fils peser pour si peu dans le monde des affaires. Plusieurs fois, il l'avait mis sur les rails, l'aidant à se lancer dans des entreprises que le jeune homme menait systématiquement à l'échec. Après deux quasi-faillites de magasins, il avait racheté pour Matthew une agence de voyages au chiffre d'affaires prometteur, qui, sous la houlette du jeune homme, perdit bientôt toute sa clientèle. Ce nouvel échec lui donna à réfléchir. Il parvint ainsi à la conclusion que le problème ne tenait pas à une éventuelle paresse chez son fils, mais provenait d'une inaptitude profonde à diriger et à motiver une équipe. Matthew ne savait pas se faire écouter, tout simplement. Dans le rôle de chef d'entreprise, il manifestait une totale incompétence. Ce fut là une conclusion bien amère pour un homme qui rêvait depuis toujours de voir son fils transformer le petit empire commercial écossais qu'il avait lui-même édifié, fruit de dizaines d'années de labeur, en une entité plus importante encore. Il résolut cependant d'accepter les limites du garçon et d'installer celui-ci dans un commerce où il n'aurait personne sous ses ordres et où les transactions resteraient limitées : une sinécure, en quelque sorte. À cet égard, une galerie d'art faisait un choix idéal. Matthew pourrait y demeurer toute la journée, ce qui, techniquement, équivaudrait pour lui à travailler – une nécessité, aux yeux du père. Il ne gagnerait rien, mais de toute façon, l'argent ne semblait pas l'intéresser. Ce qui, songeait le père, avait de quoi laisser perplexe.

Cependant, c'est mon fils, se disait-il. Il n'est peut-être pas bon à grand-chose, mais il est honnête, il respecte ses parents et il est ma chair et mon sang. Je pourrais être moins bien loti : certains fils font souffrir leur père bien davantage. Ce garçon est un raté, certes, mais c'est un bon raté, et c'est mon raté à moi.

Matthew, de son côté, savait qu'il n'avait pas la bosse des affaires. Il eût aimé réussir dans les entreprises que son père lui mettait entre les mains, parce qu'il éprouvait pour ce dernier une profonde affection. Il a peut-être l'âme d'un rotarien, pensait-il, mais c'est mon rotarien à moi, et c'est cela qui compte.

5. Attributions et provenances

Ce n'était pas le premier emploi de Pat, bien sûr. Il y avait eu cette catastrophique année sabbatique, pendant laquelle elle avait occupé plusieurs postes. Elle avait travaillé pour l'homme qu'elle ne pouvait plus désormais appeler que *le sale type* durant plus de quatre mois et, sans l'incendie – dont elle n'était en aucun cas responsable –, elle eût sans doute passé plus de temps encore dans cette pièce aveugle privée d'air. Ses deux ou trois autres jobs ne s'étaient guère révélés plus gratifiants, quoiqu'elle n'eût plus rencontré d'employeurs aussi détestables que le premier.

De toute évidence, l'avenir s'annonçait différent. Pour commencer, la jeune femme ne voyait rien à reprocher à Matthew. Certes, il s'était montré désinvolte, voire négligent, le jour de l'entretien d'embauche, mais son attitude vis-à-vis d'elle n'avait rien eu de discourtois. Et en se présentant maintenant pour sa première journée de travail, en voyant Matthew se lever pour l'accueillir et lui tendre la main d'une manière chaleureuse, elle songea que sa mère eût remarqué et apprécié ce geste.

— Quand un homme se lève, lui avait-elle dit un jour, tu sais déjà qu'il va te respecter. Regarde ton père : dès que quelqu'un, qui que ce soit, pénètre dans la pièce où il se trouve, il se lève. Parce que c'est un…

Elle s'était interrompue, hésitante, en regardant sa fille. Non, elle ne pouvait se résoudre à poursuivre.

— Un quoi ? avait insisté Pat.

Il était toujours plaisant de pousser dans leurs retranchements des personnes aussi désespérément vieux jeu que sa mère. C'était au terme de *gentleman* que songeait celle-ci, bien sûr !

— Parce que c'est un... psychiatre.

Et voilà ! Elle ne l'avait pas dit ! Pat découvrirait bien assez tôt qu'il existait différents types d'hommes, estimait-elle, à supposer qu'elle ne le sache pas encore. Et je ne vais pas jouer les maîtresses d'école, sous prétexte qu'elle n'a que vingt ans et que moi, j'en ai... Oh, mon Dieu, tant que ça ?

Sans se douter du souvenir qu'il venait de faire remonter dans l'esprit de la jeune femme, Matthew s'était rassis. Il lui fit signe de prendre place en face de lui.

— Il faut que nous parlions du travail, déclara-t-il. Il y a deux ou trois choses à mettre au point.

Pat acquiesça et s'installa sur le siège indiqué. Elle considéra Matthew, qui lui rendit son regard.

— Bon, alors, reprit ce dernier. Le travail. Ici, c'est une galerie, tu l'as vu, et notre rôle, c'est de vendre des tableaux. Voilà. C'est l'essentiel.

Pat sourit.

— Oui.

C'était surprenant. Si la vente de tableaux représentait l'essentiel, cela devait signifier qu'il y avait autre chose. Peut-être allait-il s'expliquer.

Matthew s'adossa à son siège et posa les pieds sur une corbeille à papier retournée, placée près du bureau.

— Il n'y a pas très longtemps que je travaille dans cette branche, il faut que tu le saches, poursuivit-il. À vrai dire, je viens à peine de commencer. Nous allons donc devoir apprendre ensemble, au fur et à mesure. Tu n'y vois pas d'inconvénient ?

Pat esquissa un sourire encourageant.

— J'aime la peinture, affirma-t-elle. Je l'ai étudiée en option au lycée, à l'Académie d'Édimbourg.

32

— À l'Académie d'Édimbourg ? répéta Matthew.

— Oui.

Il parut hésiter.

— J'y étais aussi, finit-il par révéler. Tu n'as pas entendu parler de moi, là-bas, si ?

Pat demeura perplexe.

— Non, répondit-elle. Je ne crois pas.

— Bon, fit Matthew avec l'air de quelqu'un qui souhaite changer de sujet. Maintenant, le travail. Ton rôle, c'est de rester ici quand je m'absente. Si quelqu'un entre et veut acheter un tableau, la liste des prix se trouve sur cette feuille qui est là. Ne laisse jamais sortir un tableau s'il n'a pas été réglé, et tant que le chèque n'est pas encaissé. Explique aux clients qu'ils devront revenir le chercher dans quatre ou cinq jours, ou que nous pouvons aussi le leur livrer. Sauf si ce sont des personnes que nous connaissons : là, nous pouvons nous contenter d'un chèque.

Pat écoutait. Matthew se faisait assez bien comprendre, mais il devait sûrement y avoir autre chose à faire dans le cadre de cet emploi. Il n'allait tout de même pas la payer juste pour garder la boutique quand il sortait !

— Y a-t-il autre chose ? s'enquit-elle.

Matthew haussa les épaules.

— Des petits trucs par-ci par-là.

— Quoi, par exemple ?

Il regarda autour de lui, comme pour chercher des idées. Ses yeux se posèrent un instant sur les tableaux et il se retourna vers Pat.

— Tu pourrais établir un bon catalogue du stock, suggéra-t-il, s'animant à mesure qu'il parlait. J'en avais un au début, mais je ne sais pas où il est passé. Regarde tout ce qu'il y a et indique de quoi il s'agit exactement. Ensuite, tu feras un catalogue décent, avec les… les… les attributions correctes. Oui, tu vas attribuer les œuvres. Leur faire correspondre le nom de leur peintre.

Pat se retourna vers le mur, derrière elle. Elle aperçut un tableau qui représentait une île, peinte en couleurs vives et à coups de pinceau énergiques. Elle imagina la voix de son professeur d'histoire de l'art, entonnant sur un ton empreint de respect : « Et celui-ci, jeunes gens, c'est un Peploe[1]. »

Seulement, là, il ne pouvait s'agir d'un Peploe. C'était impossible.

6. Bruce visite un appartement

Bruce travaillait chez Macaulay Holmes Richardson Black, un cabinet d'expertises en immobilier. Malgré ce dénominatif, qui sous-entendait au moins quatre associés et un domaine d'influence très étendu, c'était une firme de taille modeste, puisqu'elle ne comptait que deux associés, Gordon Todd et son frère Raeburn, que le personnel appelait Gordon et Todd. Employeurs modèles, l'un comme l'autre jouaient un rôle prépondérant dans le fonctionnement de la chambre professionnelle, l'Institut royal des experts assermentés. Gordon arborait invariablement une cravate ornée du blason de cette institution, tandis que Todd portait à l'annulaire une chevalière gravée du même blason. Tous deux jouaient très bien au golf ; Gordon avait été admis comme membre au club de Muirfield (au terme d'une assez longue attente), et Todd espérait connaître un jour le même bonheur.

1. Samuel John Peploe (1871-1935) ; artiste né à Édimbourg très influencé par les peintres français comme Cézanne. Vers la fin de sa vie, ses natures mortes lui ont valu la reconnaissance comme coloriste. (*N.d.A.*)

— Je ne comprends pas pourquoi ils me font attendre plus que lui, avait-il dit un jour à sa femme Sasha.

— C'est si important que cela ? avait-elle rétorqué. Qu'est-ce que ce club a de si exceptionnel ? Un golf, c'est un golf. Des fairways, des greens, des trous. Qu'est-ce qu'il y a de plus à Muirfield ?

Il l'avait considérée avec commisération.

— Les femmes ne peuvent pas comprendre, avait-il soupiré. Elles ne comprendront jamais !

— Bien sûr que nous comprenons ! avait-elle protesté. Nous comprenons même très bien !

— Dans ce cas, explique-moi !

— Mais c'est justement ce que je viens de te demander ! Je t'ai demandé quelle différence il y avait, et on ne répond pas à une question en la renvoyant à celui qui la pose ! Alors, où est la différence ? À toi de me le dire !

Todd n'avait rien répondu. Il savait bien que Muirfield se situait au-dessus du lot des clubs de golf, mais il ne voyait guère comment l'expliquer. En définitive, cela devait tenir aux personnes qui y jouaient : des personnes de qualité supérieure. Mais pouvait-il exprimer à haute voix cette réalité sans se sentir relativement embarrassé ? Et puis, de toute façon, sa femme ne comprendrait pas. Jamais elle ne conviendrait que les membres de Muirfield étaient supérieurs ; et c'était là son erreur.

Dans la mesure du possible, le cabinet préférait employer des assistants sportifs. Les deux frères trouvaient que le courant passait mieux avec cette catégorie d'individus qui, par ailleurs, se montrait assez efficace dans la prospection de clientèle. C'était sur les greens que se traitaient les affaires (du moins, sur certains d'entre eux), et il était bon de disposer d'employés sociables, susceptibles de rencontrer des clients lors d'une partie ou dans un pub. Car cette profession était réservée aux individus sociables.

Bruce était apprécié dans l'entreprise. Les deux frères l'aimaient bien, du moins dans une certaine mesure, et plus d'une fois Todd lui avait offert un billet pour le stade de Murrayfield lorsqu'il en avait un en trop. Todd avait une fille, Lizzie, qui pourrait convenir à Bruce, du moins le pensait-il. Pour cela cependant, il faudrait que Lizzie revienne sur l'idée que, bêtement, elle s'était faite de lui lors de leur première et unique rencontre. Elle l'avait d'emblée pris en grippe, une réaction dénuée de fondement, même si, il fallait en convenir, il y avait chez ce jeune homme un détail qui clochait – un détail qui avait peut-être trait à sa manie de se contempler dans les miroirs. Todd l'avait un jour surpris en train de s'examiner dans le rétroviseur extérieur de la Land Rover de l'entreprise, ce qui n'avait pas manqué de l'étonner.

— Satisfait ? avait-il lancé sur le ton de la plaisanterie.

Se redressant d'un bond, Bruce avait bredouillé qu'il avait besoin d'une bonne coupe de cheveux. Toutefois, ce comportement cachait quelque chose, et Todd n'avait pas oublié l'incident.

En arrivant au bureau ce matin-là, Bruce constata qu'un dossier l'attendait sur sa table. Il devrait effectuer une expertise à onze heures et rendre un rapport à onze heures et demie. En effet, pour la propriété en question, un vaste appartement au dernier étage d'un immeuble surplombant la vallée de la Dean, les offres n'étaient reçues que jusqu'à midi et le client souhaitait en soumettre une. Les minutes seraient donc comptées, puisque Bruce devrait aller chercher les clés, inspecter la propriété, puis dicter son compte rendu dans la demi-heure qui suivrait son retour au bureau.

Il prit un taxi jusqu'à l'étude notariale de York Place. Il ne lui fallut guère de temps pour apposer sa signature et prendre possession des clés, retourner chercher la voiture de l'entreprise, puis gagner le pont de la Dean jusqu'au paisible terre-plein où se situait l'appartement. Parvenu sur place, il passa de pièce en pièce en notant l'état des parquets et les nombreux autres détails qu'il lui était devenu naturel d'observer. Prises électriques. Cheminées. État des corniches, le cas échéant.

Il se rendit à la cuisine, dernière pièce à inspecter. Celle-ci n'avait rien d'exceptionnel. Les boiseries des placards étaient de mauvais goût, évidemment, parce qu'on avait lésiné sur la menuiserie, mais le sol en liège était neuf et n'aurait pas besoin d'être remplacé avant plusieurs années. On pouvait donc loger là sans rien toucher.

Il passa devant un massif four à micro-ondes placé au niveau du regard. Sa porte opaque en verre fumé le fit s'immobiliser. Il y avait quelque chose à l'intérieur. Ah non. C'est moi…

Il demeura quelques instants sans bouger, puis sourit.

« Beau *micro-ondes** », écrivit-il sur son calepin. Bruce aimait donner des noms français à certains objets, quand il les connaissait. Dans son rapport officiel, bien sûr, il utilisait les termes habituels. Imaginez Todd en train de se débattre avec des mots comme *micro-ondes** !

—Et maintenant, *le toit**, déclara Bruce pour lui-même.

7. Inspection approfondie

L'appartement que Bruce était chargé d'expertiser se trouvait en haut d'un immeuble XIXe de quatre étages. L'accès aux combles se faisait par une trappe ménagée dans le plafond, au-dessus du palier. L'échelle nécessaire pour l'atteindre avait été mise à disposition dans le placard du vestibule. Bruce la posa contre le mur et grimpa.

Lorsqu'il poussa la trappe, celle-ci refusa de bouger. Il fit une deuxième tentative et, cette fois, la trappe se souleva, mais à demi seulement. Quelque chose – un objet quelconque, très lourd – en gênait l'ouverture. Bruce lâcha la trappe, puis essaya de nouveau. Là encore, il ne put la déplacer suffisamment pour parvenir à se faufiler sous les combles.

Il jura dans un souffle. Consultant sa montre, il comprit qu'il ne lui restait que quinze minutes pour terminer l'inspection s'il voulait être dans les temps. Levant de nouveau les yeux, il promena son regard dans l'espace très sombre ménagé sous le toit. Il renifla : s'il y avait de la moisissure, il devrait pouvoir la sentir. Il connaissait des experts capables de diagnostiquer les diverses formes de putréfaction grâce à leur seul odorat. Certes, lui-même ne pouvait pas compter sur un tel talent, mais il se sentait au moins apte à identifier une odeur de renfermé qui le mettrait sur la voie d'un problème. Il renifla encore. L'air était frais. La moisissure n'avait pas gagné ces lieux.

Il referma la trappe et descendit. Il jetterait tout de même un coup d'œil depuis l'extérieur, résolut-il. Il avait une paire de jumelles dans la voiture. Avec elle, il pourrait déterminer si la toiture nécessitait des réparations, ce qui, il en était sûr, n'était pas le cas.

Il rangea l'échelle, verrouilla la porte de l'appartement, puis dévala les quatre étages. En face, de l'autre côté de la rue, des jardins descendaient en pente douce vers le port de Leith. Bruce traversa, se posta sur le trottoir et pointa les jumelles vers le toit de l'immeuble. Cela n'avait rien d'idéal, il en était conscient : de l'endroit où il se trouvait, il ne pouvait distinguer que le premier tiers de la toiture. Toutefois, cela suffirait amplement. Il promena les jumelles le long de la crête de l'immeuble. Tout semblait parfait. « Toiture inspectée et jugée en bon état », dicta-t-il en lui-même. Il consulta sa montre. Il lui restait dix minutes pour rentrer au bureau et vingt pour dicter son rapport. Il faudrait aussi songer à l'estimation du prix, bien sûr, mais cela ne poserait pas de problème particulier. L'emplacement était excellent : le bien se situait à dix minutes à pied de Charlotte Square, dans une rue calme, et rien ne laissait supposer que les voisins fussent difficiles. Dans un autre immeuble situé à une trentaine de mètres de là, un appartement s'était récemment vendu à 380 000 livres (Todd lui avait parlé de cette transaction), mais il était en rez-de-chaussée, ce qui ajoutait à sa valeur. « 320 000 livres », décida Bruce. Puis, mû par un soudain élan de sympathie envers les propriétaires contraints de purger leur hypothèque, il en ajouta 8 000 pour faire bonne mesure. « Bel appartement XIXe avec beaucoup d'originalité. Superbe corniche dans le grand salon orienté au sud ; lambris dans toutes les pièces de réception ; belle baignoire, que l'acheteur souhaitera sans doute préserver, et, dans la chambre à coucher de l'arrière, cheminée décorée représentant le berger d'Ettrick, Walter Scott et Robert Burns en grande conversation dans une auberge de campagne. » Ces rapports s'écrivaient tout seuls, pensa Bruce, dès lors que l'on était prêt à laisser libre cours à sa prose.

Il retourna sur Queen Street, gara la voiture dans les anciennes écuries qui servaient de garage à la firme (et lui avaient coûté le prix d'un petit appartement à Dundee), puis rentra au bureau. Le rapport fut dicté, remis à la secrétaire, puis tendu à Todd sous une chemise bleue toute neuve.

Todd fit signe à Bruce de s'asseoir pendant qu'il le lisait. Enfin, levant les yeux vers son employé, il interrogea avec calme :

— Vous êtes bien monté sous les combles, n'est-ce pas ?

— Oui, répondit Bruce. Il n'y avait pas de problème.

— Vous en êtes sûr ? insista Todd en jouant avec les bords du dossier. Vous avez inspecté l'espace sous les combles ?

Bruce hésita, mais un instant seulement. Ce toit ne présentait aucun problème et, même s'il avait réussi à se faufiler par la trappe, cela n'aurait rien changé à sa conclusion.

— Je suis monté, confirma-t-il, et tout allait bien.

Todd haussa les sourcils.

— Eh bien, dit-il, ce n'était pas le cas lorsque j'y suis passé la semaine dernière. J'y ai jeté un coup d'œil pour un autre client, voyez-vous. Il ne souhaitait pas faire d'offre avant de recevoir notre rapport, et j'ai donc jugé qu'une nouvelle expertise s'imposait. Si vous étiez vraiment monté là-haut, vous auriez constaté que cela empestait la pourriture et remarqué également l'état dangereux de l'un des conduits de cheminée. Seulement…

Bruce garda le silence. Il contemplait ses souliers.

8. Hypocrisie, mensonges et clubs de golf

Le silence se prolongea plusieurs minutes. Todd fixait Bruce. J'ai formé ce jeune homme, se disait-il. Je suis en partie responsable de ce qui arrive à présent. J'avais quelques réserves, bien sûr, mais elles concernaient d'autres facettes de sa personnalité, des défauts plus généraux. Et durant tout ce temps, je ne voyais pas l'évidence : ce garçon n'est pas fiable.

Bruce ne parvenait pas à croiser le regard de son employeur. Je mens beaucoup moins que la plupart des gens, pensait-il. Vraiment moins. Faire preuve de négligence, à l'occasion, cela arrive à tout le monde – à tout le monde. Ce n'est pas comme si j'avais délibérément bâclé ce rapport. La toiture me paraissait en bon état, et puis, j'ai bel et bien ouvert la trappe pour regarder sous les combles. Cela empestait la pourriture ? Si c'était le cas, j'aurais senti…

Todd retenait sa respiration. Il posait sur Bruce un regard accusateur, que celui-ci ne soutenait pas.

— Si les experts se mettent à mentir, finit-il par déclarer, à qui peut-on se fier ?

Il vit Bruce secouer la tête sans répondre. S'en voulait-il ?

— Voyez-vous, poursuivit-il, quand un client s'adresse à un professionnel assermenté, il place en lui toute sa confiance. Il n'imagine pas un instant qu'on va le tromper. Hein ?

Bruce leva un bref instant les yeux.

— Non, répondit-il. Vous avez raison, Todd.

— Tout repose sur notre réputation. Si nous perdons celle-ci – et cela arrive très très vite, croyez-moi –, il ne reste rien. Des années et des années de dur labeur pour mon frère, et, si je puis dire, pour moi-même, disparaissent en fumée, à cause d'un employé qui a menti à un client. J'ai déjà vu cela se produire.

« Et puis, il faut aussi considérer les choses de manière plus large. Toute notre existence est fondée sur des marques de confiance. Nous nous fions à certaines personnes pour accomplir ce qu'elles se sont engagées à accomplir. Quand nous montons dans un avion, nous sommes sûrs que la compagnie aérienne a correctement entretenu l'appareil. Nous nous fions au pilote, puisque notre vie est entre ses mains. Et il y a bien d'autres personnes à qui nous nous en remettons ainsi, voyez-vous, Bruce. Nous leur faisons confiance. Voilà pourquoi ce que vous avez fait est si dramatique. Vraiment. C'est même impardonnable. Oui, je suis désolé, mais c'est le mot. Impardonnable.

À cet instant, Bruce comprit qu'il allait perdre son emploi. Jusqu'à présent, il avait considéré cet entretien comme l'un des multiples sermons que Todd se plaisait à dispenser au personnel. Mais là, c'était différent. Il considéra son interlocuteur, fouillant son regard dans l'espoir d'y lire ses intentions.

Le visage de Todd ne laissait paraître aucune colère, mais une grande déception. Cela confirma les craintes de Bruce. Je suis au chômage, se dit-il. Dans cinq minutes, je serai sans emploi (et je n'en trouverai plus, comprit-il soudain).

— Ainsi, quand vous avez pénétré dans ce bâtiment du 87, Eton Terrace, vous étiez investi d'une mission de confiance. Vous étiez...

Bruce se redressa.

— 78, Eton Terrace, rectifia-t-il.

— 78 ?

Todd marqua un temps d'arrêt, puis consulta le dossier posé sur son bureau.

— 78... répéta-t-il.

Bruce ferma les yeux en réprimant un soupir de soulagement. Oui, il y avait eu un appartement à vendre au n° 87. Il se souvenait d'avoir entendu quelqu'un en parler près de la machine à café. Todd confondait les deux.

Todd tira un agenda de son tiroir et le consulta. Quand il le referma, comme à contrecœur, il leva les yeux vers Bruce.

— Autant pour moi, dit-il, un ton plus bas. Je suis désolé, j'ai commis une erreur. Je vous prie de m'excuser. J'ai mélangé deux propriétés. Vous comprenez...

Bruce secoua la tête.

— Ne vous en faites pas, Todd, lança-t-il. Ça arrive à tout le monde de se tromper. À tout le monde. Ce n'est vraiment pas la peine de vous excuser.

Il laissa planer un court silence avant de reprendre :

— L'important, c'est d'en avoir conscience et de ne pas hésiter à avouer ses erreurs quand on en commet. C'est ça, l'important. Dire la vérité. Reconnaître qu'on s'est trompé.

Todd se leva.

— Bon, déclara-t-il. Oublions ça, voulez-vous. Nous avons du travail.

— Bien sûr, acquiesça Bruce. Au fait… je me demandais s'il serait possible d'avoir mon après-midi. Mes dossiers sont à jour et…

— Aucun problème, répondit Todd. Aucun problème.

Bruce lui sourit et se leva pour prendre congé.

— Un instant, l'arrêta Todd en saisissant le dossier. Le réservoir, sous les combles… Était-il neuf ou ancien ? Dans les vieux immeubles comme celui-là, on trouve encore des réservoirs en plomb.

Bruce hésita de nouveau.

— Il était bien, assura-t-il. Neuf.

Todd hocha la tête.

— Parfait.

Bruce quitta la pièce. Il a cherché à me piéger, pensait-il. On aurait pu croire qu'il avait compris la leçon, mais il a quand même voulu me piéger. Comme si j'allais mentir…

Il était en colère contre Todd, à présent. Quel hypocrite ! Quand je pense qu'il m'a fait la morale en disant qu'il ne fallait pas mentir, alors que lui-même vient d'un monde où tout n'est que mensonge et hypocrisie ! Une vraie bande de faux jetons ! Loges maçonniques ! Clubs de golf ! D'accord, il n'a pas sa carte de membre, n'empêche qu'il rêve de faire partie de ce club ! conclut Bruce, non sans une certaine satisfaction.

9. SP

Pat ne fut guère surprise quand Matthew annonça qu'il sortait prendre un café. Elle se trouvait dans la minuscule pièce du fond, où elle retapait la liste des tableaux, en fort mauvais état, que Matthew lui avait fournie. Ce dernier était resté assis à son bureau de la grande salle, à lire le journal en jetant de petits coups d'œil à sa montre et en soupirant par moments. À n'en pas douter, il s'ennuyait. Il n'avait rien à faire dans la galerie et ne semblait pas très concentré sur sa lecture.

Peu avant dix heures et demie, il referma donc son journal, se leva et informa Pat qu'il sortait.

— Je vais au café d'en face, précisa-t-il. Ça s'appelle *The Morning After*[1]. Ce n'est pas un excellent nom, si tu veux mon avis, mais c'est ce qui est inscrit sur l'enseigne. En fait, tout le monde l'appelle *Big Lou*. Si tu as besoin de moi, tu n'as qu'à me téléphoner.

— Dans combien de temps reviens-tu ? interrogea Pat.

Matthew haussa les épaules.

— Ça dépend. Dans une heure, à peu près. Peut-être plus. Ça dépend.

— D'accord, acquiesça Pat. Prends ton temps.

Matthew lui décocha un regard en biais.

— C'est mon temps à moi, objecta-t-il entre ses dents. C'est l'avantage d'être son propre patron.

Pat sourit.

— Désolée, je ne voulais pas être impolie. C'était juste pour te dire qu'ici, je pense que je m'en sortirai bien.

— Bien sûr que tu t'en sortiras bien ! Je peux même te dire que tu connaîtras de beaux succès ! Ces choses-là, je les sens. Tu es une futée, toi ! conclut-il en lui décernant une tape amicale sur l'épaule.

Pat garda le silence. Elle était habituée à cette condescendance de la part d'un certain type d'hommes et, même si cela ne lui plaisait guère, cela valait toujours mieux que l'expérience vécue durant son année sabbatique – sa première année sabbatique.

Restée seule dans la galerie, elle prit place derrière le bureau de Matthew et observa la rue. Dans quelques minutes, elle se préparerait un café, songea-t-elle. Elle se limitait à trois tasses par jour et attendait donc avec impatience de boire la première.

1. « Le lendemain matin. » (*N.d.T.*)

Matthew avait laissé son journal sur le bureau et elle s'en empara. La une était pleine de nouvelles politiques, sur lesquelles elle passa, pour lire un article sur un nouveau film dont tout le monde parlait sans que personne, semblait-il, ne l'ait encore vu. Dans ce film, disait-on, la violence était particulièrement visuelle. On y voyait des têtes coupées, des membres tranchés, des os brisés. Tout cela, affirmait l'auteur de l'article, était très excitant. Mais comment pouvait-on trouver la souffrance excitante ? Était-ce un besoin que d'éprouver de la peur, de l'épouvante ? Pat réfléchissait à cette question quand elle entendit sonner le carillon assourdi de la porte d'entrée, qui annonçait un visiteur. Elle leva les yeux et aperçut un homme d'une quarantaine d'années, vêtu d'un pantalon en velours côtelé et d'un sweat-shirt vert bouteille. Ce n'était pas une tenue de travail, songea-t-elle, et le nouveau venu avait l'air de disposer de tout son temps.

— Je peux ? demanda-t-il en esquissant un geste vers les tableaux.

— Bien sûr, répondit Pat. Si vous avez des questions...

Elle laissa la phrase en suspens. Si ce monsieur avait des questions, il était peu probable qu'elle fût en mesure d'y répondre. Elle appellerait Matthew, bien sûr, quoique celui-ci ne semblât pas en savoir beaucoup plus qu'elle.

L'homme sourit et regarda autour de lui comme pour décider par où commencer. Il se dirigea d'abord vers une petite nature morte, un vaste de Glasgow dans lequel un bouquet de fleurs semblait avoir été introduit à la hâte par un ivrogne.

— Ce n'est pas une façon d'arranger des fleurs, commenta-t-il. Ni de les peindre, d'ailleurs...

Pat ne répondit pas. C'était une œuvre d'amateur assez déplaisante, elle en convenait. Pourtant, elle se garda d'approuver : elle ressentait un vague besoin de protéger les tableaux de Matthew et les clients n'avaient pas à les critiquer, même si ces critiques étaient justifiées.

L'homme s'approcha ensuite de la toile qui ressemblait à un Peploe. Peut-être venait-elle de l'école de Peploe, en fait. Il s'arrêta pour l'observer quelques instants, avant de se tourner vers Pat.

— Très joli, dit-il. Sans grande originalité, mais reposant. C'est la plage de Mull vue de Iona, ou la plage de Iona vue de Mull ?

Pat saisit la liste posée sur le bureau et alla rejoindre le visiteur.

— D'après ce qui est écrit là, c'est la plage de Mull, répondit-elle. Mull, à côté de Tobermory, peinte par... là, il y a un point d'interrogation.

— Ce n'est pas un Peploe, affirma l'homme. C'est assez évident. Mais ça y ressemble. Regardez, là, cette belle ombre portée. Et les coups de pinceau ne manquent pas d'assurance.

Pat contempla le tableau. Comment cet homme pouvait-il être sûr qu'il ne s'agissait pas d'un Peploe ? se demanda-t-elle. D'autant que l'on distinguait les initiales SP dans l'angle inférieur droit... Mais elle comprit tout à coup : SP, School of Peploe, école de Peploe.

10. *Une femme venue d'Arbroath*

Matthew avait le sentiment d'être le découvreur du café de Big Lou, même si, comme toutes les choses découvertes (l'Amérique ou le lac Victoria, par exemple), celui-ci s'était toujours trouvé là. Ou, du moins, il s'était trouvé là ces trois dernières années. Auparavant, le local abritait une petite librairie d'occasion, remarquable par son fouillis, l'ordre des œuvres ne répondant à aucun système de classement connu. La topographie côtoyait la poésie, les manuels de pêche à la ligne et les ouvrages sur la nature voisinaient avec Hegel et Habermas. Rien n'était par ailleurs trop abstrus pour mériter sa place dans la boutique, malgré l'absence d'acheteurs. Personne ne voulait, semblait-il, d'un guide sur les sentiers de Calabre, que l'on découvrait, tout à fait par hasard, près d'une édition sur papier bible du *Vent du Sud*, de Norman Douglas, dédicacée par l'auteur, et tombée dans l'oubli.

Seul leur propriétaire aimait ces livres. Il les aimait de façon si intense et si possessive qu'il décourageait peut-être les acheteurs. Finalement, comme écrasé par le poids de son devoir et d'un stock qui ne s'écoulait guère, il mourut et ses exécuteurs testamentaires revendirent à Big Lou la boutique, ainsi que la totalité des ouvrages. Alors, sur une impulsion qui allait changer sa vie, celle-ci les emporta tous dans son appartement de Canonmills et entreprit de les lire l'un après l'autre. Elle lut le Norman Douglas, elle lut le guide des sentiers de Calabre, elle lut le Hegel et le Habermas. Et, assez curieusement, elle retint tout.

Big Lou venait d'Arbroath, et c'était la seule chose que l'on savait d'elle. Elle faisait toujours mine de ne pas entendre les questions sur ce qui avait précédé son arrivée à Édimbourg, donnant lieu à de multiples spéculations. Elle avait été mariée à un marin ; non, elle avait été marin elle-même, s'embarquant sur des cargos habillée en homme sans jamais se faire démasquer ; non, elle avait été un homme, parti se faire opérer à Tanger et revenu en femme. Rien de tout cela n'était vrai. En fait, Big Lou avait fait très peu de choses dans sa vie. À Arbroath, elle s'était occupée d'un vieil oncle jusqu'à l'âge de trente ans. Puis elle avait quitté sa ville natale, mais son départ avait été placé sous de mauvais auspices. À la mort de l'oncle tyrannique, elle avait décidé d'aller s'installer à Édimbourg. Elle avait donc fermé la maison, laissé les clés à une cousine et gagné la gare avec sa valise. La gare d'Arbroath n'est pas très compliquée, mais cela n'avait pas empêché Big Lou de se tromper de quai et de monter dans un train en partance pour Aberdeen, au nord. Fatiguée, gagnée par la chaleur qui régnait dans le compartiment, elle s'était endormie presque aussitôt, pour se réveiller peu avant Stonehaven. Elle était descendue à Aberdeen et, en proie au découragement, n'était pas repartie tout de suite en sens inverse. D'une certaine façon, Aberdeen lui paraissait moins intimidant que l'image qu'elle se faisait d'Édimbourg. Juste en face de la gare, elle découvrit un petit café qui arborait, sur sa façade, une offre d'emploi pour travailler comme aide-soignante dans une maison de retraite. C'est exactement ce que je suis, pensa-t-elle. Une aide-soignante. J'aide les autres et je les soigne… ce qu'elle fit durant les huit années suivantes, à la maison de retraite de Granite.

Bien que décourageant sous certains aspects, cet emploi finit par se révéler extrêmement lucratif. L'un des résidents, un ancien fermier de Buchan, la désigna comme principale héritière, de sorte qu'elle se retrouva un beau matin à la tête d'une substantielle somme d'argent. C'était le signe qu'elle devait cesser de soigner les gens d'Aberdeen et prendre le train manqué huit ans plus tôt. Elle avait désormais les moyens d'acquérir le café et l'appartement de Canonmills, et de commencer une nouvelle vie.

Ce fut un homme rencontré dans une laverie automatique qui conçut l'aménagement du café pour elle. Comme pour beaucoup d'événements survenus dans sa vie, Big Lou fut à peine consultée. Les choses lui arrivaient sans qu'elle les décidât jamais. On ne lui demanda donc pas si elle souhaitait des boxes, que l'homme dessina et construisit pour elle dans le café, ni si elle approuvait l'installation du grand et coûteux porte-journaux en acajou qu'il plaça près de l'entrée. Tout fut effectué sans qu'elle eût rien approuvé et elle parut accepter, tout comme elle avait accepté de devoir consacrer ses jeunes années à soigner son oncle, tandis que ses camarades de lycée s'en allaient à Glasgow ou à Londres mener la vie qu'ils s'étaient choisie.

Il y avait eu quelques hommes, bien sûr, mais ceux-ci l'avaient mal traitée. L'un d'eux, marié, n'avait jamais manifesté la moindre intention de quitter sa femme pour Big Lou. Un autre, cuisinier sur une plate-forme pétrolière, l'avait quittée pour aller travailler à Galveston, où il devait préparer à manger aux pétroliers texans. Il lui avait écrit pour lui raconter sa vie au Texas et lui dire, en outre, de ne pas venir le rejoindre. Galveston n'est pas un endroit pour une femme, affirmait-il.

Big Lou avait conservé la lettre, car c'était l'une des rares qu'elle avait reçues dans son existence. Elle tenait aussi à la garder, bien sûr, parce qu'elle aimait cet homme, ce cuisinier replet qu'elle espérait voir réapparaître un jour, même si elle se doutait bien que cela ne se produirait pas.

11. Des origines de l'amour et de la haine

Matthew négocia la descente de l'escalier qui menait au café de Big Lou. Sur ces marches irrégulières hautement périlleuses, Hugh MacDiarmid[1] était tombé au moins deux fois, du temps de la librairie. Ces chutes, à l'époque, n'étaient dues qu'aux seules défectuosités de la pierre. À ce danger venait à présent s'en ajouter un autre : la rampe était tombée. Big Lou avait eu l'intention de la faire réparer, mais sans jamais prendre le temps de s'en occuper.

Le café était donc divisé en compartiments au moyen de séparations basses, en bois, qui laissaient dépasser le haut des têtes. C'étaient des boxes confortables malgré

---

1. Écrivain, journaliste et poète écossais (1892-1978). (*N.d.T.*)

tout et Big Lou ne pressait jamais ses clients de s'en aller. On pouvait donc, si on le désirait, s'installer là pour la journée sans se sentir de trop, contrairement à ce qui était souvent le cas ailleurs.

En général, Matthew restait une bonne heure ; si la conversation l'intéressait, il la prolongeait d'une deuxième, voire plus. Chaque matin, il était rejoint par Ronnie et son ami Pete, restaurateurs de mobilier qui officiaient dans un atelier situé au fond d'une impasse donnant sur une élégante artère de la nouvelle ville. Ronnie était ébéniste, Pete tapissier et vernisseur. Ils travaillaient ensemble depuis deux ans, à la suite d'une rencontre dans un pub après un après-midi traumatisant pour leur équipe de football. Matthew ne connaissait rien à ce sport, qui ne l'intéressait pas, aussi, d'un commun accord, n'abordaient-ils jamais ce sujet en sa compagnie. Toutefois, Matthew sentait bien qu'il restait des questions de football en suspens sous la surface, comme c'était souvent le cas chez les tapissiers.

Ronnie était marié, mais pas Pete. Matthew ne connaissait le premier que depuis la reprise de la galerie et il n'avait pas encore eu l'occasion de rencontrer Mags, sa femme. Il avait cependant entendu parler d'elle à de nombreuses reprises, tantôt par Pete, tantôt par Ronnie lui-même.

Ce jour-là, avant l'arrivée de Ronnie, Pete se montra fort volubile sur le sujet.

— À ta place, je ne serais pas pressé de la rencontrer, dit-il. Elle va te détester.

Matthew haussa les sourcils.

— Je ne vois pas pour quelle raison elle me détesterait. Pourquoi dis-tu ça ?

— Oh, cela n'a rien à voir avec toi, assura Pete. Cela n'a rien de personnel : Mags pourrait même t'apprécier avant de découvrir la vérité.

— La vérité ? Quelle vérité ? questionna Matthew, perplexe.

— Que tu es un ami de Ronnie, expliqua Pete. Tu comprends, Mags déteste les amis de Ronnie. Elle est jalouse, j'imagine, et elle n'y peut rien. Elle les regarde comme ça, tu vois ? Et en général, les gens n'apprécient pas.

— Et toi ? Elle te déteste aussi ?

— Oh oui ! soupira Pete. Même si elle fait tout pour le cacher, je peux te dire qu'elle me hait.

— Mais quel intérêt a-t-elle à cela ?

Pete haussa les épaules.

— Je n'en sais rien. C'est comme ça.

Big Lou, qui avait suivi la conversation de derrière son comptoir, décida de mettre son grain de sel.

— Elle te hait parce que tu représentes une menace, affirma-t-elle. Seuls les gens qui n'ont pas confiance en eux détestent les autres. J'ai lu un livre là-dessus. Ça s'appelait : *Les Origines de l'amour et de la haine*. Il explique que le manque de confiance en soi mène à la haine.

Les deux hommes dévisagèrent Big Lou.

— Tu es sûre ? interrogea Pete. Alors, c'est pour ça ?

— Oui, répliqua Big Lou. Mags déteste les amis de Ronnie parce qu'elle a peur de le perdre, et puis aussi parce qu'ils l'empêchent d'être avec elle. Combien de temps Ronnie passe-t-il à bavarder avec sa femme ? D'ailleurs, tu l'as déjà vu lui parler vraiment, toi ?

— Non, jamais, murmura Pete, sidéré par cette découverte. Jamais.

— Eh bien, voilà ! conclut Big Lou. Mags se sent délaissée.

Pete allait répondre lorsqu'il se raidit soudain et tapota le bras de Matthew.

— Ils sont là ! chuchota-t-il. Ronnie, avec Mags à sa traîne.

Matthew se retourna. Ronnie descendait l'escalier, suivi d'une femme vêtue d'une ample robe en cachemire et de bottes en daim brun clair. La femme portait un immense sac en plastique et un magazine roulé dans sa main. En pénétrant dans le *café*, Ronnie échangea un regard avec Pete, puis se tourna vers Mags pour lui désigner le box où étaient installés ses amis. La jeune femme suivit son regard et eut un froncement de sourcils qui n'échappa pas à Matthew. Ronnie s'approcha.

— Voici Mags, déclara-t-il comme s'il s'excusait. Mags, je te présente Matthew. Vous ne vous connaissez pas. Matthew est un ami à moi.

Matthew se leva et tendit la main à Mags.

— Pourquoi tu te lèves ? lança celle-ci d'un ton acerbe. Tu fais pareil pour tout le monde, ou c'est juste parce que je suis une femme ?

Matthew baissa les yeux.

— Je me lève parce que je dois partir, répondit-il. Ce n'est pas de la condescendance, ni quoi que ce soit ; c'est juste que je dois partir. Tu peux prendre ma place, si tu veux.

Il marcha vers la sortie, puis gravit le périlleux escalier. Il tremblait comme un petit garçon qui aurait fait quelque chose de défendu.

12. Chanterelles trouvées*

Bruce avait offert de préparer le dîner pour Pat. Il le lui avait proposé le matin, avant de quitter l'appartement, en passant la tête par sa porte entrouverte sans y avoir été invité.

— Je me fais à manger, de toute façon, dit-il. Alors préparer pour un ou pour deux, c'est pareil…

— Avec plaisir, répondit Pat.

Elle vit le regard de Bruce errer dans la chambre tandis qu'ils parlaient, s'arrêtant un instant sur le lit encore défait, avant de dévier vers les valises, qu'elle n'avait pas encore entièrement vidées.

Bruce hocha la tête.

— Tu vas aimer, assura-t-il. Sans me vanter, je ne suis pas mauvais, comme cuisinier. Je pourrais même apprendre un ou deux trucs à Delia[1].

Pat se mit à rire, ce qui sembla plaire à Bruce.

— Seulement dans le domaine de l'expertise immobilière, ajouta-t-il. Pas en cuisine.

Il attendit un nouvel éclat de rire, mais cette fois-ci, Pat ne réagit pas.

— Je suis sûre que ce sera délicieux, déclara-t-elle d'un ton solennel. Que va-t-on manger ?

— Je ne fais que les pâtes, expliqua Bruce. Ce sera sûrement des pâtes aux champignons. Aux chanterelles. Tu aimes les champignons ?

— J'adore, acquiesça Pat.

— C'est bien. Chanterelles à la sauce au beurre, donc, avec de la crème, de l'ail, du poivre noir et une salade à l'huile d'olive et au vinaigre balsamique. Le vinaigre balsamique vient de Modène, tu savais ça ? Seulement de Modène. Alors, qu'est-ce que tu en dis ?

— C'est parfait, assura Pat. Parfait.

Lorsqu'elle rentra à Scotland Street ce soir-là, assez tard, car Matthew lui avait demandé de montrer un tableau à un client qui ne pouvait pas venir avant six heures, Bruce avait posé tous les ingrédients de sa recette sur la table de la cuisine. Elle s'assit pour le regarder et, tout en s'activant, il lui raconta un incident qui s'était produit au cabinet au cours de l'après-midi, toute une histoire à cause d'un chauffage central défectueux et d'une fuite dans un toit en coupole.

— Je leur avais dit qu'on aurait des ennuis avec ces gens-là, poursuivit-il. Et j'avais raison. C'est toujours la même chose avec ces nouveaux riches qui se donnent des grands airs. Je suis sûr qu'ils ont dû regarder le mot « coupole » dans le dictionnaire avant de venir

---

1. Chef écossais très médiatique. (*N.d.T.*)

se plaindre. *Cou-paule*, ils prononcent le mot comme ça. Nous avons une *cou-paule* qui prend l'eau.

— Cela ne doit pas être très drôle d'avoir une coupole qui prend l'eau, fit remarquer Pat d'un ton léger. On ne peut pas leur en vouloir.

— Mais toutes les *cou-paules* prennent l'eau, rétorqua Bruce. Les gens qui ont des *cou-paules* y sont habitués. C'est simplement au moment où on est promu au rang de propriétaire de *cou-paule* qu'on s'énerve pour ça. Notre *nouvelle* cou-paule* !

Une fois les pâtes cuites, il fit basculer la marmite pour les verser dans les deux assiettes, puis il ajouta la sauce jaune et prit place en face de Pat. La sauce, quoique trop riche au goût de la jeune fille, était bien cuisinée, et Pat le complimenta.

— Où as-tu trouvé les champignons ? interrogea-t-elle.

— C'est mon patron qui me les a donnés, répondit Bruce. Mr Todd. Il les a ramassés et il me les a donnés.

Pat s'immobilisa en contemplant son assiette.

— Il les a cueillis lui-même ?

— Oui. Sur le terrain de golf de Pertshire. Il avait envoyé sa balle en dehors du fairway et elle a atterri au milieu de ces champignons, au pied d'un arbre.

Pat piqua un champignon dans son assiette et l'observa.

— Est-ce qu'il s'y connaît ?

Bruce sourit.

— Non, pas du tout. Ce type est un bon à rien, de toute façon.

— Alors comment sait-il que ce sont des chanterelles ? Comment sait-il qu'ils ne sont pas… vénéneux ?

— Lui, il ne sait pas, répondit Bruce. Mais moi, si. Je sais reconnaître des chanterelles. Je peux te dire que ces champignons sont bons. Je ne me suis jamais trompé sur les champignons, sauf une fois, mais c'était il y a longtemps.

— Et tu as été malade ?

— Très, fit Bruce. J'ai failli mourir. Mais je suis sûr de ceux-ci. Je te promets. Tu ne seras pas malade.

Ils continuèrent à manger en silence pendant quelques instants.

— Tu n'es pas obligée de manger si tu n'as pas confiance, lança Bruce d'un ton boudeur.

Pat réfléchit, secoua la tête et termina son assiette. Au moment du café, que Bruce servit à table, ils parlèrent de Matthew et de la galerie.

— Je le connais, ce type, dit Bruce. Son vieux est un grand watsonien[1]. Rugby. Des usines. Plein de fric. Mais le fils, lui, est un bon à rien, je crois.

— Il y a beaucoup de gens que tu traites de bons à rien, fit observer Pat.

Si elle ne se voulait pas agressive, la remarque sonna néanmoins comme un défi à ses propres oreilles. Elle ne parut cependant pas ébranler Bruce.

— Mais parce que c'est la vérité ! s'exclama-t-il. Il y a pas mal de bons à rien dans cette ville. Moi, je suis pour dire les choses comme elles sont, un point, c'est tout.

Ils terminèrent le café, puis Bruce expliqua qu'il allait rejoindre des amis au *Cumberland Bar*. Pat serait la bienvenue si elle souhaitait l'accompagner. Il y aurait des gens intéressants, précisa-t-il : d'autres experts, et aussi des gars du club de rugby. Elle déclina toutefois l'invitation.

13. Casablanca

Lorsque Bruce eut quitté l'appartement pour le *Cumberland Bar*, Pat retourna dans sa chambre et s'allongea. Cette soirée l'avait vaguement contrariée. Il n'avait pas été facile d'écouter ce colocataire parler sans interruption

---

1. Ancien élève du George Watson's College, l'un des plus grands lycées d'Édimbourg. (*N.d.T*)

et assener ses certitudes, et elle se demandait par ailleurs si elle n'éprouvait pas un début de nausée. Ces champignons lui avaient paru bons au goût, mais n'était-ce pas souvent le cas des champignons vénéneux ?

Elle posa la main sur son ventre. Quels seraient les premiers symptômes ? La nausée ? Les vomissements ? Ou s'assoupirait-elle peu à peu, plongeant dans l'inconscience jusqu'à s'éteindre, comme Socrate avec la ciguë ? Elle aurait dû refuser de manger, bien sûr, dès l'instant où Bruce lui avait révélé l'origine des champignons. Elle aurait dû avoir le courage de ses opinions. Il allait falloir changer et parvenir à tenir tête à ce garçon.

Elle saisit son portable et l'ouvrit. Elle s'était promis de ne pas téléphoner chez elle au moindre coup de cafard, car elle devait apprendre à s'en sortir seule, comme une grande. Cependant, cela faisait tant de bien d'appeler la maison, surtout quand elle tombait sur son père, qui ne perdait jamais son calme et portait sur les choses son regard optimiste et réconfortant, confirmant le principe selon lequel la première qualité requise pour un psychiatre était le sens de l'humour !

Pat se mit à composer le numéro, mais s'interrompit net. Quelqu'un jouait d'un instrument, de la clarinette, peut-être, à moins que ce ne fût du saxophone. Oui, c'était du saxo. Et l'on aurait dit que le musicien se tenait là, juste derrière la porte. Elle écouta avec attention et comprit qu'en réalité, le son venait de l'étage au-dessous et lui parvenait à travers le mur contre lequel était poussé le lit. La qualité de l'interprétation n'était pas mauvaise : on percevait certes quelques hésitations, mais c'était un bon niveau d'amateur.

Pat acheva le numéro et entendit la voix de son père à l'autre bout du fil. Il lui demanda où elle se trouvait.

— Dans ma chambre, répondit-elle. Je suis allongée sur mon lit et j'écoute quelqu'un jouer du saxo, en bas. Tu l'entends ?

Elle colla le portable contre le mur et l'y maintint quelques instants.

— *As Time Goes By*, déclara son père. *Casablanca*. Et on dirait que c'est joué sur un saxo ténor. Pas si mal que ça, d'ailleurs…

— Le son est puissant, fit remarquer Pat. Ça résonne dans toute la chambre.

— J'imagine qu'il faut s'attendre à ce genre de désagrément quand on vit en appartement, commenta son père. Mais tout de même, tu pourrais leur demander de jouer moins fort. N'est-ce pas Tommy Smith qui a appris le saxo en fourrant des chaussettes dans son instrument à cause des voisins ? Il me semble que si.

— Oh, ça ne me dérange pas vraiment ! affirma Pat. C'est toujours mieux que d'écouter parler Bruce…

— Ton colocataire ?

— Oui. Enfin, il est tout de même gentil…

Il y eut un court silence au bout du fil.

— Tu n'as pas envie de rentrer à la maison, si ?

— Non, non. Pas du tout…

14. Essence de girofle

Pat raccrocha. Le saxophone s'était tu, remplacé par le silence.

La jeune fille se mit à penser à Bruce et à la façon dont elle devrait désormais se comporter avec lui. Elle ne pouvait lui reprocher de se montrer impoli ou froid à son égard ; non, le problème résidait plutôt dans cette condescendance qu'il lui manifestait. Peut-être fallait-il incriminer ces quelques années cruciales qu'il avait de plus qu'elle, mais il semblait malgré tout y avoir autre chose. Cela irait mieux, se dit-elle, quand les deux autres colocataires, Ian et Sheila, seraient rentrés. Peut-être qu'alors Bruce renoncerait à ses grands airs. Mais où ces deux-là se trouvaient-ils ? Bruce avait expliqué qu'ils étaient partis en voyage, mais sans beaucoup plus de précisions. En Grèce, peut-être, il n'en était pas sûr. Et il n'avait rien dit de ce qu'ils faisaient là-bas.

Pat se leva pour aller tirer les rideaux. L'odeur de renfermé subsistait encore dans la chambre, aussi avait-elle laissé la fenêtre entrouverte pour aérer. Elle avait par ailleurs fait l'acquisition d'un stock d'encens ; elle alluma un bâtonnet et huma l'odeur piquante de bois de santal qui se dégageait du filet de fumée ondulant.

Elle saisit ensuite la grande serviette étendue sur le dossier de la chaise et gagna la salle de bains. Le moment était bien choisi pour occuper celle-ci, car Bruce avait tendance à la monopoliser. La veille, alors qu'elle tentait de se détendre dans un bon bain, il avait tambouriné à la porte en lui demandant si elle en avait pour longtemps. C'était un petit détail, mais qui avait de quoi irriter.

Après avoir refermé la porte derrière elle, elle fit couler le bain, posa sa serviette sur la chaise en bois courbé et ôta ses chaussures. Elle allait se déshabiller lorsque ses yeux s'arrêtèrent sur l'armoire de toilette, au-dessus du lavabo. Celle-ci était assez large et Pat remarqua des empreintes poisseuses sur le miroir, là où quelqu'un, Bruce, sans doute, avait posé les doigts pour ouvrir la porte.

Il n'y a pas de secrets dans une salle de bains commune, songea la jeune fille, qui s'estima donc autorisée à inspecter le contenu de l'armoire. Après tout, elle pourrait elle aussi entreposer là ses affaires de toilette. Bruce ne possédait pas un droit exclusif sur ce meuble, même s'il était le résident le plus ancien.

L'armoire comportait trois étagères, toutes pleines, ou presque, de flacons et de tubes. Pat lut les étiquettes qui s'offraient à sa vue : *Après-rasage pour hommes actifs, Crème visage restructurante pour hommes, Gel pour l'homme sportif**. Elle se pencha pour poursuivre son examen. Elle n'ignorait pas que les hommes aussi utilisaient des produits cosmétiques, mais là, il y avait tout de même surabondance. Et se pouvait-il qu'un garçon s'enduise de crème pour le corps ? Bruce, de toute évidence, le faisait.

Pat s'empara du *Gel pour l'homme sportif**, l'ouvrit et plongea l'index dans la substance oléagineuse pour en humer l'odeur. Celle-ci, à base de girofle, apparemment, n'était pas désagréable. La jeune fille se penchait pour renifler de nouveau lorsque le pot lui glissa des mains et tomba. Il rebondit d'abord une fois, puis se brisa, laissant sur le sol un cercle vert gélatineux, petit bloc compact parsemé de fragments de verre.

Elle contempla le pot brisé et le gel, devenu inutilisable. Une odeur épicée flottait dans l'air. Zanzibar, par une nuit d'été, devait avoir cette odeur-là, de même qu'un bar indonésien envahi par les brumes de tabac de girofle. Ou encore la salle de bains d'un appartement de Scotland Street. Pat résolut de tout nettoyer après son bain. Soudain, une remarque faite un jour par son père lui revint en mémoire : les petits accidents de ce genre trahissaient en réalité nos désirs secrets. Nous détruisons ce que nous aimons, avait-il affirmé. Pat avait-elle voulu détruire le gel capillaire parce qu'elle était en train de s'éprendre de Bruce ? Impossible. Elle ne pouvait tomber amoureuse de Bruce.

15. 560 SEC

Le lendemain matin, Pat quitta l'appartement à l'instant même où Domenica Macdonald ouvrait sa porte sur leur palier commun. La dame portait un manteau vert et un grand sac de cuir usé. Elle la salua avec effusion et lui demanda comment se passait son installation.

— Je suis très contente, affirma Pat. Tout va bien.

À peine eut-elle prononcé ces paroles qu'elle repensa au pot de gel brisé, dont elle n'avait pas encore parlé à Bruce.

— Enfin...

Assez bien, songea-t-elle, eût été plus juste.

— Je comprends, répondit Domenica en baissant la voix. Bruce doit être un peu... comment dire ? Difficile ? Est-ce le mot ? Difficile ?

— Différent ? suggéra Pat.

Domenica sourit et lui prit le bras pour descendre l'escalier.

— Mais les hommes dans leur ensemble sont différents, n'est-ce pas ? Je me souviens que, quand j'ai commencé à vivre avec un homme – mon mari, en l'occurrence, puisqu'en ce temps-là, les mœurs se voulaient un peu plus respectables que de nos jours –, j'ai trouvé cela très bizarre. Les hommes sont si... si...

— Masculins ? hasarda Pat.

Domenica se mit à rire.

— Exactement. Ce mot-là dit tout, n'est-ce pas ? Bruce est masculin. Dans un sens...

Elle considéra Pat, savourant cet instant de compréhension mutuelle purement féminine.

— Les hommes sont de petits garçons, non ? C'est en tout cas ce que j'ai toujours pensé.

Elles avaient atteint le palier du troisième étage. Domenica désigna l'appartement de droite.

— Tenez, à propos de petits garçons, c'est ici qu'habite le jeune Bertie. Vous avez dû l'entendre jouer du saxophone hier soir, j'imagine...

Pat regarda la porte bleu ciel, qui arborait un autocollant indiquant qu'aucune énergie nucléaire n'était ni produite ni utilisée à l'intérieur.

— Oui, répondit-elle. En effet.

Domenica soupira.

— Le bruit ne me pose pas de problème. Ce garçon joue remarquablement bien, d'ailleurs. Non, ce qui me dérange, c'est son âge.

Pat l'interrogea du regard. Elle se demandait ce que signifiait cette remarque. Il était difficile de se figurer comment l'âge d'un individu pouvait déranger qui que ce fût. À priori, il s'agissait là d'un élément que l'on ne contrôlait pas.

Domenica lut sa perplexité.

— Voyez-vous, Bertie est très jeune. Il n'a que cinq ans, je crois. C'est beaucoup trop jeune pour jouer du saxophone.

— Cinq ans ? répéta Pat, interloquée.

— Oui, acquiesça Domenica en jetant un regard désapprobateur au palier et à sa porte bleue, déjà derrière elles. Ses parents le poussent trop, beaucoup trop. Ils essaient d'en faire un petit prodige. Surtout sa mère. Elle lui enseigne la musique et l'italien. Dieu sait pourquoi leur choix s'est porté sur le saxophone, mais c'est comme ça. Pauvre petit !

Pat avait peine à imaginer un enfant de cinq ans jouant *As Time Goes By* au saxophone. Et s'il s'agissait bien, qui plus est, d'un saxophone ténor, elle voyait mal comment ses doigts pouvaient couvrir toutes les notes. En outre, l'instrument devait être presque aussi grand que lui. Montait-il sur une chaise pour jouer ?

— Tout l'intérêt de l'enfance, reprit Domenica, est de nous procurer une brève période d'innocence durant laquelle nous sommes préservés du monde extérieur. Les parents qui poussent trop leur progéniture s'immiscent dans ce petit espace-là. Et bien sûr, ils rendent l'enfant massivement anxieux. Vous-même, vous n'avez pas été poussée par vos parents, n'est-ce pas ?

Pat secoua la tête.

— Pas du tout. Ils m'ont encouragée, mais pas poussée.

— C'est toute la différence, commenta Domenica. D'ailleurs, je me doutais que vous n'aviez pas subi ce genre de traitement. Vous êtes calme et raisonnable. Vous m'avez l'air d'une personne équilibrée. Non que je vous connaisse extrêmement bien : en fait, je ne sais rien de vous. Mais c'est l'impression que vous dégagez quand on vous voit.

La conversation commençait à mettre Pat mal à l'aise. La jeune femme chercha à changer de sujet, mais elles venaient d'atteindre la porte de l'immeuble et Domenica lui avait lâché le bras.

— Vous partez travailler ? interrogea la dame.

— Oui, répondit Pat.

— Je peux vous déposer. Ma voiture est là, dans la rue. Cela ne me dérange pas du tout.

— C'est inutile, je vais juste au coin de la rue, protesta Pat. Mais merci quand même.

Domenica ne prêta aucune attention à ce refus.

— C'est celle-là, en face, précisa-t-elle. La Mercedes-Benz 560 SEC couleur crème. C'est ma voiture.

Pat contempla le véhicule qu'elle désignait. C'était un coupé aux lignes pures, doté d'enjoliveurs argentés étincelants et d'un fier sigle Mercedes intégré à la calandre.

— Elle est très belle, commenta la jeune fille. Vraiment superbe.

— À conduire, c'est un rêve. Et quelle puissance ! Le moteur a une capacité de 5,6 litres, ce qui lui donne la puissance de cinq Mini !

— Cinq Mini ! s'extasia Pat.

— Oui, cinq Mini ! répéta Domenica. À présent, venez, ma chérie, montons à bord !

16. Croyances irrationnelles et cerveau d'enfant

Bertie et sa maman franchirent la grande porte du 44, Scotland Street à l'instant même où Domenica et Pat s'installaient à l'avant de la Mercedes-Benz crème.

Aucun des deux couples ne remarqua l'autre. Domenica était occupée à démarrer, tandis que Pat admirait le somptueux intérieur de cuir crème et le tableau de bord en noyer vernis. De leur côté, les deux membres de la famille Pollock, le petit Bertie, cinq ans, et sa maman Irene, trente-quatre ans, ne songeaient qu'à arriver à temps à l'école maternelle d'East New Town. Pour Bertie, il importait d'être là-bas de bonne heure, afin d'être assuré de pouvoir jouer avec le train, avant que d'autres garçons, qui ne pouvaient moralement prétendre aux mêmes droits que lui sur ce jeu, ne commencent à le réclamer. Pour Irene, cela permettrait de discuter avec l'institutrice principale, Miss Christabel Macfadzean, avant que celle-ci ne soit trop distraite par les autres enfants et leurs parents pour lui accorder sa pleine attention. Irene avait plusieurs sujets à lui soumettre et lui écrire n'eût servi à rien, car l'enseignante ne répondait généralement aux lettres que par un bref accusé de réception.

Irene n'aimait pas Christabel Macfadzean, même si force était de reconnaître que celle-ci possédait quelques points positifs : elle était assez consciencieuse et les enfants semblaient relativement attachés à elle. L'ennui, c'était que l'éducatrice ne paraissait pas consciente des dons que possédait Bertie, ni des stimulations et de l'attention supplémentaires qu'il nécessitait. Non que les autres enfants n'aient pas, eux aussi, leurs besoins, bien sûr, mais ceux de Bertie étaient particuliers. Pour commencer, les autres enfants ne savaient pas lire, alors que Bertie, lui, lisait couramment l'anglais et faisait de rapides progrès en italien. Il avait un livre italien pour enfants, *L'Avventure del Piccolo Roberto*, qu'il parvenait désormais à lire dans son intégralité, et il était passé à une traduction italienne de *Max und Moritz* (un texte auquel, sur le plan idéologique, Irene n'adhérait pas totalement, mais qui lui semblait malgré tout préférable à *Struwwelpeter*, trop cruel).

En traversant Drummond Place, Bertie, qui tenait la main de sa mère, fixa les yeux au sol et s'attacha à éviter les fissures entre les pavés.

— Allez, Bertie ! lui lança Irene. Maman n'a pas tout son temps. Pourquoi marches-tu de cette façon idiote ?

— Les traits, expliqua l'enfant. Si je marche sur les traits, on va m'attraper. *È vero.*

— Qu'est-ce que tu racontes ? *Non è vero !* Et puis, qui est ce *on* ? La CIA ?

— Les ours… commença Bertie, avant de s'interrompre net. La CIA ? La CIA aussi, elle peut nous attraper ?

— Mais bien sûr que non ! s'exclama Irene. Personne ne va t'attraper.

Ils continuèrent à marcher en silence.

— C'est qui, la CIA ? interrogea soudain Bertie. Où elle habite ?

— La CIA, c'est le bureau des espions américains. Elle surveille les gens, je suppose…

— Elle est en train de nous surveiller en ce moment ?

— Mais non, voyons ! Et elle se fiche pas mal de savoir si tu marches ou non sur les traits. Il y a plein de gens qui marchent sur les traits et à qui il n'arrive rien du tout.

Bertie réfléchit.

— Il y en a à qui il n'arrive rien ? Mais les autres ? Qu'est-ce qu'il leur arrive ?

— Rien, rétorqua Irene. Il n'arrive jamais rien aux gens qui marchent sur les traits. Regarde, moi, je marche sur les traits et il ne m'arrive rien. Regarde ! Encore un trait, je marche en plein milieu et il…

Elle n'acheva pas sa phrase. Son talon, pris dans une fissure plus large que les autres, s'était coincé. Elle bascula en avant pour atterrir lourdement sur les pavés. Son pied, arraché à la chaussure, s'était tordu et une vive douleur lui vrillait la cheville.

Bertie demeura d'abord immobile. Puis il leva les yeux vers le ciel et attendit. Si une nouvelle punition devait arriver, sans doute viendrait-elle de ce côté-là. Mais rien ne se produisit, aussi se sentit-il suffisamment en sécurité pour se pencher vers sa mère et lui saisir la main, afin de l'aider à se relever.

— Je me suis tordu la cheville, articula Irene, piteuse. Cela fait très mal.

— Pauvre Irene ! murmura Bertie. Mais je te l'avais dit, non ?

Irene soupira. Sa cheville la faisait souffrir, mais pas au point de l'empêcher de marcher. Ils poursuivirent donc leur trajet, d'un pas un peu moins vif qu'auparavant.

— Écoute, Bertie, il est très important que tu ne penses pas qu'il s'agit d'autre chose que d'un accident, déclarat-elle avec fermeté au bout d'un moment. Ce n'était rien d'autre. Je ne veux pas que tu te mettes à avoir des pensées magiques. À croire aux fées et aux choses de ce genre...

— Aux fées ? s'étonna Bertie. Ça existe, les fées ?

Ils atteignaient à présent l'extrémité de London Street. L'école n'était plus très loin.

— Non, ça n'existe pas, assura Irene.

Bertie prit un air sceptique.

— C'est pas sûr, dit-il.

17. *Échange entre éducatrices*

Miss Christabel Macfadzean, propriétaire de l'école maternelle d'East New Town, parut inquiète en voyant une Irene boitillante franchir la porte d'entrée.

— Vous vous êtes blessée ? interrogea-t-elle avec sollicitude. Vous avez eu un accident ?

— Ce n'était pas un accident, marmonna Bertie, pour être aussitôt réduit au silence par Irene.

— Oui, un accident, répondit cette dernière. Mais très léger. J'ai trébuché sur les pavés de Drummond Place.

— Cela arrive vite, compatit Christabel. De nos jours, on risque sa vie dès que l'on sort de chez soi. Si on ne tombe pas dans un trou, on se retrouve collé au trottoir à cause d'un vieux chewing-gum. Et l'on peut y rester longtemps sans pouvoir bouger d'un pouce…

Irene eut un sourire indulgent. Bien qu'âgée de quarante-cinq ans au plus, Christabel était très vieux jeu, pensa-t-elle, avec ce genre de commentaire sur les chewing-gums – des remarques antijeunes, en réalité. En temps normal, Irene eût été tentée de relever, et de lancer quelque chose comme : « Cette remarque concerne-t-elle réellement le chewing-gum, ou s'agit-il d'une attaque détournée contre les adolescents dans leur ensemble ? » Toutefois, elle était venue pour parler de Bertie.

— Je voudrais que nous discutions un peu de Bertie, commença-t-elle. Je sais que vous êtes très occupée, mais…

Christabel jeta un coup d'œil à sa montre.

— Quelques minutes seulement, parce qu'il faut vraiment que…

Irene saisit l'occasion qui lui était donnée.

— Vous avez dû remarquer à quel point il est brillant, déclara-t-elle.

Christabel détourna un instant la tête. Bien sûr que Bertie était brillant – brillant à faire peur –, mais elle n'avait pas l'intention d'encourager cette femme. Il n'y avait rien de pire, à ses yeux, qu'une mère qui poussait son enfant.

— C'est vrai qu'il n'est pas attardé, répondit-elle, prudente.

Le regard d'Irene s'agrandit de surprise.

— Pas attardé ? Évidemment qu'il n'est pas attardé ! Il est très doué.

66

— Sur quel plan ? interrogea Christabel sans se départir de son calme. La plupart des enfants présentent un don dans un domaine ou dans un autre. Par exemple, ce petit garçon, là-bas, joue très bien au ballon. Il a un vrai don pour ça.

Irene pinça les lèvres.

— Mais c'est différent ! Tout à fait différent ! « Doué » est un terme très précis en psychologie de la croissance. Il s'applique aux enfants dotés d'une intelligence exceptionnelle.

— Je ne sais pas, répondit Christabel d'un ton badin. Je n'ai guère que vingt-deux ans d'expérience de la petite enfance, mais je suis convaincue que la plupart des enfants ont chacun leur don particulier. Il est vrai que Bertie est très fort pour assembler le train. Et il n'est pas mauvais non plus pendant l'heure du chant.

Irene s'efforça de se contenir.

— Et son italien ? lança-t-elle. Son italien ? Avez-vous remarqué qu'il parle italien ?

Christabel le savait, en effet. Cependant, l'enjeu était trop grand pour jouer la carte de la franchise.

— L'italien ? s'exclama-t-elle. Comme c'est intéressant ! Êtes-vous italienne vous-même ? Ou votre mari ? Nous avons souvent des enfants bilingues ici – quand l'un des deux parents vient de l'étranger. Les enfants apprennent si vite à la maison ! Ce sont de remarquables linguistes. Tous, et pas seulement Bertie !

— Je ne suis pas italienne, répliqua Irene, et mon mari non plus, d'ailleurs. Non : Bertie a *appris* l'italien, c'est un accomplissement de sa part. Un accomplissement parmi beaucoup d'autres.

— C'est bien utile, rétorqua Miss Macfadzean avec plus de froideur. Ce sera un avantage s'il va un jour passer ses vacances en Italie.

— Ce n'est pas cela, l'intérêt ! se récria Irene. C'est pour pouvoir lire dans cette langue et en apprécier la culture qu'il a appris l'italien.

— C'est très bien, commenta Miss Macfadzean en consultant sa montre. Quels nobles personnages que les Italiens, parfois !

— Oui, fit Irene. Et en saxophone, il vient de passer son niveau 6. Son niveau 6 !

— Eh bien, dites-moi ! C'est un petit garçon très actif que vous avez là ! s'exclama Miss Macfadzean. Je m'étonne qu'il trouve encore le temps de venir à l'école ! Nous avons de la chance de l'avoir ici !

— Seulement, il aurait besoin de plus de stimulations, enchaîna Irene. Si vous pouviez trouver le temps de travailler avec lui sur la lecture…

— C'est hors de question, coupa Miss Macfadzean. Nous devons nous occuper de tous les enfants. Je regrette.

Elle s'interrompit un instant, avant de reprendre :

— Et d'ailleurs, je voulais vous voir pour vous parler de l'attitude de Bertie en classe. Il faudrait qu'il travaille un peu plus sur la coopération avec les autres. Il n'est pas très doué sur ce plan. Nous avons parfois des incidents avec lui.

— Des incidents ?

— Oui, poursuivit Miss Macfadzean. Il adore jouer avec le train. Seulement, il doit apprendre à partager. Il a détruit une très jolie gare que venait de construire un autre enfant, en prétendant qu'elle avait sauté. Il a raconté que c'était à cause d'un problème politique.

Irene sourit.

— Sacré Bertie ! C'est bien la difficulté, vous voyez ! Il est très en avance sur les autres enfants. Les gamins de son âge ne savent rien de la politique. Ils ne connaissent même pas le terme…

— Non, en effet, repartit Miss Macfadzean. Mais ce n'est pas une raison pour leur gâcher leurs jeux. Notre rôle est d'apprendre aux enfants à vivre et à laisser vivre. Nous sommes là pour encourager la socialisation.

— Bertie connaît beaucoup de choses sur la socialisation, affirma aussitôt Irene. Le problème, c'est que les autres enfants sont… excusez-moi d'avoir à le dire, mais ils ne sont pas à son niveau. Ils ne le comprennent pas. Ce qui fait qu'il est frustré. C'est de ce point de vue-là que nous devons voir les choses.

Miss Macfadzean consulta de nouveau sa montre.

— Peut-être aurait-il besoin d'être laissé plus souvent livré à lui-même. D'avoir un peu plus d'espace pour être un petit garçon de cinq ans. Croyez-vous que…

Elle s'arrêta net, déconcertée par le regard qu'Irene posait sur elle.

— Bertie est un enfant très particulier, articula celle-ci avec une extrême lenteur. Seulement, il y a des gens qui n'ont pas l'air de le comprendre.

Sous ce regard noir, Miss Macfadzean détourna de nouveau les yeux. C'était sans espoir, songea-t-elle. Sans espoir.

18. Les travaux de Melanie Klein

Après cet entretien fort peu satisfaisant, Irene retourna à Scotland Street en prenant soin d'éviter la portion de trottoir responsable de sa chute. Elle savait très bien ce que Miss Macfadzean pensait d'elle ; cela transparaissait à travers le moindre de ses regards, dans chacune de ses offensantes remarques. Elle la prenait pour l'une de ces mères qui poussent leur enfant, qui considèrent celui-ci comme un être hors du commun, à qui l'on n'accorde pas toute l'attention qu'il mérite. Tel était le fond de sa pensée, mais elle se trompait sur toute la ligne. Ce jugement était injuste, parce qu'Irene n'avait jamais poussé son fils. Jamais. Tout ce qu'elle et son mari faisaient avec Bertie était initié par des demandes émanant de l'enfant. C'était lui qui avait réclamé le saxophone, lui qui avait voulu apprendre l'italien après être allé acheter, avec sa maman, des tomates séchées chez Valvona and Crolla. Jamais on ne l'avait obligé à faire quoi que ce fût.

Et puis, que signifiait cette histoire d'« espace pour être un petit garçon de cinq ans » ? Qu'avait-elle insinué par là ? Si elle voulait dire qu'il fallait nier la curiosité naturelle de Bertie pour le monde, c'était monstrueux, ni plus ni moins. Quand un enfant pose des questions, l'on peut difficilement rejeter sa quête de savoir.

Il y a plusieurs difficultés avec Christabel Macfadzean, songea Irene. D'abord, cette femme est un chameau. D'accord, c'était là une façon un peu primaire de présenter les choses, mais cela faisait parfois du bien de réfléchir en ces termes. C'était ainsi que pensaient les gens ordinaires. En réalité, le problème majeur était que cette femme, qui prétendait diriger une école maternelle pilote (d'après la brochure, l'établissement appliquait des méthodes d'enseignement inspirées des dernières avancées en matière d'éducation), ne connaissait rien au comportement de l'enfant. Elle avait lancé une référence sarcastique à ses vingt-deux années d'expérience *seulement*, mais elle aurait beau en avoir cinquante, cela ne compenserait jamais son ignorance crasse des travaux de Melanie Klein. C'était là, du point de vue d'Irene, le plus stupéfiant : comment pouvait-on prétendre s'occuper d'enfants, quand on n'avait pas lu la moindre page, pas la moindre, de Melanie Klein ? C'était à couper le souffle !

Si Christabel Macfadzean avait été au fait des grandes lignes de la théorie kleinienne, elle aurait tout de suite compris qu'en détruisant une gare construite par un autre enfant, Bertie avait simplement exprimé, à travers un processus d'identification projective, des angoisses fondamentales nées de l'idée que la société ne l'autoriserait jamais à épouser sa mère. C'était clair comme de l'eau de roche.

En y réfléchissant bien, d'ailleurs, il semblait assez remarquable que Bertie se soit comporté à la manière de Richard, l'enfant analysé par Melanie Klein pendant la Seconde Guerre mondiale. À travers ses dessins d'avions allemands attaquant en piqué, Richard exprimait, à l'époque, des angoisses liées à la guerre, mais aussi à sa propre mère. En détruisant la gare, Bertie était tout bonnement animé des mêmes sentiments que Richard.

Irene s'interrompit. Une pensée remarquable venait de lui traverser l'esprit. Et si Bertie avait lu Klein ? L'enfant dévorait les livres… Mais non, sans doute. À moins qu'il ne soit allé fouiller dans sa bibliothèque à elle ? Et s'il avait bel et bien lu Klein, peut-être avait-il inconsciemment reproduit l'attitude de Richard *parce qu'il s'était aperçu que ses propres angoisses ressemblaient beaucoup à celles de Richard.* Dans ce cas, cela avait été sa façon à lui de communiquer, et le message était passé totalement inaperçu de l'adulte même dont la mission consistait à le guider dans ses délicats premiers pas vers la socialisation.

Cette pensée mit Irene en rage et, pendant quelques instants, la jeune femme demeura immobile au milieu du trottoir, les yeux fermés, luttant contre la colère qui montait. Depuis peu, elle avait pris un abonnement au Floatarium[1], aussi s'imagina-t-elle allongée dans le caisson, flottant dans le plus parfait silence. Les représentations de ce type aidaient toujours.

La prochaine fois, elle emmènerait Bertie avec elle au Floatarium et il s'allongerait dans l'eau. Il apprécierait,

---

1. Le Floatarium d'Édimbourg est un luxueux établissement de détente qui propose, entre autres, des caissons individuels phoniquement isolés, remplis d'une eau saturée en minéraux, dans laquelle le corps flotte sans effort. Une séance d'une heure est censée procurer une détente physique et mentale. (*N.d.T.*)

car il manifestait un immense intérêt pour la méditation. Il faudrait aussi qu'il prenne des cours de yoga, pensa-t-elle. Il l'avait questionnée à ce sujet quelques jours plus tôt et elle s'était renseignée : il existait un cours de yoga pour enfants à Stockbridge le lundi soir et Bertie était libre le lundi soir. Tout autre jour aurait posé un problème, mais le lundi se révélait parfait. Elle le noterait sur l'emploi du temps.

19. Un modeste présent

La Mercedes-Benz crème s'arrêta devant la galerie et Pat en descendit. D'un signe de main, elle remercia Domenica Macdonald, qui lui répondit de même, puis la voiture poursuivit sa route.

Matthew n'était pas encore là, mais la jeune fille avait la clé et savait comment débrancher l'alarme. Elle ramassa au passage le courrier du matin, le posa sur le bureau, puis alla se préparer un café dans la pièce du fond.

Matthew lui avait demandé d'ouvrir le courrier, ce qu'elle fit bientôt. Elle trouva une facture de l'électricien qui avait installé un nouvel interrupteur, ainsi qu'une lettre émanant d'un client potentiel qui cherchait à acheter un Hornel. « Avez-vous quelque chose en stock ? » interrogeait-il. La réponse la plus franche, songea Pat, eût été : « Nous n'en avons aucune idée. » Peut-être possédaient-ils un Hornel, ni elle ni Matthew ne pouvaient le dire, mais cela restait néanmoins peu probable. Il lui semblait que la galerie ne contenait aucune œuvre de valeur. À cette pensée, son regard se posa sur la peinture de Mull/Iona et elle s'interrogea : combien pouvait coûter un Peploe de nos jours ? La veille, en feuilletant une revue découverte dans la pièce du fond, elle était tombée sur la liste des prix de tableaux écossais acquis en salles des ventes l'année précédente. Un immense Peploe était parti pour 90 000 livres ; si la toile qu'elle contemplait à présent était du même artiste, elle devait donc valoir environ… disons, 40 000 livres ?

Le carillon de la porte d'entrée retentit et Pat leva les yeux. C'était le visiteur de la veille, l'homme en tenue décontractée qui avait examiné le tableau et s'était prononcé avec tant d'autorité à son sujet.

Il se dirigea droit vers elle.

— Je passais devant chez vous et je me suis dit que je pourrais jeter un coup d'œil à une ou deux petites choses. J'ai un cadeau d'anniversaire à offrir et ce n'est vraiment pas facile, vous savez. Une toile, peut-être… oh, rien de très onéreux, mais quelque chose que l'on puisse accrocher au mur sans que ce soit trop agressif. Vous voyez ce que je veux dire…

— Je vous en prie, faites un tour, suggéra Pat avec un geste ample. Vous trouverez peut-être ce que vous cherchez.

L'homme sourit et se dirigea d'un pas nonchalant vers le mur situé à la droite de la jeune fille.

— Des gravures de D. Y. Cameron, murmura-t-il, juste assez fort pour être entendu. Ce n'est pas mal pour une tante, mais pas vraiment idéal pour la personne qu'on aime. Vous voyez ce que je veux dire ?

Pat ne sut que répondre. Elle avait une tante, mais pas de petit ami, aussi se mit-elle à rire. L'homme se tourna vers elle, surpris.

— Vous n'êtes pas d'accord ? s'enquit-il.

— Si, si, assura Pat. Je suis sûre que vous avez raison.

Il reprit sa visite, s'approchant à présent de l'imitation du Peploe. Il s'immobilisa devant le tableau pour l'examiner de près.

— Combien demandez-vous pour ce… pour ce travail de peintre du samedi ?

— Du samedi ?

— C'est le jour où les amateurs sortent leurs pinceaux, expliqua l'homme. Celui qui a peint ce tableau, par exemple, est sans doute un directeur de banque de Dumfries à la retraite, ou quelque chose comme ça. Quelqu'un qui peint un peu. Comme notre ami, Mr Vettriano.

Pat tressaillit. Elle avait lu des commentaires désobligeants sur Vettriano et savait que certaines personnes avaient une très mauvaise opinion de ses œuvres, mais elle ne partageait pas ce point de vue. Elle aimait, pour sa part, ces images de couples dansant sur la plage en tenue de soirée, un majordome à leurs côtés. Elle n'avait jamais assisté à de telles scènes dans la réalité, bien sûr, mais cela restait toujours possible. Pourquoi pas ?

Elle saisit la liste que Matthew conservait dans le premier tiroir et promena les yeux sur les chiffres, avant de repérer la ligne concernée. École écossaise – Auteur inconnu : initiales SP (Sacré Peintre ?) – 150 livres.

— 150 livres, annonça Pat.

L'homme recula et se caressa le menton.

— 150 ? C'est un peu abusif, non ? Mais après tout… peut-être. Ça ferait un joli cadeau pour mon amie.

Puis, se retournant vers Pat, il ajouta d'un ton brusque :

— Je le prends. Pouvez-vous me l'emballer ? Je paie en espèces.

Pat hésita.

— D'un autre côté, déclara-t-elle, si c'est un Peploe, 150 livres, cela me paraît un peu faible. Peut-être que 40 000 correspondraient mieux à sa véritable valeur.

L'homme, qui s'était rapproché du bureau, s'immobilisa net.

— Un Peploe ? Ne soyez pas ridicule ! Bien sûr, si c'en était un, cela vaudrait ce prix-là, mais ce n'est pas le cas ! C'est impossible.

Pat l'avait observé tandis qu'il parlait. Elle avait remarqué son rougissement brutal et le mouvement de

ses yeux, qui s'étaient déplacés sur le côté avant de revenir se reposer sur elle. Tout cela l'avait convaincue
qu'elle avait pris la bonne décision. Le tableau n'était
plus à vendre.

20. Les garçons discutent art

Matthew arriva à la galerie peu avant l'heure où il
avait l'habitude de traverser la rue pour aller prendre son
café chez Big Lou. Pat entreprit aussitôt de lui relater les
deux visites de l'acheteur potentiel du tableau de Mull/
Iona, mais il l'arrêta.

— C'est énorme ! s'exclama-t-il. Viens me raconter
tout ça devant un café. Cela va aussi intéresser les garçons. On fermera la galerie pendant une heure. C'est
énorme, vraiment énorme !

Ils se dirigèrent ensemble vers le café de Big Lou, traversant la rue pavée que les bus à étage descendaient
pesamment. En bas, au-delà des toits de Canonmills,
s'étendait Fife, semblable à une aquarelle de Gillies avec
ciel et collines. Matthew vit Pat s'arrêter pour contempler
la vue et il lui sourit.

— C'est beau, hein ?

Elle hocha la tête. Elle ne l'aurait pas imaginé sensible à ce genre de chose, mais après tout, elle le
connaissait peu. Il ne ressemblait pas à Bruce, qui,
pour sa part, ne remarquerait jamais un panorama.
Matthew possédait quelque chose en plus, une certaine
douceur qui inspirait presque à la jeune femme un désir
de protection.

Ils se détournèrent de Fife et descendirent le dangereux escalier de Big Lou. Ronnie et Pete étaient déjà
installés dans leur box habituel. Matthew leur présenta
Pat.

— Cette demoiselle vient de faire une découverte
majeure, expliqua-t-il. Il se trouve que nous avons un

tableau très important à la galerie. Moi, je ne l'avais pas remarqué, et j'aurais pu le vendre 150 livres, alors qu'il en vaut...

Il se tourna vers Pat :

— 10 000 ?

— 40 000, peut-être.

Ronnie émit un sifflement.

— 40 000 !

Big Lou, qui arrivait avec les cafés, posa les tasses devant eux.

— Je suis en train de lire le livre de Calvocoressi sur Cowie[1] en ce moment, lança-t-elle. Très intéressant.

— Ouais, commenta Pete. Sûrement ! Mais cette toile, Pat, comment sais-tu que c'est bien ce que tu crois ? Comment peux-tu l'affirmer ?

Pat haussa les épaules.

— Je n'en sais rien, en fait, avoua-t-elle. Je n'y connais pas grand-chose. J'ai pris Histoire de l'art en option au bac et j'ai appris quelques petites choses sur les artistes écossais. On nous a parlé de Peploe et je trouve que ce tableau ressemble à un Peploe.

— Il y a plein de choses qui ressemblent à d'autres choses, objecta Ronnie. Lou, par exemple, ressemble à la Joconde, pas vrai, Lou ? Pourtant, tu n'es pas la Joconde. Il faut le savoir. Désolé, mon pote, ajouta-t-il en se tournant vers Matthew, mais je crois que tu prends tes désirs pour des réalités...

La remarque parut ébranler Matthew, qui couvrit Pat d'un regard anxieux.

— Alors, Pat, comment peux-tu en être sûre ?

— Mais je n'en suis pas sûre ! se récria la jeune fille. C'est juste une idée. Ce qui est sûr, en revanche, c'est que le type qui est venu a vu quelque chose qui lui a fait penser que ce tableau avait de la valeur. Il jouait la

1. Edward Cowie : peintre et musicien britannique qui s'inspire de la nature. (*N.d.T.*)

comédie, cela se voyait. Il faisait semblant de ne pas être spécialement intéressé, et quand j'ai dit que ce pouvait être un Peploe, il a sauté au plafond. J'ai vu qu'il était... qu'il était contrarié. Il croyait pouvoir faire une affaire.

— Elle a sûrement raison, résolut Pete. Tu te souviens de cette table qu'on avait achetée, Ronnie, et de cet antiquaire qui voulait nous faire croire qu'elle ne l'intéressait pas vraiment ? Nous l'avons vu regarder au-dessous, puis venir nous en offrir le double de ce que nous l'avions payée. Nous avons bien compris que...

— C'est vrai, coupa Ronnie, cela se voit, ce genre de chose. Seulement, ajouta-t-il après un temps de réflexion, comment en avoir le cœur net, maintenant ? Vous n'allez pas mettre le tableau en vitrine en marquant que c'est un Peploe ou un je-ne-sais-quoi, si vous ne savez pas vraiment de quoi vous parlez !

— Je vais demander un avis, déclara Matthew. L'apporter à quelqu'un qui s'y connaît.

— Contrairement à toi ? ironisa Pete.

— Je n'ai jamais dit que je m'y connaissais, protesta Matthew. Je n'ai jamais affirmé quoi que ce soit de ce genre.

Ronnie baissa les yeux sur sa tasse.

— Alors, à qui allons-nous poser la question ? À Lou ?

— J'en sais davantage que vous tous réunis, rétorqua l'intéressée de derrière son comptoir. Vous ne connaissez rien du tout, ni toi, ni ton copain Pete. Vous n'êtes que des minus, tous les deux !

— Écoutez, on ne va pas se battre, intervint Matthew avec calme. À mon avis, ce qu'il faut faire, c'est montrer le tableau à quelqu'un d'une autre galerie. Et lui demander son avis.

— Bonne idée, approuva Ronnie. Porte-le chez... comment s'appelle-t-il, déjà ? Celui du coin ? Pose-lui la question.

— Oui, mais le problème, c'est que je ne peux pas y aller, moi. Il va se moquer de moi, et ensuite, il ira raconter à toute la rue que je ne sais même pas ce que j'ai en magasin. Non, il faut que ce soit quelqu'un d'autre. Pat, reprit-il après une légère hésitation, si tu y allais ? Tu lui apportes le tableau en lui disant qu'il est à toi et tu lui demandes son avis. D'accord ? Tu y vas demain ?

— Si tu veux...

Pat allait devoir mentir. Certes, ce ne serait qu'anodin, mais la jeune fille était d'une nature sincère et toute idée de tricherie la gênait. Par ailleurs, elle se sentait mal à l'aise en compagnie de Ronnie et de Pete. Elle leur trouvait quelque chose de perturbant, un côté inquiétant qui évoquait, sinon le cœur des ténèbres, du moins, l'heure entre chien et loup.

21. Carnet de bal

Il n'y avait guère de travail ce matin-là au cabinet Macaulay Holmes Richardson Black, gestionnaires de biens et experts immobiliers. Gordon, l'aîné des associés, était parti à Londres estimer un immeuble de bureaux pour un client qui venait d'en hériter. Ce dernier souhaitait vendre, mais les experts londoniens ne lui inspiraient pas confiance, point de vue sur lequel Todd avait été prompt à l'approuver.

En l'absence de Gordon, c'était son frère cadet, Raeburn Todd, qui se trouvait en charge du cabinet. Depuis le matin, il occupait le bureau de Gordon, passant en revue tous les dossiers entreposés dans l'armoire. Bruce, quant à lui, faisait mine de ne rien remarquer. Peut-être pourrait-il un jour exploiter cette information, au besoin. On ne savait jamais : parfois, pour peu que l'on se retrouve en situation délicate, il importait d'avoir des jokers dans son jeu.

Bruce n'avait rien à faire et il s'ennuyait ferme. Après une vingtaine de minutes passées à parcourir le journal, il se leva et marcha vers la fenêtre. L'humidité régnait au-dehors, même si les averses restaient légères et sporadiques. Situés au quatrième étage d'un immeuble de Queen Street, les bureaux donnaient sur les toits d'Heriot Row et de Great King Street et, au-delà, sur les vertes étendues de Trinity. Bien que nouveau venu parmi le personnel, Bruce s'était vu attribuer un bureau jouissant de cette magnifique vue, sur laquelle il posait un regard absent lorsque le téléphone sonna. C'était Todd, qui le convoquait dans son bureau. Il a fini de fureter, se dit Bruce. Maintenant, il a envie de fourrer son nez dans mes affaires à moi.

Il saisit un dossier sur un projet de clôture d'une propriété du Lanarkshire et se rendit chez Todd.

— Alors, comment ça se passe, à Londres, pour Gordon ? interrogea-t-il en entrant.

— Je ne vois pas pourquoi ça se passerait mal, répondit Todd. J'imagine qu'il m'appellera à l'heure du déjeuner. D'ici là, il aura eu le temps de voir l'immeuble de Fulham. 1 000 m^2 dans un bon quartier de Londres, tout près d'une grande artère commerçante. Avez-vous une idée de ce que cela peut valoir ?

Bruce haussa les épaules.

— Cela fait longtemps que je n'ai pas étudié les tarifs, répondit-il. Je ne m'occupe pas de Londres, moi. Je peux vous dire combien ça coûterait à Édimbourg ou à Glasgow, mais à Londres, non. Tout ce que je sais, c'est que ça doit représenter un paquet de fric. Un sacré paquet, même.

Todd fronça les sourcils.

— Il faut garder un œil sur tout, Bruce. Vous devez lire la presse spécialisée. Et vous tenir informé des prix londoniens.

Il m'a appelé pour me faire encore la leçon, pensa Bruce, excédé, tandis que son regard perdait de sa vivacité.

— Oui, poursuivit Todd, il est important de toujours savoir où en sont les prix à Londres, parce que cela a forcément des répercussions sur nous. Pour pouvoir fournir des conseils en délocalisation, il faut être à même de comparer les prix. Vous le savez, n'est-ce pas ?

— Oui, acquiesça Bruce avec patience, avant d'ajouter : Et vous, Todd, vous vous êtes bien occupé ce matin ? Vous avez mis votre paperasserie à jour ?

Todd lui décocha un regard circonspect.

— Oh, j'ai lu un peu, répondit-il. Histoire de me tenir au courant…

Bruce sourit.

— Bonne politique, commenta-t-il.

Todd le fixa un instant, puis poursuivit :

— Mais je ne vous ai pas fait venir dans mon bureau pour discuter travail. Il s'agit en fait d'une affaire personnelle. J'espère que cela ne vous ennuie pas que je vous en parle.

— Pas du tout, assura Bruce, intrigué. Vous pouvez y aller.

— Vous savez probablement que Mrs Todd et moi-même avons une vie sociale très intense.

Une pointe de fierté perçait dans la voix de Todd.

— Oui. D'ailleurs, je vous ai vus en photo dans le *Scottish Field*. Vous étiez à une fête, quelque part.

— En effet, approuva Todd. C'était une réception pour les cinquante ans de Max Maitland-Weir. Mais ce n'est pas la seule soirée à laquelle nous avons assisté ces temps-ci. Nous sortons beaucoup.

Bruce hocha poliment la tête. Il se demandait où cette conversation devait les mener et il lui semblait qu'une proposition ne tarderait pas à lui être soumise.

— Nous avons des billets pour un bal, reprit Todd. Ça ne m'enchante pas beaucoup, mais ma femme s'est mis dans la tête d'organiser une réception avec moi. Ma fille aînée est enthousiaste, elle aussi, mais le problème, c'est que nous n'avons personne pour lui servir de cavalier. Alors, je me suis demandé si vous seriez assez aimable pour accepter de vous joindre à nous et, peut-être, de l'inviter deux ou trois fois à danser.

Il marqua une pause et Bruce ressentit soudain un élan de compassion envers lui. Pauvre homme, affublé d'une femme épouvantable et d'une fille redoutable ! Cela n'aurait rien d'une partie de plaisir, Bruce en avait conscience, mais il lui paraissait clair qu'il devait accepter l'invitation. Il voyait mal comment refuser.

— J'en serais honoré, répondit-il. Qu'est-ce que c'est, comme bal ?

— La section sud de l'Association des conservateurs d'Édimbourg, expliqua Todd. Je suis président du comité d'organisation et nous éprouvons quelques difficultés à faire venir nos membres. Nous avons déjà loué la salle et il faut donc que la soirée ait lieu, mais nous manquons de participants. En fait, pour le moment, il n'y a que nous quatre.

Bruce le considéra sans rien dire. Fallait-il voir là un problème social, se demanda-t-il, ou un problème politique ?

22. *Bruce à l'étude*

Une fois Bruce sorti, Todd s'enfonça dans son siège et contempla le plafond. Il demeura quelques minutes dans cette position, puis attrapa le téléphone, enfonça une touche étiquetée *Félicité familiale* et appela sa femme.

Todd avait épousé Sasha alors qu'ils avaient tous deux vingt-cinq ans. Elle venait d'obtenir son diplôme de kinésithérapeute au Queen Margaret College, où elle figurait parmi les étudiantes les plus populaires du campus. Dès leur première rencontre, Todd avait résolu qu'elle serait la femme de sa vie et, comme il le déclara à son frère bien des années plus tard, il n'avait jamais regretté sa décision de l'épouser.

— Vraiment ? s'était étonné Gordon. Tu en es sûr ?

Peut-être la question sonnait-elle comme une offense, mais elle était innocente. Elle n'en amena pas moins Todd à réfléchir. Son épouse était-elle aussi attirante et irrésistible pour les autres qu'elle l'était à ses yeux ? Tous les goûts étant dans la nature, il pouvait exister des gens qui la trouvaient trop... voyons, qu'aurait-on pu reprocher à Sasha ? Elle avait des idées bien arrêtées, certes, mais cela valait tout de même mieux qu'une femme passive et indifférente au monde...

Évidemment, il fallait prendre en compte le problème de la jalousie. Avec ses cheveux blonds bouffants et ses tailleurs pantalons, Sasha était séduisante. Jamais elle n'apparaissait négligée en public et cela pouvait susciter l'envie. C'est le problème de ce pays, songea Todd. L'on disait du mal des gens qui réussissaient et qui cherchaient à faire quelque chose de leur vie. Il suffisait, pour s'en convaincre, d'écouter les remarques qu'une certaine catégorie d'individus faisaient à propos de Bearsden. Quel mal y avait-il à vivre à Bearsden ou, plutôt, à adopter le genre de comportement qui convient lorsqu'on habite Bearsden ? Aucun.

Ceux qui tournent en ridicule les gens comme nous, se disait Todd, ne font que compenser leurs propres manques. Il existe beaucoup d'individus – à commencer par les travaillistes, par exemple – qui souhaitent voir les gens s'enfoncer dans leur médiocrité, n'avoir ni vie spirituelle ni indépendance. Ils considèrent qu'il y a du bon à mener une existence étriquée.

Tandis qu'il réfléchissait à ces questions de philosophie politique, Sasha décrocha le combiné à l'autre bout du fil.

— Mon chou ? fit-elle.

— Mon petit sucre d'orge ? répondit-il.

— Tout va bien ?

— Oui. Je suis dans mon bureau. Je réfléchis. C'est calme en ce moment. Gordon est allé visiter un immeuble à Londres et ici, il ne se passe rien de spécial.

— Alors rentre à la maison !

— Je ne peux pas. Je ne vais pas laisser le personnel sans surveillance ! D'ailleurs, à ce propos, ce jeune homme, tu sais, Bruce Anderson ? Tu le connais...

— Celui qui travaille avec toi ? demanda Sasha. Le beau gosse ?

Todd hésita, gêné par le tabou qui interdisait à tout homme de commenter, sinon de façon négative, l'aspect physique d'un de ses semblables.

— Soit ! fit-il. J'imagine que les jeunes filles le voient comme ça. Moi, je n'en sais rien, je ne suis pas très bon juge.

— Disons qu'il est plutôt appétissant, insista Sasha. Cheveux bruns, épaules musclées, formes bien...

— Formes bien quoi ? coupa Todd, gagné par l'irritation. Et de quelles formes parles-tu, d'abord ?

— Rien, rien... Je disais juste qu'il était bien bâti, c'est tout.

Todd résolut de reprendre la conversation en main.

— Bon, en tout cas, c'est lui. Je lui ai demandé, pour le bal. Il m'a dit qu'il pouvait venir. Qu'il sera ravi de danser avec Lizzie.

— Mais c'est formidable ! Lizzie l'a déjà rencontré une fois, à la fête de Noël, et je crois qu'il lui a fait une certaine impression. C'est parfait.

Todd soupira.

— Reste tout de même ce satané problème des billets. As-tu eu de nouveaux inscrits ?

— Non, répondit Sasha. J'ai téléphoné à droite et à gauche ce matin, mais beaucoup de gens sont déjà pris ce week-end-là. Archie et Mollie avaient promis d'y réfléchir, mais il paraît qu'Archie vient d'être réhospitalisé, si bien qu'on ne pourra pas compter sur eux. Peut-être vaudrait-il mieux tout annuler.

— Pas question ! assena Todd avec vigueur. C'est la dernière chose à faire. Ce serait un aveu d'échec terrible. Nous avons déjà les lots pour la tombola et l'orchestre est réservé. Tous les acomptes ont été versés. Non, nous irons jusqu'au bout, quitte à nous retrouver seuls. Il n'y a pas à discuter là-dessus.

— Très bien. Et de toute façon, je suis sûre que nous nous amuserons, même si c'est une toute petite fête.

— Voilà ! C'est comme cela qu'il faut réagir ! s'exclama Todd, apaisé.

Il raccrocha et revint à son observation du plafond. Que Sasha ait approuvé sa décision d'inviter Bruce lui faisait plaisir, d'autant qu'il ne l'avait pas consultée au préalable. Quant à Lizzie, elle serait contente, il n'en doutait pas. Car même si ce jeune homme présentait certaines bizarreries – avec sa manie des miroirs et cette drôle de substance qu'il appliquait sur ses cheveux –, il devait être, dans le fond, tout à fait correct. Todd s'inquiétait pour Lizzie : elle rêvait d'un petit ami, il en était sûr, mais jusque-là, elle semblait n'avoir eu aucun succès sur ce plan. La plupart des garçons sortaient entre eux de nos jours, avait-il observé, si bien qu'il en restait trop peu pour les jeunes filles. C'était terrible.

Peut-être adviendrait-il quelque chose de cette soirée. Et quel mal y aurait-il à cela ? Si Bruce et Lizzie se plaisaient, l'on pourrait prendre le jeune homme comme troisième associé, de sorte que la succession serait ainsi assurée. Et puis, les responsabilités inhérentes au mariage auraient vite fait de mettre Bruce dans le droit chemin. Oui, décidément, ce n'était pas une mauvaise idée.

23. La vie londonienne

Gordon Todd se tenait à la fenêtre du premier étage de l'immeuble qu'il était venu expertiser à Londres. La situation géographique du bien avait de quoi impressionner : une courte avenue perpendiculaire à Fulham Road, discrète et chic, et néanmoins assez proche des quartiers à la mode qu'étaient Chelsea et South Kensington pour séduire des locataires prêts à verser un loyer conséquent. L'immeuble serait parfait, songeait Gordon, pour un atelier de création ou une agence de publicité.

Le client, qui venait de le recevoir en héritage, se demandait s'il devait vendre. Trouver un acheteur ne présenterait aucune difficulté, estimait Gordon, car le bâtiment était en bon état et l'on imaginait mal le moindre loup. Néanmoins, il se révélerait sans doute plus judicieux de patienter un ou deux ans, pour le cas où la valeur augmenterait de manière appréciable. Gordon ferait ses calculs dès qu'il aurait consulté ses contacts londoniens, afin de déterminer le prix exigeable à ce jour.

Il regarda par la fenêtre. La rue était calme et c'était bon signe : cela signifiait que les maisons de ville qui s'élevaient en enfilade sur le trottoir d'en face servaient d'habitations, et non de bureaux. Ces bâtisses étaient en outre ravissantes, pensa-t-il, avec leur façade bien blanche et leur porte de bois. Londres était pleine de quartiers agréables comme celui-là, bien qu'à quelques centaines de mètres de là on trouvât aussi des terrains vagues et des coins sans âme. Il était même possible, pourquoi pas, de vivre dans cette ville – à la limite –, pour peu que l'on ne fût ni trop grand – auquel cas on courait le risque permanent de se cogner la tête contre les plafonds ridiculement bas – ni trop aisément choqué par tout ce que l'on pouvait voir dans les rues.

Tandis que les pensées défilaient ainsi dans son esprit, Gordon vit une lumière s'allumer dans la maison d'en face. Il s'agissait d'un salon, pas très grand, estima-t-il, mais meublé de façon agréable, avec quelques larges fauteuils et un canapé… Gordon tressaillit. Il y avait deux personnes sur le canapé, un homme et une femme, et…

Nom d'un petit bonhomme ! L'on pourrait penser que, lorsqu'on s'apprêtait à s'engager dans ce genre d'activité, l'on commençait par fermer les rideaux ! Bien sûr, ces deux-là devaient considérer que l'immeuble d'en face était vide – ils avaient toutes les raisons de le croire –, mais savait-on jamais si un expert ou un acquéreur potentiel ne se trouvait pas à l'intérieur ? Pourtant, le couple continuait, opérant un rapprochement de plus en plus intense, sans paraître envisager un instant la présence d'un spectateur.

Gordon allait se détourner lorsqu'il vit une belle voiture de sport se garer devant la maison et un homme en sortir. Ce dernier fouilla dans sa poche, en tira une clé et ouvrit la porte d'entrée. Gordon retint son souffle. De la fenêtre où il se tenait, il jouissait d'une vue excellente, non seulement sur le salon, mais aussi sur le palier qui le desservait. Il vit donc la tête de l'homme apparaître au-dessus du niveau de l'escalier et s'élever peu à peu. Un instant plus tard, le nouveau venu se tenait devant la porte du salon, la main sur la poignée.

L'homme marqua un temps d'arrêt, puis se pencha pour venir coller l'oreille contre la porte. Saisi d'effroi, Gordon ne bougeait plus. C'était le mari, à n'en pas douter ; il rentrait chez lui à l'improviste et allait surprendre sa femme en flagrant délit avec son amant. Une scène somme toute classique, mais la voir ainsi jouée en direct, sous ses yeux, paraissait extraordinaire. Le mari frapperait-il à la porte ou ferait-il simplement demi-tour, abattu, sous le choc ?

Ce ne fut ni l'un ni l'autre. Avec lenteur, l'homme saisit le bouton de la porte et tenta de l'actionner, mais elle était verrouillée de l'intérieur. Il recula donc, parut réfléchir, puis gagna la fenêtre – celle par laquelle l'observateur insoupçonné le regardait à présent.

Au comble de la stupéfaction, Gordon le vit ouvrir la fenêtre – qui était assez large – et enjamber la rambarde en fer forgé. Ensuite, très lentement, l'homme progressa vers la fenêtre voisine, celle de la pièce où les amants poursuivaient leurs ébats sans se douter du péril qui les guettait.

Voilà donc le genre de scènes auxquelles on assiste à Londres ! songea Gordon. Cette ville est décidément un foyer de vice, voué à l'adultère et aux activités douteuses ! Soudain, l'homme cramponné à la rambarde métallique glissa et perdit pied. Gordon le vit lâcher prise, tenter de se raccrocher aux briques, et, comme au ralenti, basculer en arrière. L'expert poussa un cri involontaire et ferma les yeux. Puis il se pencha, pour découvrir le malheureux allongé sur la capote en toile de sa voiture, garée devant la maison. L'infortuné contemplait le ciel lorsque, tout à coup, leurs regards se croisèrent. Alors, sans rien bouger du reste du corps, il leva la main et adressa un petit signe à Gordon, comme un geste que l'on esquisse lorsqu'on aperçoit un ami dans un café, ou sur le trottoir d'en face.

24. Pensées indésirables

Ce matin-là, lorsque, sans réelle nécessité, Pat s'était fait accompagner à son travail en Mercedes-Benz crème, elle avait reçu de Domenica Macdonald une invitation à dîner, qu'elle avait acceptée.

— Je bricolerai quelque chose, avait précisé Domenica avec bonne humeur. Je ne suis pas un cordon-bleu, malheureusement, mais cela nous donnera l'occasion de bavarder. *Sans** Bruce.

Les deux femmes avaient échangé un regard chargé de signification.

— Il n'est vraiment pas méchant, avait affirmé Pat. Mais c'est d'accord ; cela me fera plaisir de parler avec vous.

— Je vous expliquerai tout ce qu'il faut savoir sur les gens de l'immeuble, promit Domenica. Non qu'il y ait grand-chose à raconter, mais tout de même. Mieux vaut que vous connaissiez un peu vos voisins avant de les rencontrer.

Pat devait sonner à la porte de Domenica à six heures et demie, ce qui lui laissait le temps de rentrer de la galerie et de prendre un bain avant de traverser le palier. Bruce se trouvait déjà à l'appartement lorsqu'elle arriva. Assis dans la cuisine, il lisait un catalogue.

— Alors, on a vendu des tableaux aujourd'hui ?

— Non. Enfin, presque, mais pas vraiment.

Bruce éclata de rire.

— Cela m'étonnerait que cette galerie fasse un tabac ! Tiens, quelqu'un m'a parlé de lui aujourd'hui, de ton patron, tu sais, Matthew. À ce qu'il paraît, il a des problèmes de trésorerie. S'il n'y avait pas son papa pour payer les factures, il aurait déjà mis la clé sous la porte !

— On verra bien, dit Pat.

— Oui, c'est ça, on verra bien, ironisa Bruce. N'empêche que si tu as envie de changer de boulot, je peux t'avoir quelque chose. J'ai un copain qui cherche quelqu'un pour faire une étude de marché. Il m'a dit que...

— Ce n'est pas la peine, ça va, assura Pat.

— Comme tu veux... soupira Bruce en se replongeant dans son catalogue. Mais si tu changes d'avis, dis-le-moi. Tiens, au fait, tu n'aurais pas vu mon gel pour les cheveux ?

Ce brutal changement de sujet désarçonna Pat. Elle ouvrit la bouche pour répondre, mais ne put articuler un son.

— Eh bien ? Tu l'as vu ?

Pat déglutit, avant d'articuler :

— Je... je l'ai cassé. Je suis vraiment désolée. Je vais t'en acheter un autre pot. Dis-moi juste où on en trouve.

Bruce posa son catalogue et la dévisagea.

— Tu l'as cassé ? Mais comment as-tu fait ton compte ?

Pat leva les yeux vers le plafond. Elle sentait peser sur elle un regard qu'elle n'avait guère envie de croiser.

— J'étais en train de le regarder, expliqua-t-elle. Il m'a glissé des mains et il s'est cassé. J'allais t'en parler, justement...

Bruce poussa un soupir.

— Pat, déclara-t-il, sais-tu qu'il est très important de dire la vérité quand on partage un appartement avec des gens ? Il ne faut pas mentir. Tu le sais. Alors maintenant, dis-moi : que s'est-il passé exactement ? Tu étais en train de t'en servir ?

Pat frémit d'indignation. Comment pouvait-il imaginer qu'elle lui ait pris du gel sans lui demander ? Et qu'en plus, elle lui mente à ce sujet ?

— Non ! s'exclama-t-elle. Je ne l'ai pas utilisé. Je n'ai fait que le regarder.

— C'est si intéressant que ça, un gel pour les cheveux ?

— Le tien, non ! riposta-t-elle.

Bruce agita l'index dans sa direction.

— Coléreuse ! lança-t-il. Coléreuse !

Pat lui décocha un regard chargé de mépris, puis tourna les talons et regagna sa chambre, claquant la porte derrière elle. Ce garçon était impossible : imbu de lui-même, suffisant... Une chose était sûre, elle ne pouvait continuer à vivre sous le même toit que lui. Elle devait déménager !

Cependant, si elle vidait les lieux, il prendrait ce départ pour une victoire personnelle. Elle imaginait déjà son commentaire, le jour où il ferait visiter la chambre au candidat suivant : « Il y avait une fille, avant, mais elle n'est pas restée longtemps. Le genre immature. D'ailleurs, c'était sa deuxième année sabbatique. Ça veut tout dire… »

Assise sur le lit, elle contemplait à présent le tapis, accablée de tristesse. Je n'ai aucune raison d'être malheureuse, songeait-elle. J'ai un travail, une place à St Andrew pour le mois d'octobre, des parents qui me comprennent, bref, toutes les raisons de voir la vie en rose. Et cependant, son existence s'écoulait avec une lenteur désespérante et lui semblait dénuée d'intérêt. Elle avait l'impression qu'il y manquait quelque chose. Et elle savait d'ailleurs exactement ce qu'était ce « quelque chose ». Elle voulait un petit ami. Elle voulait quelqu'un qu'elle aurait pu appeler en cet instant, par exemple, pour lui raconter ce qu'avait dit Bruce. Quelqu'un qui lui aurait remonté le moral au téléphone et proposé d'aller dîner dehors, avec qui elle aurait ri en resongeant à Bruce, tout en sachant que, pour cette personne – pour ce garçon –, elle était un être à part, un objet d'amour. Seulement, elle n'avait rien de tel. Elle n'avait que cette chambre, et ce vide, et cet individu sarcastique et obsédé par son image, avec ce style qu'il avait, ses yeux et ses cheveux *en brosse**, et…

Elle coupa court à ces réflexions. Son père lui avait un jour parlé des pensées indésirables, qui envahissent l'esprit alors qu'on ne les attend pas. Il s'agissait, la plupart du temps, d'idées dérangeantes, d'envies d'accomplir des actes monstrueux ou choquants, dont il ne fallait toutefois pas trop s'inquiéter. Car, par leur nature même, ces pensées ne se transformaient pas en actes, pour la bonne raison qu'elles ne correspondaient pas à de réels désirs. Ainsi, l'on n'en arrivait jamais à se déshabiller pour courir nu dans la rue, ni à sauter d'une falaise, même si l'on se disait qu'il n'y avait rien de plus facile que de se jeter dans le vide pour tomber, tomber tout au fond du gouffre. Rien de plus facile.

25. Dîner chez Domenica

— Voilà, lança Domenica en embrassant la pièce d'un geste large. C'est ici que je travaille. Je m'assois à ce bureau, là, et je contemple Scotland Street. Et quand je suis à court d'idées, je change de fauteuil et j'attends.

— Jusqu'à ce qu'une idée se présente ?

— En théorie, oui. Mais il m'arrive de m'endormir, ou, au contraire, de ne pas pouvoir tenir en place. Vous savez ce que c'est.

Oui, Pat savait. Elle-même se sentait au comble de l'agitation depuis sa conversation avec Bruce. Lorsqu'elle avait frappé à la porte de Domenica, son moral était au plus bas. En la regardant par-dessus ses lunettes en demi-lunes, la voisine avait tout de suite compris que quelque chose n'allait pas. Elle l'avait questionnée et Pat lui avait relaté l'incident du gel capillaire.

Domenica avait souri.

— Un gel capillaire ? Tombé par terre ? Personnellement, je trouve qu'il ne pouvait pas trouver meilleure place !

Toutefois, sensible à l'abattement de la jeune fille, elle avait changé de ton, poursuivant avec le plus grand sérieux :

— Vous savez, ce jeune homme est un narcissique. C'est évident. Cela crève les yeux. Et le problème des narcissiques, c'est qu'il leur est impossible de se figurer que quelque chose cloche chez eux. De leur point de vue, ils sont parfaits, ce qui les rend incapables d'autodérision. Alors, le fait que son flacon de gel capillaire ait connu une fin aussi infortunée ne pouvait pas faire rire ce garçon.

— Il ne m'a pas facilité les choses, soupira Pat.

— Cela ne m'étonne pas ! Il attend de l'admiration de votre part, cela le perturbe que vous ne soyez pas tombée à ses pieds ! Du coup, il ne sait pas trop comment se comporter avec vous.

En présence d'une telle alliée, Pat avait repris du poil de la bête et réussi à sortir Bruce de son esprit. Domenica était bien plus intéressante, songeait-elle, avec ses commentaires cinglants et ses fines analyses. À présent, la jeune fille brûlait d'en savoir plus sur cette voisine et sur ce qu'elle faisait dans la vie. Travaillait-elle ? Elle n'avait pas d'horaires réguliers, avait remarqué Pat, et lorsqu'elle s'était éloignée au volant de sa Mercedes-Benz crème ce matin-là, elle ne ressemblait pas à quelqu'un qui partait travailler. Alors, si elle s'asseyait à son bureau en attendant l'inspiration, à quoi cette inspiration pouvait-elle avoir trait ?

— Vous vous demandez ce que je fais, lança Domenica à brûle-pourpoint. Il faut dire que je me montre d'une impolitesse rare ! Pour ma part, je sais que vous travaillez dans une galerie, ce qui me donne un avantage sur vous, et je vous laisse vous creuser la cervelle pour deviner quelle est mon activité à moi !

— Oui, avoua Pat. C'est vrai que je me pose la question.

— Je n'ai pas d'emploi rémunéré, expliqua Domenica. Je suis un peu dilettante. Je fais ci et ça. Ce qui ne vous éclaire pas beaucoup. Je rédige de temps en temps des articles pour d'obscures revues et je fais la secrétaire pour une association. Par ailleurs, j'écris beaucoup de lettres. Et voilà, je crois que cela s'arrête là.

— Et vos articles ? interrogea Pat.

— Anthropologiques. J'ai étudié l'anthropologie et depuis, je suis restée engluée dans cette discipline. Seulement, je manque de professionnalisme et j'imagine que les véritables anthropologues, ceux des instituts et des universités, me regardent de haut. Ce qui ne me dérange pas le moins du monde, soit dit en passant.

Elle désigna une chaise et invita la jeune fille à s'asseoir. Saisissant un verre, elle y versa une généreuse ration de sherry et le tendit à Pat.

— Je suppose que vous buvez, dit-elle. C'est un sherry très médiocre, mais il faudra faire avec. C'est le genre d'alcool que servent les pasteurs dans les presbytères. Mais buvons-le tout de même, en sachant que les choses s'amélioreront nettement avec le dîner. J'ai une très belle bouteille de quelque chose de bien moins médiocre, que nous pourrons savourer à table.

Pat leva son verre et les deux femmes trinquèrent. Ainsi, Domenica était anthropologue. Pat s'était attendue à une profession exotique et elle n'était pas déçue.

— Je n'ai jamais rencontré d'anthropologues, hasarda-t-elle. Ça a l'air si…

— Ça a l'air, mais ça n'est pas ! coupa Domenica. Les anthropologues sont des gens très quelconques dans l'ensemble. Ils étaient intéressants du temps de Pitt-Rivers[1], de Margaret Mead[2] et des autres. Mais aujourd'hui, ils ne produisent plus que des écrits arides et très techniques. Parce que, bien sûr, il y a de moins en moins de monde à étudier. Les gens se ressemblent tous plus ou moins, de nos jours. J'imagine qu'en Nouvelle-Guinée, par exemple, chacune de ces

1. Julian Pitt-Rivers (1919-2001) : professeur d'anthropologie internationalement connu pour ses travaux sur la culture espagnole sud-américaine et méditerranéenne. (*N.d.T.*)
2. Margaret Mead (1901-1978) s'est rendue célèbre par son livre *Coming of Age in Samoa* (*Puberté à Samoa*) paru en 1928 sur l'adolescence dans l'île de Samoa, en Polynésie. (*N.d.T.*)

peuplades qui avaient jadis un anthropologue résident qui leur était attaché regarde désormais la télévision par satellite. Il ne reste plus de temps pour les combats intergroupes et les rites initiatiques quand on a toute cette culture populaire à ingurgiter. Alors, vous voyez, les anthropologues ne sont pas à la fête !

— C'est triste, commenta Pat. Qui peut souhaiter une telle uniformité ?

Domenica haussa les épaules.

— La Commission européenne, peut-être ? Mais pour revenir à l'anthropologie… J'avoue que c'était vraiment amusant à l'époque de l'âge d'or, quand chacun de nous devait choisir son domaine d'étude ! Nous voulions tous partir en Nouvelle-Guinée, bien sûr, et beaucoup y sont allés. Mais il y avait aussi d'autres destinations. Les tribus des montagnes, en Inde, faisaient un bon sujet d'étude. Ou encore les Bushmen d'Afrique australe. Tout le monde les connaissait, après les écrits imbéciles de Laurens Van der Post[1].

— Et vous, où êtes-vous allée ? s'enquit Pat.

Domenica contempla son verre de sherry.

— Ici et là, répondit-elle. Mais surtout en Inde. Voyez-vous, je travaillais sur les enfants sauvages et je me suis rendue dans des villages qui affirmaient en avoir trouvé.

— Des enfants sauvages ? fit Pat sans comprendre.

— Vous avez entendu parler de Romulus et Remus ? demanda Domenica. Ils ont été élevés par des loups. Eh bien, c'étaient des enfants sauvages. Et il y en a eu bien d'autres. Élevés par des loups, des singes, et même des gazelles. Les animaux font parfois d'excellents parents, vous savez. Et ils poussent rarement leurs enfants… contrairement à nos voisins du dessous.

1. Écrivain britannique d'origine sud-africaine, auteur entre autres du *Monde perdu du Kalahari*.

26. Une chambre, une photo, de l'amour
et des souvenirs

Pat pénétra dans la chambre à coucher de Domenica. Deux murs étaient couverts de rayonnages de livres, qui s'élevaient jusqu'au plafond, tandis que, sur les autres, s'affichaient, dans un ordre aléatoire, tableaux et photographies encadrées.

— Oui, déclara Domenica en remarquant l'intérêt de la jeune fille. Il n'y a pas beaucoup d'ordre dans cette chambre. Le mur d'en face, avec toutes ces photographies, fait penser à ces restaurants italiens où sont accrochés les portraits de gens célèbres qui sont venus manger là. De nos jours, on voit beaucoup Sean Connery, mais franchement, j'ai du mal à croire qu'il ait passé tant d'heures dans des restaurants italiens. Où aurait-il trouvé le temps de devenir célèbre, le pauvre ? Et si vous allez en Italie, vous verrez des photographies de Luciano Pavarotti dans tous les restaurants, alors qu'il est matériellement impossible qu'il se soit attablé dans chacun de ces établissements. Cela me fait penser au culte des saints et de leurs reliques. Pour les saints les plus populaires, il existe tellement de morceaux que l'on pourrait reconstituer plusieurs centaines de squelettes de chacun d'eux. Regardez sainte Catherine de Sienne, par exemple – celle du baril d'eau miraculeuse – : elle devait avoir un nombre de doigts impressionnant ! Rien que dans les églises que j'ai visitées en Toscane, j'en ai compté au moins une vingtaine. Pour être miraculeux, c'est miraculeux !

Pat se mit à rire.

— Je trouve que ces vieux ossements ont quelque chose de sinistre, dit-elle. Mais j'imagine qu'il y a des gens qui aiment ça.

— Oui, je comprends que les Napolitains et les autres trouvent beaucoup de réconfort dans ce genre d'objets. Mais vous êtes quelqu'un de tolérant. Toute votre génération est tolérante. Les enthousiasmes religieux peuvent parfois paraître éprouvants, mais ils ont leur importance, vous ne croyez pas ? Ils permettent aux gens d'exprimer une certaine spiritualité.

Domenica but une gorgée de son sherry et reprit :

— Pour ma part, j'aime les bons vieux rituels comme ceux que l'on pratique en Inde. Vous savez, avec des fumées de couleur et des éléphants – quoique l'Église épiscopale écossaise ne porte pas d'affection particulière aux éléphants, hélas ! Moi, cela me plairait bien de voir nos évêques se déplacer à dos d'éléphant, pas vous ?

Pat avait remarqué des estampes sur le mur, ainsi qu'un bougeoir métallique en forme de cobra à trois têtes posé sur la table. Et aussi, sur le bureau de Domenica, un petit pot de porcelaine rempli de bâtons d'encens.

— Oui, lança Domenica, qui semblait posséder un don inquiétant pour anticiper les questions de Pat. Ce sont des souvenirs d'Inde. Mais en fait, je suis née ici, dans Scotland Street.

— Ici, dans cet immeuble ?

Domenica hocha la tête.

— En ce temps-là, on donnait naissance dans la maison où l'on vivait. C'est surprenant, mais c'est vrai. Je suis donc venue au monde, me croirez-vous ?, dans cette pièce même. C'était la chambre de mes parents et leur lit était là, contre ce mur. Je suis née dans ce lit. Cela fera précisément soixante et un ans vendredi après-midi. Il y avait une guerre à cette époque, vous vous en souvenez peut-être, et j'ai été conçue pendant une permission de mon père. Il n'a pas survécu à l'Atlantique Nord, malheureusement, de sorte que je ne l'ai jamais connu.

Elle désigna un cadre accroché au-dessus d'une petite cheminée d'angle.

— C'est lui, là.

Pat fit quelques pas vers la photographie. Un homme de haute stature se tenait sur ce qui ressemblait à une dune. L'herbe qui poussait à ses pieds se courbait sous l'effet du vent. Il avait un visage intelligent et il souriait. Ses cheveux, malmenés par les bourrasques, étaient en désordre.

— Je l'aimais beaucoup, affirma Domenica. Bien que je ne l'aie jamais vu, je l'adorais. Cela vous paraît bizarre d'aimer quelqu'un que l'on n'a jamais rencontré ?

Pat réfléchit.

— Non, je ne crois pas. On peut éprouver de l'amour pour toutes sortes d'individus. Il y a des gens qui écrivent des lettres à des personnes dont ils sont tombés amoureux sans les avoir jamais vues en chair et en os. Cela arrive.

Domenica hocha la tête.

— C'est une forme d'amour particulière. Un sentiment idéalisé, je suppose. On s'éprend d'un souvenir, de l'idée que l'on se fait de quelqu'un. Et j'imagine qu'il existe des gens qui n'ont rien d'autre.

Le silence plana quelques secondes. Pat regarda encore une fois la photographie du père de Domenica, puis alla s'asseoir à la table. Elle avait toujours pensé que le pire, pour un enfant, était de ne pas avoir de parents. Mais peut-être était-il encore plus triste d'avoir des parents qui ne vous aimaient pas ? Au moins, un orphelin pouvait se figurer que ses parents l'auraient aimé s'ils avaient vécu.

Elle se tourna vers Domenica.

— Je suis sûre qu'il vous aurait aimée, déclara-t-elle. Je suis sûre qu'il vous aurait même beaucoup aimée.

— Oui. Je le crois aussi.

Elles laissèrent le silence s'installer de nouveau. Puis Domenica consulta sa montre.

— Bon, l'heure est venue de passer à la cuisine, résolut-elle. Pendant que je préparerai le dîner, nous pourrons continuer à bavarder. Mais j'espère ne pas trop vous ennuyer. Soixante et un ans, c'est peut-être un peu rasoir pour quelqu'un qui n'en a que vingt et des poussières…

— Vingt. Tout juste vingt.

— Un bel âge, décréta Domenica. Comme tous les âges, d'ailleurs, à mon sens, mis à part les années situées entre quatorze et dix-sept ans et demi. Ça, c'est une période détestable pour tout le monde. Quel genre d'adolescente étiez-vous ? Moi, j'étais épouvantable, je crois. J'étais exactement le genre de personne que je n'aurais pas aimé être. Est-ce que je me fais bien comprendre ? Réfléchissons-y.

27. L'usine d'électricité

Domenica éminçait les oignons sous les yeux de son invitée assise à la table de pin usée.

— À quelle époque avez-vous vécu en Inde ? interrogea la jeune fille.

Domenica versa les oignons dans la poêle.

— Je vais tout vous raconter, répondit-elle. Ce sera plus simple si je commence depuis le début. En tâchant de ne pas dépasser cinq minutes, bien sûr. Le temps s'est écoulé, donc, et, l'année de mes dix-huit ans, ma mère a tout à coup décidé de partir vivre en Inde. On lui proposait un poste de directrice d'une école pour filles dans le sud du pays. L'établissement appartenait à une œuvre de charité écossaise, des gens de Glasgow. Elle a donc quitté l'Écosse et moi, j'y suis restée, car je m'étais inscrite à l'université. Dès que j'ai obtenu mon diplôme, je suis allée lui rendre visite. On voyageait par bateau, à cette époque. C'était pour moi une grande aventure.

« L'école se trouvait dans les collines qui surplombent Cochin, dans le Kerala. C'est un très bel État que le Kerala, très vert, avec des étendues d'eau et des villes fraîches perchées dans les monts des Ghāts occidentaux.

J'en suis aussitôt tombée amoureuse et j'ai demandé à ma mère l'autorisation de rester auprès d'elle. Elle a accepté. Je voyais mal ce que je pouvais faire en Angleterre et l'Écosse n'avait rien de très excitant, souvenez-vous, dans les années soixante. J'imagine que le pays était resté bloqué dix ans en arrière, alors que le reste du monde ne cessait d'évoluer.

« J'ai donc habité avec ma mère à l'école, dans la villa mise à sa disposition. Quand je dis *villa*, vous devez vous imaginer quelque chose de grandiose, mais en réalité, la maison était très modeste, vraiment. Il y avait une véranda qui courait sur deux côtés et un jardin, où poussaient de magnifiques flamboyants. Il y avait des poivriers grimpants le long des troncs et nous avions l'habitude de récolter notre poivre et de le faire sécher au sol, sur des feuilles de bananiers.

« La vie là-bas me plaisait énormément, mais je n'avais pas grand-chose à faire. Je donnais quelques cours, mais c'était à titre bénévole et mes heures de travail restaient limitées. L'enseignement me semblait facile, parce que les écolières étaient bien élevées. Pas une seule d'entre elles n'aurait imaginé faire preuve d'impertinence vis-à-vis des institutrices. L'impertinence n'existait pas à l'époque. Elle a été inventée bien plus tard.

« Je suis restée trois ans dans cette école. Puis, lors d'un déjeuner chez le directeur de l'usine de thé, j'ai rencontré celui qui allait devenir mon mari. Il venait de Cochin, où son père avait créé une entreprise – dont je vous parlerai dans un instant. Il s'appelait Thomas, comme beaucoup d'hommes dans cette partie du monde, parce que, comme vous le savez, c'est un État en majorité chrétien : des chrétiens thomistes, des communautés très anciennes. En fait, on trouve là-bas toutes sortes d'Églises, dont l'Église orthodoxe syrienne, qui organisait d'immenses feux d'artifice les jours de fêtes de saints importants. C'était magnifique.

« Thomas m'a demandée en mariage et j'ai accepté. J'étais amoureuse de l'Inde, voyez-vous, et l'idée de me marier dans et avec ce pays m'enthousiasmait. Et puis, Thomas était quelqu'un de bien : un homme calme et réfléchi, très gentil de surcroît. Le seul problème, c'est que je ne m'étais pas rendu compte que j'allais devoir composer avec sa mère, qui viendrait habiter avec nous dans la maison de Cochin. C'est ainsi que cela se passe quand on épouse un Indien : on épouse toute la famille.

« Thomas m'a expliqué qu'il avait pris la succession de son père, mais sans préciser de quel genre d'entreprise il s'agissait. Il m'a dit que je le découvrirais par moi-même lorsqu'il me ferait visiter l'usine. Toutefois, la curiosité a été trop forte et je n'ai pas pu attendre : le jour où j'ai rencontré sa mère pour la première fois, quand j'ai bu le thé en sa compagnie, sous son regard inquisiteur, je lui ai demandé quelle usine possédait la famille.

« Elle m'a regardée d'un air surpris et a répondu : "Mais nous fabriquons de l'électricité ! C'est une usine d'électricité. Nous produisons un courant de grande qualité. Tout le monde sait cela…"

« J'étais très étonnée. J'avais toujours cru que les centrales électriques appartenaient à l'État, ou à de très grosses compagnies. Mais non, il semblait que quelques entreprises privées, dont la nôtre, avaient leur rôle à jouer. L'usine s'appelait Varghese Electricity. C'était un immense bâtiment, à l'est de Cochin. Une voie de chemin de fer y menait et des trains venaient tout spécialement jusque-là nous livrer le charbon.

« Thomas partait travailler chaque matin, mais il restait peu à l'usine, il n'avait rien à faire là-bas. Il y possédait son bureau, avec une table de travail toujours vide, car un personnel extrêmement compétent faisait tourner l'entreprise. Alors, il allait à son club et lisait les journaux jusqu'à l'heure du déjeuner, qu'il rentrait prendre à la maison. Puis il contrôlait le travail du jardinier dans la serre aux orchidées, derrière chez nous, avant d'aller faire la sieste une heure ou deux, le temps de laisser passer la plus grosse chaleur.

« Voilà ce qu'était notre vie. Un beau matin, j'ai réalisé qu'elle allait s'écouler de cette façon jusqu'à la fin de mes jours. Alors, tout à coup, l'Inde a perdu de son attrait à mes yeux et j'ai commencé à me demander si je n'avais pas commis une terrible erreur.

Domenica regarda Pat.

— Qu'auriez-vous fait dans de telles circonstances ? Mariée à un homme adorable qui possédait une centrale électrique, mais confrontée à la perspective d'un vide immense pour toutes les années qui s'étalaient devant vous ?

28. Thomas est électrocuté

— Non, c'est une question malhonnête, se reprit Domenica Macdonald. On ne peut pas savoir comment on réagirait concrètement dans une situation hypothétique.

— Si, peut-être, protesta Pat. On peut l'imaginer. Je pense que moi, si je me retrouvais dans une telle situation, je…

Domenica leva la main pour l'arrêter.

— Vous ne savez pas. Vous ne pouvez pas savoir ce que vous feriez vraiment. En revanche, je peux vous dire ce que moi, j'ai fait. J'ai quitté Thomas. Je suis restée avec lui encore cinq ans, puis, peu après mon trentième anniversaire, je lui ai demandé quelle serait sa réaction si je le quittais.

« Bien sûr, il m'a répondu qu'il en serait bouleversé. Ma lumière s'éteindrait, a-t-il dit, je crois. Toute la famille parlait de cette façon, avec des métaphores

101

empruntées à l'électricité. Je ne fonctionne pas à plein régime. Je me suis fait court-circuiter. Ce genre d'expressions…

« Cela m'a ébranlée, mais j'ai persisté malgré tout. Je lui ai expliqué que je n'étais pas faite pour le type de vie que nous menions. Que je voulais voyager, rencontrer des gens nouveaux. Que je ne pouvais supporter l'idée que j'allais rester assise sous la véranda pendant Dieu seul savait combien d'années encore, à boire du thé avec sa mère en discutant d'une certaine injustice très compliquée dont leur famille avait été victime vingt ans plus tôt. Je ne le pouvais pas.

« Il a tenté de me persuader de rester. Il a proposé de construire une nouvelle maison près de celle où nous vivions, où je pourrais habiter sans sa mère. Il a dit qu'il paierait des gens – des gens instruits, a-t-il précisé – pour venir bavarder avec moi dans la journée. Il m'a fait toutes sortes de propositions.

« J'étais de plus en plus désespérée en pensant à ce que j'étais en train de faire. Thomas se montrait si bon et moi, je me comportais comme une sorte de pétulante Mme Bovary ! Seulement, je ne pouvais pas lutter contre ce que je ressentais. Je ne pouvais me résoudre à éprouver un enthousiasme pour une vie que je trouvais totalement dénuée d'intérêt, si bien qu'en fin de compte, j'ai fixé une date pour mon départ.

« Deux jours avant le fameux jour – j'avais déjà fait toutes mes valises et acheté mon billet d'avion pour Bombay –, deux jours avant, donc, une chose effroyable s'est produite. L'un des directeurs de l'usine est arrivé chez nous en agitant les bras et en pleurant. Il m'a fallu un certain temps pour parvenir à comprendre ce qu'il disait. Il y avait eu un accident à l'usine. Sans rien demander à personne, Thomas avait entrepris d'inspecter une machine et, par inadvertance, il avait touché un câble sous tension. On avait tenté de le ranimer, m'expliqua le directeur entre ses sanglots, mais il n'y avait rien eu à faire. "Vous êtes veuve maintenant, me disait-il. C'est affreux, mais vous êtes veuve. L'électricité a tué votre mari."

« Vous imaginez la culpabilité que j'ai éprouvée. Une culpabilité qui ne m'a jamais quittée, d'ailleurs, dans une certaine mesure. Cet homme n'avait fait que m'entourer d'affection et de prévenance et, pour tout remerciement, je ne lui avais témoigné que ce qu'il avait dû prendre pour du mépris. C'était du moins ce que je supposais. Il n'y avait jamais eu aucun mépris de ma part, bien sûr, mais il avait dû juger mon attitude dédaigneuse.

« Sa mère a perdu l'usage de la parole. Elle me regardait fixement, puis se détournait, comme si ma seule vue lui faisait mal. J'ai fait de mon mieux pour lui parler, mais elle ne semblait pas m'entendre. En même temps, j'ai reçu la visite du notaire, qui m'a informée que je me trouvais désormais à la tête de l'usine d'électricité, car Thomas m'avait légué toutes ses actions. Cela représentait une petite fortune. Sa famille était déjà très à l'aise, mais l'usine, comme je l'appris alors, possédait en outre des terres qui lui étaient rattachées. Je pouvais vivre très bien grâce aux seuls revenus des actions, même sans vendre ces terres. Et je pouvais vivre ainsi, non seulement en Inde, où la vie était bon marché, mais aussi en Écosse.

« Au début, bien sûr, l'idée de devoir diriger l'usine m'a effrayée, car cela me liait les mains. Mais j'ai fait un effort et je suis restée encore quelques années, au cours desquelles j'ai appris le fonctionnement de l'usine. En fin de compte, j'ai décidé que j'en avais assez fait et que je pouvais partir sans me sentir trop coupable. La mère de Thomas était devenue démente ; elle passait son temps à sillonner le jardin, escortée d'une garde-malade très patiente, en coupant les têtes des fleurs. Je suis donc retournée quelque temps en Écosse, puis je suis partie vivre de nouvelles aventures, dont, malheureusement, je ne puis vous entretenir maintenant, parce que le risotto que je prépare réclame toute mon attention et que je ne peux pas à la fois parler d'anthropologie et confectionner un risotto correct. Alors, pour la suite du récit de ma vie, vous allez devoir attendre une autre occasion.

29. L'amitié

Pat quitta l'appartement de Domenica à dix heures passées, traversa le palier et gagna directement sa chambre. La porte de Bruce était fermée, mais le mince rai de lumière qui filtrait au-dessous indiquait qu'il était là. Sans compter la musique : du couloir, la jeune fille distinguait le faible son des mélodies cubaines qu'il affectionnait. Sur ce plan, au moins, il se montrait respectueux d'autrui, car il prenait toujours soin de maintenir le volume bas.

Elle referma la porte derrière elle et se prépara pour la nuit. La soirée avait mal commencé, avec cette altercation au sujet du gel capillaire – elle en rachèterait un pot dès le lendemain, avait-elle décidé –, mais la compagnie de Domenica lui avait vite fait oublier son irritation. Domenica et Bruce se trouvaient à l'opposé l'un de l'autre : elle représentait l'esprit et la subtilité, tandis que Bruce... que représentait Bruce au juste ? Elle ferma les yeux et pensa à lui, attendant une libre association, pour les rouvrir avec brusquerie. Un pot de gel capillaire.

Elle s'était demandé ce qu'il fallait attendre de Domenica. À première vue, dîner en tête à tête avec une voisine de soixante et un ans pouvait apparaître comme une perspective assez peu réjouissante. Or, Pat avait passé une soirée excellente. À n'en pas douter, il existait des gens de soixante ans ternes et assommants, mais il y avait tout autant de jeunes de vingt ans ternes et assommants. Peut-être même, songea Pat, comptait-on davantage de personnes de la seconde catégorie que de la première. Et puis, tout bien réfléchi, l'âge avait-il tant d'importance ? Une personne terne et assommante à vingt ans le serait toujours à soixante et un.

Pour Pat, l'âge ne comptait guère. Le secret, pensait-elle – et elle avait lu quelque chose là-dessus –, consistait à parler aux gens comme s'ils étaient de la même génération. De toute évidence, Domenica appliquait ce principe. Elle n'avait pas pris Pat de haut, alors qu'elle aurait pu se le permettre. Elle l'avait traitée, au contraire, comme une personne avec laquelle elle pouvait partager références et expériences. De sorte que tout avait paru simple…

La jeune fille en avait beaucoup appris sur Domenica – sur l'Inde et l'anthropologie, ainsi que sur les enfants sauvages, sur lesquels elle eût aimé voir son interlocutrice s'étendre davantage –, mais elle ne doutait pas qu'il restât encore bien des sujets à aborder avec elle. Au cours du dîner, la conversation n'avait pas faibli, même si Domenica n'avait presque plus parlé d'elle-même. Elle avait préféré renseigner Pat sur leurs voisins communs : Tim et Jamie, qui vivaient juste au-dessous, Irene et Stuart, les parents de Bertie, et l'homme du rez-de-chaussée, que l'on ne voyait jamais, mais qui habitait pourtant là.

— Il existe peut-être une explication très simple, avait déclaré Domenica : l'agoraphobie. S'il souffre de ce mal, ce pauvre homme ne peut tout simplement pas sortir de chez lui.

Domenica, remarqua Pat, faisait preuve d'une grande bienveillance dans ses commentaires. Son approche avait toutefois changé du tout au tout lorsqu'elle en était venue à évoquer Irene et Stuart.

— Ce pauvre enfant n'est rien d'autre qu'un sujet d'expérience pour eux. Quelle quantité de musique, de mathématiques et de savoir en général peut-on faire ingurgiter à un être humain avant l'âge de sept ans ? Composera-t-il sa première symphonie avant son entrée à l'école primaire ? Et ainsi de suite. Pauvre petit ! L'avez-vous vu ?

— Je l'ai entendu.

Et Tim et Jamie, du troisième étage ?

— Il existe de nombreuses recettes pour être malheureux dans la vie, avait expliqué Domenica, et le pauvre Tim est en train de suivre l'une des plus répandues : aimer quelqu'un d'inaccessible. C'est terriblement triste. Et pourtant, les gens s'obstinent souvent dans cette voie.

Pat n'avait rien dit. Elle avait vu un jeune homme monter l'escalier devant elle, mais au moment où elle atteignait le palier, il avait disparu. Ce devait être, songea-t-elle, Tim ou Jamie.

— Tim est très attaché à Jamie, avait poursuivi Domenica. Et Jamie est très épris d'une jeune fille qui est partie vivre au Canada pour un an. Voilà où en sont les choses !

— Ce ne doit pas être facile.

Domenica avait haussé les épaules.

— Certes. Mais certains individus sont prêts à se contenter du peu qu'ils ont. J'en ai connu beaucoup dans ce cas. Des gens qui en pincent pour une personne qui ne sera jamais telle qu'ils souhaiteraient qu'elle soit. C'est sans espoir et cependant, ils persistent et se contentent des bribes de temps ou d'attention qu'elle veut bien leur accorder.

— C'est triste.

— Très, avait confirmé Domenica, avant de réfléchir un instant. Un soir, je l'ai fait monter ici pour boire un verre de sherry. Eh bien, il n'a voulu parler que de Jamie. Celui-ci s'apprêtait à partir voir sa petite amie à Montréal. Et Tim ne pouvait penser à autre chose. Son chagrin était inscrit en lettres majuscules, il était impossible de ne pas le voir. Ce garçon était en train de perdre son ami. Et

composer le code de sécurité pour l'arrêter. Or cela ne s'était pas produit ce jour-là, à moins que… Il arrivait souvent que l'on accomplisse des gestes familiers de façon automatique pour les oublier aussitôt après. Toutefois, Pat était sûre de ne pas avoir débranché l'alarme ce matin-là. Elle était entrée, avait ouvert la lettre et s'était dirigée vers le bureau de Matthew, près duquel elle se tenait à présent. Le boîtier de contrôle du système d'alarme se trouvait au fond, à côté de l'interrupteur, et elle était certaine de ne pas s'en être approchée.

L'alarme n'avait-elle pas été branchée la veille ? Pat tenta de se rappeler qui avait quitté la galerie en dernier. Ce n'était pas Matthew, puisqu'il était parti rejoindre son père peu après quatre heures et qu'elle-même était restée travailler jusqu'à cinq heures. Elle se souvenait du moment où elle avait fermé la porte, soucieuse de se présenter à l'heure chez Domenica.

Elle jeta un coup d'œil au boîtier de contrôle, à l'extrémité de la salle plongée dans une semi-pénombre. Deux voyants rouges clignotaient à intervalles réguliers, ce qui différait des autres jours. D'habitude, lorsqu'elle franchissait le seuil, un seul voyant clignotait tant qu'elle n'avait pas composé le code.

Pat regarda autour d'elle. La galerie comportait une large vitrine donnant sur la rue. Il y avait des passants sur le trottoir, de la circulation sur la chaussée. Tout cela n'était qu'à quelques mètres et pourtant, elle se sentit inquiète. Elle se retourna et constata que la porte menant à la pièce du fond était entrouverte. Pat la fermait toujours avant de s'en aller. Jamais elle ne l'aurait laissée ainsi, dans la mesure où le système d'alarme exigeait qu'elle fût fermée.

Prenant peur, Pat s'empressa de traverser la pièce pour actionner les interrupteurs. Alors, dans la galerie baignée de lumière, face aux tableaux dont les plus grands étaient illuminés par des spots individuels, elle trouva le courage de gagner la porte du petit bureau du fond, qu'elle poussa d'une main hésitante.

L'intrus était parvenu à soulever d'une cinquantaine de centimètres le panneau inférieur de la fenêtre à baïonnette. Il n'avait pas brisé la vitre, mais le loqueteau avait été forcé et elle aperçut quelques éclats de bois répandus sur le sol.

Immobile sur le seuil, elle retint son souffle, ne sachant que penser. Elle éprouvait un sentiment d'intrusion, voire de violation. Ils avaient eu un jour un cambriolage à la maison et elle se souvenait à quel point elle s'était sentie *souillée* à l'idée qu'un inconnu avait pénétré chez eux, qu'il avait été physiquement présent sans avoir été invité. Elle s'en était ouverte à son père, qui avait simplement hoché la tête en disant : « Oui, c'est l'impression que cela donne. »

Elle quitta l'embrasure de la porte et se dirigea avec calme vers le bureau de Matthew, où elle se saisit du téléphone pour composer le numéro de Police Secours. Une voix réconfortante lui indiqua que des agents arriveraient d'ici quelques minutes et qu'il ne fallait toucher à rien. Elle demeura donc là où elle se tenait, le cœur battant, se demandant ce qui avait bien pu se passer. Pourquoi l'alarme ne s'était-elle pas déclenchée ? Pourquoi la porte était-elle entrouverte ? Ce dernier détail suggérait que le voleur était parvenu à passer par l'étroite ouverture de la fenêtre, mais qu'il avait été dérangé peu après, peut-être par le son qu'émettait le boîtier de contrôle. Ce bruit-là avait dû être parfaitement audible, même si le signal d'alarme lui-même, la sirène, ne s'était pas mis en marche.

Et si c'était Matthew qui, pour une raison ou pour une autre, était revenu la veille au soir ? S'il n'avait pas rebranché correctement l'alarme et avait laissé la porte du fond entrouverte ? Il était le seul, avec elle, à posséder la clé, supposait Pat. Toutefois, si les choses s'étaient passées ainsi, pourquoi aurait-il forcé la fenêtre ?

Il apparut soudain à la jeune fille qu'un cambriolage pourrait se révéler très commode pour Matthew. Il ne parvenait pas à vendre un seul de ses tableaux : n'était-il pas plus simple d'organiser une fraude à l'assurance ?

31. *La brigade artistique de la Lothian* *and Borders Police*

Quelques minutes plus tard, comme promis par la voix sereine au téléphone, une voiture de police s'immobilisait devant la galerie. Deux agents en uniforme, généreusement équipés en radios, menottes et grandes poches, en sortirent. Pat les accueillit à la porte.

— Une galerie d'art ? interrogea en entrant l'un des policiers, le plus jeune des deux.

— Pardi, c'est pas un supermarché ! rétorqua le second. Ça paraît évident, non ?

Pat vit l'autre baisser les yeux. Il semblait gêné par la rebuffade, mais ne dit rien.

Elle montra aux deux hommes le boîtier de contrôle de l'alarme, qui continuait à clignoter en silence.

— Il n'a pas dû fonctionner correctement, commenta le plus jeune.

— Bravo, monsieur de La Palice ! s'exclama son collègue.

Pat garda le silence. Peut-être les deux hommes parvenaient-ils au terme d'une longue nuit de travail et avaient-ils besoin de sommeil. Toutefois, même si tel était le cas, elle ne pensait pas que le plus jeune méritait ces humiliations.

Elle les conduisit dans la pièce du fond et désigna les fragments de bois répandus au sol. Le cadet des policiers se baissa pour en ramasser un.

— Ça provient de la fenêtre, dit-il.

Son collègue lança un regard à Pat, qui le soutint brièvement, puis il se détourna. Il examina quelques instants la vitre et secoua la tête.

— Pas d'empreintes, déclara-t-il. Rien. Je dirais que celui qui a voulu entrer a été dérangé. Cela arrive tout le temps. Les types entament une effraction et puis, tout à coup, quelque chose leur flanque la frousse et ils mettent les voiles.

— Ils mettent les voiles ? répéta Pat.

— Oui, répondit le policier. Ils mettent les voiles. Alors pour nous, il n'y a pas grand-chose à faire, même si je crois connaître le nom du gars qui a fait ça. Tout ce que je peux vous conseiller, c'est de faire réviser votre alarme. Et d'acheter un nouveau loqueteau – quelque chose de plus solide – pour le poser sur la fenêtre. C'est à peu près tout.

Pat l'avait écouté avec étonnement.

— Mais comment pouvez-vous savoir qui a fait ça ? questionna-t-elle.

Le vieux policier poussa un soupir patient. Puis il leva la main et tapota sa montre.

— Dans six heures de temps, je pars à la retraite, expliqua-t-il. J'ai trente-six ans de service. Vous pensez bien qu'après autant d'années dans la police, j'ai eu le temps de tout voir, tout. Des choses atroces. Des choses tristes. Et aussi, depuis que je suis à la brigade artistique, des choses esthétiquement troublantes. Et au bout de tout ce temps, je suis arrivé à une conclusion : ce sont toujours les mêmes gens qui font les mêmes choses. Ils sont comme ça. Les cambrioleurs de maisons cambriolent les maisons, les cambrioleurs de magasins cambriolent les magasins. Il n'y a pas de mystère. Si vous voulez, je peux vous emmener tout de suite chez les cambrioleurs de cette ville. Je vous accompagnerai jusqu'à leur porte et vous n'aurez plus qu'à frapper pour voir s'ils sont chez eux. On sait exactement où ils se trouvent, exactement. On sait où ils habitent. On sait

tout. Et si vous croyez que je lance des noms comme
ça, au hasard, laissez-moi vous dire une bonne chose :
votre effraction, c'est sûrement l'œuvre de Jimmy
Clarke – James Wallace Clarke, pour être précis. C'est
le gars qui vole les tableaux dans cette ville. C'est son
métier. Sauf que, bien sûr, nous autres, on ne peut rien
prouver.

Pat se tourna vers le jeune policier, qui lui renvoya un
regard impassible.

— Cela doit être frustrant pour vous, commenta-t-elle.

Le plus âgé sourit.

— Pas vraiment, affirma-t-il. On s'habitue. Mais mon
collègue qui est là, il a tout ça devant lui. Moi, je mets
les voiles cet après-midi. Ma femme et moi, on a
acheté un Bed & Breakfast à Prestonpans. Tout est déjà
organisé.

Le jeune policier haussa les sourcils.

— Il y a des gens qui ont envie d'aller passer des
vacances à Prestonpans ?

— Il y en a, oui, répondit l'autre d'un ton sec.

— Pourquoi ?

La question demeura en suspens et tous trois regagnèrent la salle principale. Le plus âgé des policiers se promena dans la galerie pour examiner tour à tour les
tableaux, laissant son collègue avec Pat.

— Je m'appelle Chris, lança celui-ci à mi-voix.

Pat esquissa un signe de tête.

— Moi, c'est Pat.

— Il est très cynique, reprit le policier. Vous comprenez ce que je veux dire ?

— Oui, chuchota Pat.

— Les gens que je rencontre dans mon travail ne
savent pas toujours ce que signifie ce mot, insista Chris.
Cela fait du bien de tomber sur quelqu'un qui le com-
prend.

Il marqua une légère pause.

— Cela vous dirait d'aller prendre un verre avec moi ce soir ? Enfin, si vous n'avez rien de prévu…

La proposition prit Pat au dépourvu et il lui fallut quelques instants pour répondre. Elle était libre ce soir-là et n'avait aucune raison de ne pas rejoindre Chris dans un café. Elle venait tout juste de faire sa connaissance, bien sûr, mais si l'on ne pouvait pas faire confiance à un policier, à qui se fier ?

— Je veux bien, répondit-elle.

Visiblement satisfait de sa réaction, il lui indiqua le nom d'un bar à vins du côté de George Street. Il y serait à sept heures, déclara-t-il, ajoutant aussitôt :

— Mais pas en uniforme, évidemment, ha, ha, ha !

Pat tressaillit. Elle venait de commettre une terrible erreur et elle s'en apercevait trop tard. Elle ne pouvait sortir avec un homme qui faisait « Ha, ha, ha ! » comme cela. C'était impossible « Il peut déjà mettre les voiles », pensa-t-elle.

32. L'akrasie : problème essentiel

Avant l'arrivée de Matthew au café ce matin-là, Big Lou s'était lancée dans une conversation avec Ronnie et Pete sur le thème de la faiblesse de la volonté.

— A-quoi ? demanda Ronnie.

— Akrasie, répéta Big Lou de sa place habituelle, derrière le comptoir. C'est un mot grec. Tu ne dois pas le connaître, évidemment.

— On parle comme ça, à Arbroath ? lança Ronnie avec impertinence.

Big Lou ignora la question.

— Je lis un truc là-dessus en ce moment. Un livre sur la faiblesse de la volonté, écrit par un certain Willie Charlton, un philosophe. J'imagine que vous n'avez jamais entendu parler de lui.

— Il est d'Arbroath ? s'enquit Ronnie.

Big Lou parut ne rien entendre.

— L'akrasie est une faiblesse de la volonté. Ça veut dire qu'on sait ce qui est bon pour nous, mais qu'on ne peut pas le faire. Parce qu'on est trop faible.

— Ce n'est pas nouveau, fit remarquer Pete en tournant la cuiller dans son café pour faire fondre le sucre.

— Non, acquiesça Big Lou. Tu connais ça, toi. Tu es le parfait spécimen du type sans volonté. Tu sais que le sucre, ce n'est pas bon pour toi, mais tu en prends quand même. C'est de la faiblesse. C'est ce que les philosophes appellent l'incontinence de la volonté.

Pete jeta un bref coup d'œil à Ronnie.

— Non, c'est autre chose, objecta-t-il. C'est la diarrhée de la volonté.

Big Lou soupira.

— La diarrhée n'a rien à voir avec l'akrasie. Mais, de toute façon, ça ne sert à rien d'essayer de vous expliquer des trucs.

— Désolé, s'amenda Ronnie d'un ton solennel. Parlenous de l'akrasie, Lou.

Big Lou saisit un torchon et entreprit d'essuyer le comptoir.

— La question, dit-elle, est la suivante : peut-on vraiment parler de faiblesse de la volonté ? Quand tu fais une chose, cela veut forcément dire que tu as voulu la faire. Et si tu as voulu la faire, ça doit être parce que tu penses que c'est dans ton intérêt.

Ronnie médita quelques instants ces paroles.

— Et alors ?

Big Lou astiqua son comptoir de plus belle.

— Alors, il ne peut pas exister de faiblesse de la volonté, puisqu'on fait toujours ce qu'on veut faire. Toujours. Tu comprends ?

— Non, répondit Pete.

— Et toi ? Tu comprends, toi ?

— Non.

114

Big Lou poussa un nouveau soupir. Avoir affaire à des gens qui ne lisaient jamais n'était pas de tout repos. Elle choisit cependant de persister.

— Prenez le chocolat, commença-t-elle.

— Le chocolat ? répéta Ronnie.

— Oui. Maintenant, imaginez que vous ayez vraiment envie d'en manger, mais que vous sachiez qu'il ne faut pas. Parce que vous avez un problème de poids, par exemple. Vous voyez une tablette de chocolat et vous pensez : cette tablette a l'air super bonne ! Mais une petite voix, à l'intérieur, vous souffle : le chocolat, ce n'est pas bon pour toi ! Vous réfléchissez un peu, et puis vous mangez quand même le chocolat.

— On mange le chocolat ?

— Oui. Parce que vous savez que ça va vous faire plaisir. Ça va satisfaire votre envie de manger du chocolat.

— Et alors ?

— Eh bien, on ne peut pas dire que vous êtes faibles, parce que vous avez fait ce que vous aviez vraiment envie de faire. Ce que vous vouliez, c'était manger le chocolat. C'est donc votre volonté qui a gagné. Donc, cette volonté ne peut pas apparaître comme faible.

Ronnie but une gorgée de son café sucré.

— D'où tu sors tous ces trucs, Lou ?

— Je lis, figure-toi. Il se trouve que j'ai plein de livres. Et que je les lis. Il n'y a rien de bizarre là-dedans !

— Lou est une grande dame ! commenta Ronnie. Non, ne ris pas, Pete. Toi et moi, on est des ignorants. Imagine qu'on participe à un jeu dans un pub : tout le monde se ficherait de nous. Alors que Lou, elle, elle gagnerait les doigts dans le nez. Moi, je la respecte pour ça. Non, non, sans blague…

— Merci, acquiesça Lou. L'akrasie est quelque chose de très intéressant. Je n'y avais jamais vraiment réfléchi jusque-là, mais maintenant…

Elle fut interrompue par l'arrivée de Matthew, qui claqua la porte derrière lui en entrant et se tourna vers ses amis, le visage illuminé par l'excitation.

— Une effraction ! s'écria-t-il. Des morceaux de bois partout. Les flics sont venus.

Ils le considérèrent sans rien dire.

— À la galerie ? s'enquit Pete.

Matthew gagna le comptoir.

— Oui, à la galerie. Le gars a été dérangé, heureusement, et il n'a rien pris. J'aurais pu tout perdre.

— Pas de chance, commenta Ronnie. Ça n'aurait pas été si mal.

Big Lou lui décocha un regard noir et il baissa la tête.

— Enfin, ce n'est pas ça que je voulais dire... reprit-il. Je voulais dire que ce n'était pas de chance que ce type ait essayé d'entrer. C'est tout. Qu'est-ce que j'aurais pu vouloir dire d'autre ? Pourquoi vous me regardez comme ça ?

Matthew ignora la rectification.

— Il aurait pu emporter le Peploe. En fait, je suis sûr que c'est ce tableau-là qu'il voulait.

Pete leva les yeux.

— Celui qui vaut quarante bâtons ?

— Oui, répondit Matthew. Ça devait être ça qu'il était venu chercher. Le reste ne vaut pas un clou.

Ronnie parut réfléchir.

— Le type qui voulait vous l'acheter l'autre jour... ça doit être lui qui a fait le coup. Qui d'autre peut savoir que vous avez ça ?

Matthew fronça les sourcils.

— Personne d'autre, c'est vrai. Juste nous.

— Alors, c'est lui, résolut Ronnie.

— Ou l'un d'entre nous, intervint Big Lou en fixant Pete du regard.

Personne ne commenta. Big Lou se retourna pour préparer le café de Matthew.

116

— J'ai dit n'importe quoi, soupira-t-elle. Ça m'a échappé.

— Faiblesse de la volonté ? s'enquit Ronnie.

33. Peploe ?

— Ce n'est pas le moment de plaisanter, dit Matthew. Le fait est que l'on en veut à mon Peploe.

— À condition que ce soit bien un Peploe, interrompit Ronnie. Tu n'en sais rien, en fait. Jusqu'à présent, la seule personne à avoir dit que ç'en était un, c'est cette fille, Pat. Mais après tout, qu'est-ce qu'elle en sait ? Et toi, de ton côté, tu n'y connais rien, tout le monde le sait.

— Très bien, répondit Matthew. Puisque c'est comme ça, nous l'appellerons mon Peploe ? avec un point d'interrogation. Ça vous va ? Et maintenant, qu'est-ce qu'on fait ?

— On le retire de la galerie, décida Pete. Emporte-le chez toi et mets-le dans un placard. Personne ne va aller s'imaginer qu'il y a un Peploe ? caché dans ton placard.

Big Lou, qui suivait la conversation, cessa d'astiquer son comptoir.

— C'est là que tu fais erreur, déclara-t-elle. Si ce type – celui qui s'intéresse au tableau – a vraiment l'intention de mettre la main dessus, il va trouver qui est Matthew. Es-tu dans l'annuaire, Matthew ?

L'intéressé hocha la tête.

— Eh bien, voilà ! conclut Lou. Il n'aura pas de problème pour savoir où tu habites. Et s'il était prêt à entrer par effraction dans ta galerie, il n'hésitera pas à faire pareil chez toi. Mets le Peploe ? ailleurs.

— À la banque, suggéra Pete. Je connais un type qui conserve un bureau Charles Rennie Mackintosh à la Banque d'Écosse. Le meuble coûte tellement cher qu'il n'a pas les moyens de payer l'assurance. C'est plus économique de le mettre à la banque.

— Quel intérêt ? s'enquit Lou en fronçant les sourcils. À quoi ça sert d'avoir un bureau si on ne peut pas l'utiliser ?

— Si ça se passait à Arbroath, on s'en servirait pour entreposer du hareng saur, intervint Ronnie. Ou même fumé.

— Qu'est-ce que tu peux savoir d'Arbroath ? s'énerva Lou. Dis-moi un peu ! Qu'est-ce que tu peux savoir d'Arbroath ?

Ce fut Pete qui répondit.

— Rien. Il n'a jamais mis les pieds là-bas.

— Je ne pense pas que ce soit le moment de parler d'Arbroath, lança Matthew, gagné par l'impatience. Vous feriez mieux d'arrêter d'asticoter Lou, tous les deux. La question du jour, c'est : que dois-je faire de mon Peploe ? ?

Le silence plana entre les trois hommes assis à leur table et Lou, debout derrière son comptoir. Ronnie observa Matthew à la dérobée. Le jeune homme avait très bien pu simuler une effraction pour toucher l'assurance. Mais, dans ce cas, pourquoi aucun tableau n'avait-il disparu ? Il existait plusieurs réponses possibles à cette question, l'une d'elles étant que cette première effraction devait servir de mise en scène, le vol effectif intervenant par la suite. Mais si le Peploe ? se révélait être un Peploe, pourquoi Matthew avait-il besoin qu'on le lui vole ? Il obtiendrait ses 40 000 livres en mettant le tableau en vente. Pourquoi se donner tant de peine à monter tout un dossier pour l'assurance, d'autant qu'il ne possédait aucune preuve de la valeur de la toile ?

Lou réfléchissait elle aussi à la situation. Pete avait eu raison de suggérer de retirer le tableau de la galerie. Cependant, il faudrait s'assurer qu'il se trouve en sécurité là où l'on choisirait de l'entreposer. Elle-même devait-elle proposer de le garder ? Il serait à l'abri dans son appartement, dissimulé derrière des piles de livres, mais voulait-elle vraiment conserver chez elle un objet d'une telle valeur et aussi convoité ? Avec 40 000 livres, l'on pouvait acquérir un appartement très correct à Arbroath. Non, pour le Peploe ?, mieux valait trouver une autre cachette.

— Et Pat ? lança-t-elle brusquement. Pourquoi ne demanderais-tu pas à cette fille d'emporter le tableau chez elle ? Après tout, c'est elle qui l'a identifié. Elle n'a qu'à s'en occuper, maintenant !

— John ne saura pas qui elle est, renchérit Pete. Elle n'a pas dû lui dire…

— Qui est John ? coupa Matthew, surpris, en se tournant vers lui.

Pete se plongea dans la contemplation de sa tasse.

— John ? Je n'ai jamais dit John ! marmonna-t-il.

— Si. Tu as dit que John ne devait pas savoir qui était Pat. Mais pourquoi as-tu appelé ce type John ? Tu le connais ?

Pete secoua la tête.

— Tu as mal entendu, affirma-t-il. Je n'ai jamais dit ce nom-là. D'ailleurs, je ne connais aucun John.

— Qu'est-ce que tu racontes ? protesta Lou. Tu ne vas pas nous faire croire que tu ne connais pas de John ! Tu mens !

— Ce que j'ai dit, c'est que lui – c'est-à-dire le type qui veut le Peploe ? – et comment est-ce que je pourrais savoir qu'il s'appelle John ? –, lui, donc, ne sait pas qui est Pat, et il peut encore moins savoir où elle habite. D'ailleurs, où habite-t-elle ?

— Aucune idée, répondit Matthew.

Pete haussa les épaules.

— D'accord. Alors dis-lui d'emporter le tableau chez elle et de le garder dans un placard jusqu'à ce qu'on ait décidé de ce qu'on va en faire. Il n'aura rien à craindre chez elle.

— Bonne idée, approuva Matthew. Je vais lui en parler. Je lui demanderai de repartir avec ce soir.

Ils terminèrent leur café en silence. Matthew fut le premier à s'en aller, laissant les deux autres hommes à la table.

— Je crois qu'il faut aller bosser, déclara Ronnie au bout d'un moment, avant de s'adresser à Lou : Peut-être que j'aurais dû être philosophe, Lou. C'est plus facile, comme métier.

Lou sourit.

— Je n'en sais rien. Mais à mon avis, ce n'est pas aussi simple que tu le crois. Les philosophes ont plein de problèmes dans la tête. La vie n'est pas un long fleuve tranquille pour eux.

— Pour nous non plus, objecta Pete en se levant.

— Possible, acquiesça Lou. N'empêche que l'ignorance peut être quelque chose d'assez confortable, tu ne crois pas ?

34. Sur le chemin du Floatarium

Irene avait rendez-vous au Floatarium ce matin-là, mais il lui restait une bonne demi-heure à tuer avant de s'abandonner à la chaleur maternelle du caisson, aussi décida-t-elle de profiter du beau soleil de printemps. Elle déambula dans Cumberland Street, remarquant les transformations que l'embourgeoisement effréné de la ville avait introduites. Quelques années plus tôt, les fenêtres s'ornaient encore de rideaux, ou au moins de voilages en dentelle ; désormais, les vitres surmontées d'astragales récemment restaurés affichaient une nudité rassurante qui autorisait les passants à mieux admirer, au rez-de-chaussée du moins, d'onéreux mobiliers minimalistes ou néopostgeorgiens. Irene s'arrêta pour observer l'intérieur d'un appartement et jaugea l'harmonie des couleurs. Non, elle n'aurait jamais opté pour ce rouge, presque écœurant par sa richesse. Leur appartement à eux était entièrement peint en blanc, à l'exception de la chambre de Bertie, pour laquelle ils avaient choisi un rose fuchsia destiné à rompre avec le moule sexiste. Enfin, c'était elle qui en avait décidé ainsi. Stuart, son mari, s'était montré réticent. Il avait tenté de parlementer, mais avait fini par céder, de guerre lasse. Irene en venait parfois à douter de l'engagement de Stuart dans leur projet éducatif pour Bertie et elle s'était demandé à plusieurs reprises si son mari comprenait bien ce qu'elle entendait réaliser. La discussion sur les couleurs avait renforcé ses inquiétudes.

— Les garçons n'aiment pas le rose, avait-il affirmé. En tout cas, moi, je n'aimais pas le rose quand j'étais petit.

Irene s'était armée de patience.

— Oui, mais c'était il y a un certain temps. Et ton éducation, nous le savons l'un comme l'autre, n'a pas été particulièrement éclairée. Les idées ont changé aujourd'hui.

— Les idées ont peut-être changé, dit Stuart, mais pas les petits garçons. Ils sont à peu près tels qu'ils ont toujours été, selon moi.

Irene n'était pas prête à laisser passer un argument aussi foncièrement mauvais.

— Non, les petits garçons ne sont plus comme avant ! s'exclama-t-elle. Certainement pas ! C'est la société qui façonne les enfants. C'est nous qui en faisons ce qu'ils sont. Une société patriarcale produit des garçons patriarcaux. Et une société civilisée produit des garçons civilisés.

Stuart ne sembla pas plus convaincu.

— Mais tout de même, les garçons demandent à faire des activités de garçons. Si tu les mets dans une pièce avec des poupées et des voitures, ne choisiront-ils pas les voitures ? Hein ?

Irene soupira.

— Seuls les garçons à qui l'on n'aura pas proposé d'autres options choisiront les voitures. Mais certains demanderont autre chose.

— Des poupées ?

— Oui, des poupées. À condition que nous leur en laissions la possibilité. Les garçons adorent jouer à la poupée.

— Vraiment ?

— Oui, vraiment. Mais pour cela, comme je l'ai dit, il faut les placer dans un environnement propice.

Stuart réfléchit un instant.

— Mais regarde Bertie. Il adore les trains, non ? Il ne joue à rien d'autre à l'école. Il adore ça.

— Bertie adore les trains en raison des possibilités sociales qu'ils offrent, s'empressa de rétorquer Irene. Le train de l'école lui permet de jouer des drames sociaux. Bertie aime les trains pour ce qu'ils représentent.

Les choses en étaient restées là, mais les doutes sur l'implication de Stuart continuaient à tarauder Irene, qui se disait souvent, comme elle le faisait à présent en descendant Cumberland Street, qu'élever un enfant doué n'était pas facile quand on ne bénéficiait pas du total soutien de l'autre parent. Et cette difficulté était encore renforcée par la directrice de l'école maternelle, Christabel Macfadzean, ce chameau, que les talents de Bertie mettaient en rage et qui semblait déterminée à empêcher l'enfant de les développer – et ce, dans un esprit d'égalitarisme déplacé. Irene, bien sûr, était elle-même un ardent partisan de l'égalitarisme sous toutes ses formes, mais cela n'interdisait pas d'accorder une attention particulière aux enfants doués. La société avait besoin de personnes hors du commun pour pouvoir atteindre ses objectifs égalitaires. Car les gens dénués de talents – les gens ordinaires, comme elle les appelait – manifestaient souvent un antiégalitarisme désespérant dans leurs points de vue.

Parvenue à l'extrémité de Cumberland Street, elle résolut de ne pas emprunter le chemin le plus direct, par Circus Lane, mais de faire une boucle par Circus Place, où elle s'offrirait un *latte* avant de gagner le Floatarium. Il y avait là, en effet, un café qu'elle aimait bien et où l'on pouvait lire les journaux à son aise et entamer, si l'envie vous en prenait, une grille de mots croisés de bon niveau. Irene avait songé à enseigner ce sport cérébral à Bertie, mais s'était ravisée, estimant le programme de l'enfant un peu trop chargé pour le moment. Entre l'examen théorique de septième niveau en musique qui approchait – Bertie était le plus jeune Écossais à passer cette épreuve de toute l'histoire du Collège royal de musique– et son nouveau cours de travaux dirigés en mathématiques, il resterait trop peu de temps pour lui enseigner les usages des mots croisés. Peut-être vaudrait-il mieux qu'il commence par le bridge, quoique l'on risquât de rencontrer des difficultés à trouver un quatrième partenaire. Stuart n'était déjà pas très chaud, et quand Irene avait suggéré à la voisine du dessus de venir, à l'occasion, disputer une partie avec eux, Mrs Macdonald avait éclaté de rire à l'idée que le petit Bertie puisse jouer au bridge.

Cette femme est bizarre, pensa Irene. C'est l'archétype même de l'habitante d'Édimbourg. Une dame dotée de prétentions intellectuelles et de manières hautaines. Il y en avait beaucoup comme elle dans la ville. Énormément.

35. Latte interrupta

Elle était assise dans le petit café de Royal Circus, devant une généreuse tasse de *latte*, à feuilleter le journal du matin, lorsque son téléphone portable lui notifia (à travers sa sonnerie très caractéristique signée Karlheinz Stockhausen) un appel venant de l'école maternelle d'East New Town. Christabel Macfadzean alla droit au but : Irene pouvait-elle venir à l'école sans délai ? Oui, Bertie allait très bien, mais un incident s'était néanmoins produit et il se révélait nécessaire d'en discuter avec sa mère.

Irene se dit qu'elle pouvait tout de même terminer son *latte*. C'était abuser de son amabilité que de la convoquer ainsi, sur l'heure, à l'école maternelle, d'autant que cela lui ferait manquer son rendez-vous au Floatarium. Seulement, Christabel Macfadzean ne s'arrêtait pas à ce genre de considération, bien sûr : de son point de vue, les parents n'avaient rien de mieux à faire que de tout interrompre pour venir, séance tenante, écouter ses jérémiades. À l'évidence, il y avait eu une petite prise de bec entre Bertie et un autre enfant, probablement au sujet de ce satané train. Ce n'était vraiment pas une raison pour l'obliger, elle, à accourir pour y mettre son grain de sel. Si Christabel Macfadzean avait bien voulu se donner la peine de se familiariser avec les travaux de Melanie Klein, elle eût été à même d'interpréter ces prétendus « incidents » et aurait mesuré ses réactions... contrairement à ce qui se passait à présent.

Une irritation grandissante empêcha Irene de savourer la fin de sa boisson comme il se devait. Elle replia le journal et le lança sur une petite table. Puis, non sans avoir échangé quelques mots avec la jeune femme qui tenait la caisse, elle prit le chemin de l'école maternelle. Tout en marchant, elle élabora le discours qu'elle opposerait à Christabel Macfadzean. Il n'était pas question que Bertie devienne un souffre-douleur. Tout « incident », comme disait Christabel Macfadzean, impliquait deux participants, et rien n'autorisait à conclure que Bertie en était toujours à l'origine.

Lorsqu'elle parvint à l'école, Irene s'était mise en condition pour affronter n'importe quelle situation. Aussi se sentait-elle prête au combat quand l'assistante de Christabel Macfadzean lui ouvrit la porte et la fit entrer.

— Je suis surprise que vous ayez jugé nécessaire de me convoquer, lança-t-elle dès que la directrice surgit du coin des jeux d'eau. Pour tout vous dire, j'étais assez occupée. Cela n'a pas été très commode pour moi de me libérer.

Christabel Macfadzean se sécha soigneusement les mains sur une petite serviette rouge.

— Il y a eu un incident, commença-t-elle avec calme. J'ai pour principe de toujours impliquer les parents quand un incident d'une certaine gravité se produit. Ce serait manquer à mon devoir que de ne pas le faire.

Elle leva les yeux et posa sur Irene un regard ferme. Elle savait que l'affrontement s'annonçait difficile, mais ne s'y préparait pas moins avec délectation, savourant le plaisir de celle qui sait sa position inattaquable.

— Un incident ? répéta Irene d'un ton tranchant. Mais j'imagine que la vie d'une école maternelle est pleine d'incidents. Les enfants ne cessent de jouer de petits drames, n'est-ce pas, comme l'a si bien expliqué Melanie Klein. Vous connaissez les ouvrages de Melanie Klein, j'imagine ?

Christabel Macfadzean ferma un instant les yeux puis, ignorant la question, reprit :

— Il y a petits drames et grands drames. Et il y a aussi les incidents. Il s'est produit ce matin un incident qui réclame une implication des parents. Nous ne pouvons faire face seuls à un comportement d'une telle gravité. Nous sommes obligés de solliciter l'assistance des parents.

Irene sentit le souffle lui manquer.

— Un comportement d'une telle gravité ? Une petite bagarre pour un train ? Vous appelez ça un comportement grave ? Écoutez, franchement…

Christabel Macfadzean l'interrompit.

— Cela n'a rien à voir avec le train. Rien du tout.

Irene la dévisagea.

— Soit. Mais c'est quelque chose de tout aussi trivial, je suppose.

— Non, répliqua Christabel Macfadzean. Cela n'a rien de trivial.

Qu'y a-t-il de plus agréable, songeait-elle, que de voir le vent déserter petit à petit les voiles du galion adverse ? Savourons cette expérience délectable, pour moi du moins.

— Bon, s'impatienta Irene. Peut-être pourriez-vous à présent avoir la bonté de m'expliquer de quoi il retourne. Bertie s'est-il trouvé impliqué dans une bagarre ? Les petits garçons ont l'habitude de se battre, vous savez, surtout lorsqu'on ne les surveille pas correctement…

Cette dernière remarque arracha à la directrice une exclamation de mauvaise humeur qu'elle ne put contenir.

— Je me dispenserai de commentaire, se reprit-elle. Disons que je n'ai rien entendu. Non, il n'y a pas eu bagarre. Mais il y a eu vandalisme.

Irene éclata de rire.

— Vandalisme ! Comme vous y allez ! Mais les enfants cassent tout le temps quelque chose ! Il n'y a pas de quoi en faire un drame !

— Non, riposta Christabel Macfadzean. Ce n'est pas de casse qu'il s'agit, mais de graffiti. Dans les toilettes. Inscrits en grosses lettres sur le mur.

— Et qu'est-ce qui vous fait penser que Bertie en est l'auteur ? riposta Irene d'un ton belliqueux. Ne croyez-vous pas que vous allez un peu vite en besogne ?

126

ce qui rendait les choses encore plus difficiles pour lui, c'est qu'il n'avait personne à qui en parler. Il craignait que ses proches ne le comprennent pas, ou le méprisent. Les gens sont cruels, c'est vrai…

Les deux femmes étaient ensuite restées un long moment silencieuses, et Pat avait réfléchi, et réfléchi, et elle réfléchissait encore à présent, seule dans sa chambre : nous aimons ce que nous ne pouvons obtenir. Oui, c'était comme ça. Ridicule. Désespérant. Éternel.

30. Péripéties à la galerie

Pat arriva un peu en avance à son travail le lendemain matin. Le facteur, un homme jovial au visage tanné par les intempéries, était déjà passé et il avait déposé une lettre. Il s'agissait d'une invitation à un vernissage, dans une autre galerie de la rue. Ils recevaient souvent ce genre de cartons et la jeune fille fut soudain frappée par le nombre de telles manifestations organisées dans le monde de l'art : les galeristes vendaient à d'autres galeristes et ce, en un cercle sans fin. Un jour, il faudrait bien qu'un vrai client achète un tableau, mais où se trouvaient les vrais clients ? Jusqu'à présent, on n'avait rien vendu et la seule personne à avoir manifesté un semblant d'intérêt pour une toile était venue, semblait-il, dans l'espoir de réaliser une bonne affaire. Peut-être cela finirait-il par changer. Peut-être verrait-on un jour quelqu'un entrer pour acheter l'une des esquisses de D.Y. Cameron, quelqu'un qui ne lancerait pas de remarques désobligeantes sur Mr Vettriano, quelqu'un qui aimerait les paysages de collines et de vallées encaissées.

Elle posa l'invitation sur le bureau de Matthew. Elle s'apprêtait à gagner la pièce du fond lorsqu'elle s'immobilisa. D'ordinaire, quand elle pénétrait dans la galerie le matin, le signal d'alarme se déclenchait et elle devait

Christabel Macfadzean abandonna sa serviette et posa sur Irene un regard triomphal. Le moment était délicieux, et elle prit soin de le prolonger encore de quelques secondes, avant d'assener sa réponse :

— Deux considérations mènent tout droit à cette conclusion, déclara-t-elle avec solennité. Premièrement, Bertie est le seul à savoir écrire…

Elle s'interrompit, laissant planer un bref silence destiné à amplifier l'effet dramatique de la révélation qui allait suivre.

— Deuxièmement, il se trouve que c'est de l'italien.

36. Bertie en disgrâce

Quelque peu désarçonnée, Irene suivit Christabel Macfadzean dans le couloir sans prêter attention aux pittoresques exemples d'art juvénile épinglés aux murs. Une porte ouverte donnait dans une pièce où s'alignait une rangée de minuscules cuvettes, face à une autre, de lavabos. Juste au-dessus de ces derniers, en lettres majuscules d'une vingtaine de centimètres de hauteur, se trouvait le graffiti.

Irene sursauta en lisant ce qu'avait écrit Bertie : LA MACFADZEAN È UN CAMMELLO !

— Regardez ! lança Christabel Macfadzean. Voici l'œuvre de votre fils.

Irene hocha la tête.

— C'est vraiment ridicule, répondit-elle à la hâte. Mais je suis sûre que vous n'aurez aucune peine à le faire disparaître. C'est sans doute écrit au feutre effaçable.

Christabel Macfadzean frémit.

— Là n'est pas le problème, rétorqua-t-elle. Ce qui est très grave, c'est qu'il se soit *permis* d'écrire sur le mur ! Et d'ailleurs, puis-je vous demander – puisque je suppose que vous connaissez l'italien –, puis-je vous demander ce que cela signifie ?

Irene fronça les sourcils. La situation devenait délicate. Le mot *cammello* possédait deux significations, bien sûr : chameau (le sens courant) et femme méchante, désagréable (le sens insultant). Il y avait fort à parier que Bertie n'avait pensé qu'à la première signification, la plus inoffensive, mais même cette dernière risquait d'être pénible à accepter. Tout à coup, Irene eut une idée et elle sut qu'elle était sauvée.

— Cela veut dire : La Macfadzean – c'est-à-dire vous, bien sûr – est un… *aspirateur*. C'est vraiment idiot et puéril d'écrire cela, mais cela n'a rien d'insultant, évidemment.

Christabel Macfadzean parut perplexe.

— Un aspirateur ?

— Oui, confirma Irene. N'est-ce pas ridicule ? Ce n'est qu'un exemple de bêtise enfantine. Un aspirateur, franchement ! Une petite sottise bien innocente ! C'est presque un nom affectueux qu'il vous a donné. En fait, je crois même que pour les Italiens, c'est de cela qu'il s'agit. Je vérifierai dans le *Grande Sansoni*.

— Mais pourquoi me traite-t-il d'aspirateur ?

Irene fronça les sourcils.

— Utilisez-vous un aspirateur ici ? Les enfants vous ont-ils déjà vue vous en servir ? Cela serait-il possible ?

— Non, répliqua Christabel Macfadzean. Je ne passe jamais l'aspirateur.

— Peut-être que vous devriez. Peut-être serait-il bon que les enfants vous voient accomplir des tâches ordinaires, une façon de rendre leur dignité aux travaux domestiques…

— S'il vous plaît, coupa la directrice. Pourrions-nous en revenir à ce… à cet incident ? Nous ne tolérons pas ce genre de chose dans notre établissement, même si l'insulte n'est qu'une puérilité sans conséquence. Que penseraient les autres enfants ?

— Je suis navrée que vous preniez cela tellement à cœur, soupira Irene. À mon avis, il faut simplement demander à Bertie de ne plus recommencer. Il faut se garder de toute réaction démesurée.

Christabel Macfadzean se tourna vers Irene pour la dévisager.

— De toute réaction démesurée, avez-vous dit ? C'est une réaction démesurée que de tuer dans l'œuf une tentative de vandalisme ? C'est une réaction démesurée que de refuser de se faire traiter d'aspirateur ? De toute réaction démesurée ?

— Mais, de toute façon, personne n'a compris, argua Irene. Comme les autres enfants ne savent pas lire – puisque personne ne le leur a encore appris – ils n'ont pas pu comprendre. Aucun d'entre eux n'en saura rien. Ils croiront qu'il s'agit d'une note de service comme une autre. Aucun mal n'a été fait, véritablement.

Christabel Macfadzean escorta sa visiteuse jusqu'au petit bureau qu'elle occupait, à l'avant du bâtiment. Elle fit signe à Irene de s'asseoir sur une inconfortable chaise à haut dossier, devant le bureau, tandis qu'elle-même prenait place dans son fauteuil, les bras croisés sur un large sous-main blanc.

— Sachez que je le déplore, commença-t-elle d'un ton calme, mais je vais être contrainte d'exclure Bertie pendant quelques jours. Il me semble que c'est la seule manière de lui faire toucher du doigt la gravité de son acte. La seule.

Les yeux d'Irene s'élargirent de surprise.

— Exclure Bertie ? Quoi… Vous voulez l'exclure de l'école ? Bertie ?

— Oui, acquiesça Christabel Macfadzean. S'il est aussi en avance sur son âge que vous le prétendez, il doit être puni comme un enfant plus grand. Pour son bien.

Irene tangua légèrement. L'idée que Bertie – qui faisait en réalité une faveur à cette école en la fréquentant –, l'idée qu'il pût être exclu semblait inconcevable. Et voir cette femme ordinaire, qui possédait visiblement une

compréhension très limitée de la psychologie de croissance, se poser en juge de Bertie, était tout bonnement
intolérable. Mieux valait retirer purement et simplement
l'enfant de l'établissement. D'un autre côté, pensa Irene,
cette école était bien commode...

Elle ferma les yeux et compta mentalement jusqu'à
dix. Puis elle les rouvrit et dévisagea Christabel Macfadzean.

— Je m'apprêtais de toute façon à le retirer de l'école
pour quelques jours, déclara-t-elle. Il a besoin d'un peu
de stimulations, vous comprenez, et je voudrais l'emmener dans les musées et au zoo. Il me semble qu'il manque de motivations dans cet environnement et d'ailleurs,
c'est peut-être pour cela qu'il vous a traitée d'aspirateur.
C'est sa façon à lui de communiquer son ennui et sa
frustration.

— Vous pouvez le retirer de l'école sans problème,
rétorqua Christabel Macfadzean. J'appellerai cela une
exclusion.

Irene renonça à poursuivre la conversation. Elle alla
chercher Bertie, qui jouait avec le train, prit la veste de
l'enfant et l'entraîna de force à l'extérieur.

— Bertie, dit-elle lorsqu'ils se retrouvèrent dans
London Street, Maman est très très fâchée que tu aies
écrit que Miss Macfadzean est un chameau. Tu n'aurais
pas dû faire ça. On ne doit pas traiter les gens de *cammello*.

— Mais tu le fais bien, toi ! s'indigna Bertie.

37. *Au Floatarium*

Tandis qu'elle se détendait, allongée dans la solution
de sels d'Epsom qui la maintenait en apesanteur, une
curieuse pensée effleura Irene : ils étaient tous deux
suspendus. Bertie avait été suspendu de son école
maternelle à cause de cette ridicule histoire de graffiti,

et elle-même était suspendue, légère comme une plume, dans son caisson. Sa suspension à elle ne durerait qu'une heure néanmoins, tandis que celle de Bertie était censée se prolonger trois jours.

Ils avaient gagné le Floatarium en quittant l'école maternelle. Peu de paroles avaient été échangées, mais Bertie n'avait pu douter de sa disgrâce. En arrivant à destination, toutefois, l'enfant était déjà à demi pardonné. Irene avait même commencé à sourire – discrètement – de ce qui s'était passé. Quel acte libérateur cela avait dû être pour lui, songeait-elle, que de grimper sur l'une des petites chaises et d'écrire sur le mur ! Et puis, bien sûr, le message était juste : transcrire une observation comme celle-ci témoignait même d'une réelle compréhension de ce qu'était le monde.

Bertie devrait malgré tout apprendre qu'il existait des choses qu'il fallait garder pour soi. Il était difficile pour un enfant de se maîtriser, estimait Irene, en raison de cette franchise naturelle qui caractérisait le jeune âge. La duplicité et l'hypocrisie venaient plus tard, instillées par les adultes. On apprenait ainsi à dissimuler, à dire une chose alors qu'on en pensait une autre, à se parer de fausses couleurs.

Irene réfléchissait à tout cela, étendue dans la pénombre aquatique. Bertie avait été autorisé à attendre dans la salle des caissons, mais à l'extérieur de ceux-ci. Il s'était installé sur une chaise avec un album de coloriage gentiment fourni par le propriétaire du Floatarium. Bien sûr, un tel ouvrage ne pouvait parvenir à le distraire et il l'avait vite abandonné, au profit d'un magazine. Bertie n'avait jamais compris l'intérêt de colorier des dessins. À quoi bon ?

Irene laissait son esprit vagabonder. Il régnait un silence complet à l'intérieur du caisson et cette absence de distractions sensorielles induisait une impression de calme absolu. On ne se sentait jamais confiné entre ces parois : on était au contraire envahi par une sensation de légèreté, d'absence de limites, dégagé de toute contrainte physique, libéré des attaches que suggérait la gravité. On pourrait demeurer là à jamais, pensait Irene, et tout oublier du monde et de ses épreuves.

Cette sensation d'indépendance fut soudain brisée par quelques coups frappés contre la paroi du caisson.

— Bertie ?

Une voix étouffée lui parvint de l'extérieur.

— Irene ?

— Je suis là, Bertie. Dans le caisson, comme tu le sais. Je me détends. Tu pourras essayer un petit peu, à la fin.

— Non, je ne veux pas flotter. Je vais me noyer.

— Ne dis pas de sottises, mon chéri. La gravité spécifique de l'eau est telle qu'il est impossible de couler. Ça va te plaire.

— Je déteste flotter !

Irene déplaça ses mains dans l'eau, produisant un léger clapotement. C'était assez irritant. Bertie était en train de saboter son expérience de flottaison.

— Laisse Maman flotter encore un peu tranquillement, Bertie ! lança-t-elle. Ensuite, nous irons boire un *latte*. Tu flotteras une autre fois, si tu veux. On n'oblige personne à flotter.

Le silence revint quelques instants, puis, tout à coup, un hurlement fit sursauter Irene.

— *Non mi piace parlare italiano !*

— Bertie ! cria Irene. Qu'est-ce que tu as dit ?

— *Non mi piace parlare italiano ! Non mi piace il sassofono ! No ! No !*

Irene se redressa, se cognant la tête contre le haut du caisson. Elle souleva le couvercle et jeta un coup d'œil au-dehors, pour découvrir Bertie posté au milieu de la pièce en une attitude provocatrice, un magazine déchiré à ses pieds.

— Bertie ! s'indigna-t-elle. Qu'est-ce que ça veut dire ? Tu te comportes comme un gamin ! Pour l'amour du ciel, qu'est-ce qu'il t'arrive ?

132

— *Non mi piace parlare italiano !* hurla de nouveau le garçon. Je n'aime pas parler italien !

Irene s'extirpa du caisson et saisit sa serviette.

— Tu dis vraiment des bêtises, répliqua-t-elle. Tu es en colère – et à juste titre – à cause de ce qui s'est passé. C'est tout. Cela ira mieux quand tu auras pris un bon *latte*. L'italien n'a rien à voir avec ça. Et je ne comprends pas pourquoi tu prétends ne pas aimer le saxophone. Tu adores ton saxo.

— Non ! Non ! persista Bertie en tapant du pied.

Rouge de colère, il serrait et desserrait ses petits poings.

— Bertie, s'il te plaît, calme-toi, ordonna Irene. Si tu veux parler avec moi, nous le ferons autour d'un *latte*. Tu ne dois pas faire de bruit ici, dans le Floatarium. D'autres gens sont en train de flotter.

— J'espère qu'ils vont tous se noyer ! tempêta l'enfant.

Irene prit une profonde inspiration.

— C'est très, très vilain de dire ça. Imagine que quelqu'un se noie pour de bon ? Qu'est-ce que tu éprouverais alors, hein ? Tu te sentirais mal, non ?

Bertie ne répondit pas. Il avait baissé la tête et Irene remarqua que ses épaules étaient animées de tressautements. Bertie sanglotait, mais en silence.

Elle le prit dans ses bras et le tint serré contre elle en le berçant doucement.

— Ça va aller, Bertie, murmura-t-elle. C'est à cause de cette école nulle, tu dois t'ennuyer à mourir là-bas. On va t'envoyer ailleurs. Peut-être à l'école de musique St Mary. Tu aimes bien les samedis musicaux, n'est-ce pas ? Il y a là-bas de gentils petits garçons et de gentilles petites filles. Et tu pourras peut-être même entrer dans la chorale et avoir un beau costume, comme les petits enfants de chœur épiscopaliens. Ça ne te ferait pas plaisir ?

— Non, sanglota Bertie. Non.

38. Relations mère-fille

À quelques centaines de mètres du Floatarium, où Bertie menait sa révolte, Sasha Todd, épouse de Raeburn Todd, buvait un café avec sa fille Lizzie. Sasha avait choisi le salon de thé de Jenners[1], car elle s'y sentait en sécurité : depuis toujours, l'établissement avait sur elle un effet réconfortant. D'autres salons de thé se créaient en ville, mais disparaissaient très vite, à l'exception, peut-être, d'un ou deux, ouverts par des *parvenus** qui avaient réussi à percer. Pour sa part, toutefois, et sans l'ombre d'une hésitation, Sasha restait fidèle à Jenners. Il n'y avait rien de perturbant chez Jenners, une vérité qui lui sautait à l'esprit chaque fois qu'elle arrivait en train à Édimbourg et apercevait l'enseigne des Entrepôts Jenners. Celle-ci signalait au monde que, malgré les amoncellements de produits que présentaient les rayons du grand magasin, *il y en avait encore plus dans les entrepôts.* C'était on ne pouvait plus rassurant.

Lizzie, en revanche, n'avait rien de rassurant. Âgée de vingt-trois ans, la jeune fille n'avait encore rien fait de sa vie. Sa scolarité n'avait été ni bonne ni mauvaise : elle ne s'était jamais fait remarquer de manière négative, mais n'avait pas non plus obtenu de louanges ou de distinctions. Elle récoltait des livrets acceptables – « Pourrait décrocher un B l'an prochain, à condition de faire davantage d'efforts », « A manqué de peu le second groupe ce trimestre : des progrès appréciables », etc. Ensuite, trois années d'université lui avaient valu une vague qualification dans un domaine tout aussi vague, qui ne lui avait encore donné accès à aucun emploi digne de ce nom. Elle passait de CDD en CDD et rien ne semblait lui convenir.

1. Grand magasin d'Édimbourg. (*N.d.T.*)

134

Pour Sasha comme pour Todd, la seule solution au problème consistait à lui trouver un mari.

— Nous ne pourrons pas supporter cette charge indéfiniment, disait Todd à sa femme. Il faudra bien que quelqu'un prenne le relais.

— Lizzie n'est pas une charge ! protestait Sasha. Pour le moment, elle est en train de se chercher.

— C'est plutôt un mari qu'elle devrait chercher, rétorquait Todd.

— Peut-être. Seulement, ce n'est pas facile, de nos jours. Les jeunes gens qu'on rencontre n'ont pas l'air pressés d'avoir la bague au doigt.

Todd secouait la tête.

— Des mariages, il y en a. Tu n'as qu'à regarder la dernière page du *Scottish Field*. Qu'est-ce qu'on y voit ? Des photos de jeunes mariés. De beaux gars en kilt, qui se marient dans des villes comme Stirling ou Balfron.

Sasha soupirait. Son époux disait vrai. Ce monde-là existait – il existait en tout cas de leur temps –, mais leur fille ne semblait pas y avoir part. Y avait-il quelque chose qui clochait chez elle ? se demandait-elle. Rien ne le laissait penser : les amis qu'elle amenait parfois à la maison n'avaient pas le crâne rasé, ils ne s'habillaient pas en dépit du bon sens. Le problème n'était donc pas là. Grâce au ciel, tous deux n'avaient jamais eu à subir l'horrible situation à laquelle s'étaient trouvés confrontés des amis à eux qui habitaient le quartier, dont la fille, très raisonnable par ailleurs, avait un jour ramené une petite amie soudeuse à la maison. De quoi peut-on bien parler avec une soudeuse ? se demandait Sasha. Il y avait sûrement des choses à lui dire, mais elle ne voyait vraiment pas lesquelles.

Installée à présent chez Jenners, dont les murs, au fil des ans, avaient abrité bien des indiscrétions, Sasha fixait sur Lizzie ce regard maternel auquel la jeune fille était accoutumée.

— Tu as maigri, observa-t-elle. J'espère que tu n'es pas en train de suivre l'un de ces régimes de déments ! Franchement, si tu savais les dégâts que causent ces gens-là ! Le docteur... euh, comment s'appelle-t-il, déjà ? Enfin, tous les charlatans dans son genre ! Je ne dis pas qu'il faut manger comme quatre, mais on doit tout de même avoir autre chose que la peau sur les os...

Elle avança vers sa fille une assiette de gâteaux glacés, que Lizzie repoussa.

— Non, merci. Mais tu sais, je ne pense pas être particulièrement maigre. Je dirais que je fais un poids correct pour ma taille.

Sasha haussa les sourcils. Lizzie était un peu trop plate à son goût ; quelques rondeurs judicieusement réparties ne seraient pas superflues. Jamais, bien sûr, elle n'aborderait ce sujet avec elle, tout comme elle s'interdisait le moindre commentaire sur le manque de chic de ses tenues et son absence de maquillage.

Sasha prit un gâteau et l'ouvrit en deux. Pâte d'amandes : son préféré. Les Battenberg[1] restaient inégalables, surtout quand on les disséquait en suivant les couleurs. Sasha n'aimait pas les gâteaux au chocolat : leur substance gluante, compacte et trop sucrée, lui répugnait.

— Tu sais, dit-elle en se suçant discrètement les doigts, tu pourrais t'arranger un peu mieux que ça. Ce n'est pas une critique, bien sûr. Pas du tout. Je pense juste que si tu faisais un peu plus attention à tes vêtements...

— Et à mon visage, renchérit Lizzie. Peut-être que je devrais faire quelque chose pour changer de tête...

---

1. Génoise légère de couleur rose et jaune recouverte de pâte d'amandes, de confiture ou de crème. Lorsqu'on coupe le gâteau dans la largeur, on découvre les deux couleurs alternées sous forme de damier. (*N.d.T.*)

— Mais ton visage est parfait ! protesta Sasha. Je n'ai rien dit là-dessus. Tu as un très joli visage. Je n'ai rien contre ton visage.

— Tu sais, reprit Lizzie, tout le monde me dit que je te ressemble. De visage, quoi…

Sasha saisit la seconde moitié de son gâteau et l'examina de près.

— Vraiment ? fit-elle. Eh bien, ça ne te fait pas plaisir ? Quoique, pour ma part, je ne voie pas la moindre ressemblance, mais peut-être que certaines personnes… Cela me surprend un peu, tout de même.

— En tout cas, cela n'a pas l'air de t'enthousiasmer, commenta la jeune fille.

Sasha eut un petit rire.

— Bon, conclut-elle, assez parlé d'apparence physique. J'ai quelque chose de beaucoup plus important à te dire.

39. Les réalités de la vie

— Quelque chose d'important ?

Le doute perçait dans la voix de Lizzie : ce que sa mère trouvait important l'était rarement à ses yeux à elle.

— De *très* important, confirma Sasha en regardant autour d'elle, comme si elle craignait d'être entendue. Tu sais sans doute que le grand bal se prépare. Eh bien, c'est pour bientôt.

— Le grand bal ?

— Tu sais, insista Sasha, le bal des conservateurs. Le bal de la section sud des conservateurs d'Édimbourg.

Lizzie couvrit sa mère d'un regard blasé.

— Ah ? Ça ? Super. J'imagine que vous y allez. J'espère que vous vous amuserez bien.

— Aucun doute là-dessus, répondit fermement Sasha. Et nous apprécierions beaucoup que tu te joignes à nous. Papa et moi. Nous aimerions vraiment. Infiniment.

Elle avait parlé sans lâcher la jeune fille des yeux. Le message était clair.

Lizzie regarda sa mère. Quelle tristesse ! pensa-t-elle. Quelle vie navrante que la sienne ! Une vie dont l'événement le plus marquant était un bal politique ! C'était horrible !

— Ça dépend, répondit-elle. Ça dépend de la date.

— C'est la semaine prochaine. Je te préviens un peu tard, je sais, mais c'est vendredi prochain, au *Braid Hills Hotel*. Un cadre merveilleux.

Lizzie serra les lèvres. Elle se trouvait dans une situation délicate. Elle n'avait pas la moindre envie d'assister à ce bal, évidemment, mais elle était assez réaliste pour appréhender sa position. Ses parents payaient son loyer et lui versaient de quoi subsister. Elle l'acceptait malgré son amour-propre, bien consciente qu'en retour il lui fallait assumer certaines corvées. Le bal des conservateurs en faisait partie depuis toujours. Telle était la signification du regard de Sasha.

— D'accord, acquiesça-t-elle. Je viendrai.

Sasha parut soulagée.

— On va bien s'amuser, affirma-t-elle.

Elle saisit sa serviette de table – en papier ! – et ôta un petit morceau de pâte d'amandes resté collé au coin de sa lèvre inférieure. Elle eût aimé se passer la langue sur les lèvres, et sans doute l'aurait-elle fait chez elle, mais en ville, c'était impossible.

— Nous formerons un petit groupe. Papa a tout arrangé.

Le regard de Lizzie, qui s'était égaré vers la fenêtre, revint brusquement sur sa mère.

— Un petit groupe ?

Sasha sourit.

— Oui, ma chérie. Un petit groupe. Juste nous trois et...

— C'est parfait. Juste nous trois. Super.

— Et un quatrième.

138

Lizzie ne dit rien. Elle chercha les yeux de sa mère, mais celle-ci fixait un point au loin.

— Un jeune homme, reprit Sasha. Un jeune homme du cabinet, absolument charmant. Il s'appelle Bruce. Nous avons pensé que ce serait une bonne idée de lui proposer de se joindre à nous.

Lizzie soupira.

— Mais pourquoi ? Pourquoi ne pas rester entre nous ?

Sasha se pencha vers elle en une attitude de conspiratrice.

— Parce que presque personne ne vient, chuchota-t-elle. Personne n'a acheté de billet… enfin, presque personne.

Lizzie la dévisagea avec un étonnement non dissimulé.

— Personne ?

— Eh oui… Même les gens du comité ont tous trouvé un prétexte pour se défiler. C'est effrayant.

— Eh bien, dans ce cas, pourquoi ne pas annuler ? Ce serait plus simple, non ?

Sasha secoua la tête.

— Non, nous n'annulerons pas. Imagine que les gens l'apprennent. Nous serions la risée de la ville. Le bal aura lieu. Ton père est décidé.

Lizzie réfléchit un instant.

— Et Bruce ?

Sasha s'empressa de répondre.

— Un jeune homme très charmant. Et bien fait de sa personne, ce qui ne gâte rien. Il habite la nouvelle ville.

Elle s'interrompit, puis ajouta :

— Sans attaches.

Le silence plana un moment, puis Lizzie se mit à rire.

— Bon, dit-elle. Bon…

— Oui, approuva Sasha. Bon. Parce qu'il commence à être temps, si je puis me permettre, de songer à te trouver quelqu'un. C'est bien joli de vouloir s'amuser, mais on ne peut pas se désintéresser indéfiniment du problème.

Lizzie ferma les yeux.

— Je suis à vendre, c'est ça ?

Sasha saisit sa tasse et but une gorgée de café. Elle garderait son calme tout au long de cette conversation, elle se l'était promis.

— Tu sais très bien de quoi je parle. Il y a des gens qui ratent le train. Tu penses peut-être que tu as tout ton temps, mais c'est une erreur. Les années passent et, tout à coup, on s'aperçoit qu'on a la trentaine et que les hommes qui cherchent à se marier ne s'intéressent plus du tout à nous. Ils regardent les filles de vingt ans. Oh, oui, tu peux rire, mais c'est la vérité. Si tu veux un mari, ne traîne pas les pieds. Ne traîne pas les pieds, crois-moi.

Lizzie attendit la fin de la tirade.

— Mais là, objecta-t-elle, tu pars du principe que j'ai envie de me marier.

Sasha dévisagea sa fille, interloquée.

— Mais bien sûr que tu as envie de te marier ! Bien sûr !

Lizzie secoua la tête.

— En vérité, ça ne fait pas partie de mes projets. Je suis très heureuse comme ça. Il n'y a rien de honteux à rester célibataire.

Sasha reposa sa tasse. Elle allait devoir choisir sa formulation avec soin.

— D'accord. Tu es célibataire. Mais l'argent, d'où vient-il ? Tu peux me le dire, hein ? D'où vient l'argent ?

Lizzie garda le silence. Au bout d'un long moment, ce fut Sasha qui fournit elle-même la réponse :

— L'argent, énonça-t-elle, il vient des hommes.

40. In Nets of Golden Wires

Portées par le grand escalator, mère et fille redescendaient, à une marche d'intervalle, mais distantes d'un vaste continent de différences. Je dois me montrer patiente avec elle, songeait Sasha, tandis que Lizzie, de son côté, se disait exactement la même chose. « Elle finira bien par se ranger à notre avis, ce n'est qu'une question de temps », pensait Sasha. Et Lizzie se répétait en elle-même : Mon Dieu, faites que je ne devienne jamais comme elle, jamais ! Parce qu'elle l'a dit ! Elle a osé le dire, que l'argent venait des hommes ! Et elle se sentait rougir à cette seule idée, brûlant sentiment de honte mêlé à un immense embarras pour Sasha. Si sa mère pensait bel et bien cela, que représentait, en réalité, le mariage de ses parents ? Un acte de propriété ? Dans ce cas, elle-même n'était qu'un sous-produit dérivé d'un arrangement purement pratique. Rien d'autre.

Elles descendirent du premier étage en silence. Soudain, à mi-chemin, Lizzie aperçut, sur l'escalator ascendant, un jeune homme qui devait avoir son âge, ou à peine plus, vêtu d'une chemise vert olive et d'un coupe-vent gris. En regardant son visage, elle ne put s'empêcher de penser à ces jeunes éphèbes qui posaient pour les peintres de la Renaissance. S'il avait été nu et percé de flèches, il eût été saint Sébastien martyr. Toutefois, son expression n'évoquait en rien l'agonie, ni même l'angoisse : il était venu chez Jenners dans un but particulier et il s'apprêtait à accomplir tranquillement cette tâche. Regarde-moi ! implora Lizzie en silence. Regarde-moi ! Cette prière resta hélas lettre morte. Le jeune homme continua à fixer un point, droit devant lui.

Les deux jeunes gens se croisèrent et Lizzie, pétrifiée, se retourna pour le regarder disparaître. Elle remarqua sa carrure et sa nuque, si vulnérable, si parfaite, et la couleur de ses cheveux. Alors, elle se sentit envahie d'un désir fulgurant. Cette vision de beauté virile qui venait de lui être offerte l'avait frappée avec une force brutale et incoercible. Elle devait absolument revoir ce jeune homme. Elle devait lui parler.

Parvenue la première au bas de l'escalator, elle se retourna vers sa mère.

— Si nous allions essayer des parfums ? suggéra Sasha. Mon flacon d'Estée Lauder est presque vide et j'ai envie de changer. Pourrais-tu m'aider à en choisir un autre ?

Lizzie réfléchit à tout allure.

— Vas-y, je te rejoins, dit-elle. J'ai quelque chose à voir là-haut. Excuse-moi, j'avais oublié...

— De quoi s'agit-il ? s'étonna Sasha.

Lizzie hésita. Elle fut tentée de répondre simplement : *d'un homme*, mais se ravisa.

— Oh, je veux juste faire un tour ! Ne t'inquiète pas pour moi. Fais ce que tu avais prévu.

Elle déposa un baiser léger sur la joue de sa mère puis, anticipant ses protestations, s'engagea dans l'escalator voisin. Le jeune homme n'était plus en vue. Sans doute avait-il continué à monter, car il n'y avait rien d'intéressant pour les hommes en mezzanine. Elle gravit les marches deux par deux, non sans adresser un petit signe de main à Sasha, qui la regardait monter, médusée.

La jeune fille avait conscience du ridicule de son comportement. Il était insensé d'apercevoir quelqu'un – qui plus est, sur un escalator – et d'en tomber d'emblée amoureuse. Ce n'était pas une chose à faire et pourtant, c'était bien ce qui lui arrivait. Elle avait croisé cet homme et, à présent, elle brûlait de le revoir. Pourquoi ? Pour la beauté de son expression ? Parce qu'elle avait compris, au premier coup d'œil, qu'il serait bon pour elle ? C'était absurde, complètement absurde et cependant, elle n'en doutait pas un instant. « *I am caught by love in nets of golden wires*[1]... »

Elle promena un regard rapide autour d'elle en atteignant le premier étage. Il n'y avait aucun signe du jeune

1. « L'amour m'a capturée dans ses filets dorés... » Chanson composée par Thomas Morley (1557-1602), compositeur anglais de la Renaissance, ami de Shakespeare. (*N.d.T.*)

homme, il avait dû monter plus haut. Le rayon alimentation : c'était cela. Voilà où il allait. Il avait invité des amis à dîner et il voulait leur servir un repas original. Il avait coutume, enfant, de fréquenter Jenners avec sa mère – une habituée du salon de thé – et il y revenait désormais seul pour faire ses courses.

Lizzie se précipita dans l'escalator suivant pour déboucher, hors d'haleine, au deuxième étage. Elle s'engouffra dans le rayon alimentation et inspecta les travées. Il y avait là des boîtes de sablés et de galettes d'avoine par centaines, d'interminables alignements de pots de confitures, d'immenses enfilades de bocaux de cornichons et d'épices. Une femme vêtue d'un seyant petit tablier s'approcha d'elle avec un plateau et lui offrit un cube de fromage au bout d'une pique. Lizzie le saisit sans réfléchir et la remercia.

— Je cherche un homme, déclara-t-elle.

— Nous en sommes toutes là, non ? fit remarquer la jeune femme, tout en lui tendant un deuxième morceau de fromage.

Lizzie sourit.

— Il est arrivé par cet escalator et on dirait qu'il s'est volatilisé. C'est un jeune homme avec un coupe-vent gris. Grand. Très beau.

La femme poussa un soupir.

— Il m'a l'air parfait ! Il me conviendrait tout à fait.

— Vous l'avez vu ?

— Non.

Lizzie s'éloigna. Le magasin était trop vaste, le monde vide. Elle l'avait perdu.

41. Ton placard ou le mien ?

— Je ne suis pas sûre, dit Pat. Je ne suis pas convaincue que ce soit une bonne idée.

Matthew afficha sa surprise. Cela paraissait l'évidence même, et pourtant, elle ne semblait pas comprendre. Il s'était trouvé plusieurs fois confronté à une situation de ce genre au cours de sa carrière professionnelle et cela lui avait valu bien des problèmes. Il partait du principe que son personnel saisirait les raisons qui le poussaient à agir de telle ou telle façon, mais s'apercevait qu'il n'en était rien. Il ne lui restait plus, alors, qu'à expliquer les choses en long et en large, ce qui avait pour effet d'irriter les employés. Il s'était demandé un jour s'il s'y prenait bien et, dans le doute, avait soumis la question à son père. Mais ce dernier lui-même n'avait pas semblé comprendre sa démonstration.

— C'est pourtant la meilleure chose à faire, assurait-il à présent à Pat. Nous en avons parlé au café. Tout le monde a trouvé qu'il valait mieux que le Peploe ? soit conservé ailleurs que chez moi. En fait, c'est Pete qui a donné l'idée, mais Ronnie et Lou sont tombés d'accord avec lui.

— Mais pourquoi ? Pourquoi ne peux-tu pas l'emporter chez toi et le ranger dans un placard ? Pourquoi faut-il que ce soit dans mon placard à moi ?

Ils étaient assis dans la galerie, de part et d'autre du bureau de Matthew qui, affalé dans son fauteuil de cuir directorial, avait posé les pieds sur la table. Pat remarqua ses élégantes chaussures de ville à semelles de cuir. Suivant son regard, Matthew sourit.

— Des Church, révéla-t-il. D'excellentes chaussures pour hommes. Des chaussures qui durent. Bien sûr, elles ne sont pas à la portée de toutes les bourses...

Pat hocha la tête.

— Je les trouve très chics. J'ai horreur de ces chaussures à grosses semelles que portent la plupart des garçons. J'aime les chaussures fines, comme celles-ci. Quand je regarde un homme, je fais toujours attention à ses pieds.

— Mais tu sais combien coûtent des chaussures comme ça ? interrogea Matthew. Tu veux savoir ?

— Oui.

— 250 livres... les deux, bien sûr !

Il attendit le rire de Pat, qui ne vint pas. Elle fixait toujours les pieds posés sur la table.

— À ton avis, quel genre de chaussures porte le Premier ministre ? interrogea-t-elle.

Matthew haussa les épaules. La question lui semblait étrange. Lui-même ne s'intéressait pas à la politique et il aurait été bien en peine de dire le nom du Premier ministre. Comment s'appelait-il, déjà ? Et le précédent ?

— On ne voit jamais ses pieds, si ? Tu crois qu'ils font exprès de ne pas nous les montrer ?

— Peut-être.

En un mouvement vaguement emprunté, Matthew se redressa pour reposer ses pieds au sol.

— Je suis sûr qu'il achète ses chaussures à Glasgow, affirma-t-il. Pas à Édimbourg.

Ils gardèrent le silence, le temps de digérer la remarque. Puis Pat reprit le fil de la conversation.

— Mais pourquoi ne peux-tu pas garder le Peploe ? dans ton placard à toi... à côté de tes Church ?

Matthew soupira.

— Parce que, pour celui qui a tenté de le voler, il sera évident que le tableau se trouve chez moi. Je suis dans l'annuaire. Il lui suffira de chercher mon nom pour trouver mon adresse et venir mettre mon appartement à sac. Alors que toi... euh... toi, tu n'es pas vraiment dans l'annuaire, j'imagine. Personne ne peut savoir où tu habites.

Je suis une anonyme, songea Pat. Je ne suis même pas dans l'annuaire. Je suis juste la fille qui travaille à la galerie. Une fille qui a une chambre dans un appartement de Scotland Street. Une fille en deuxième année sabbatique...

— Très bien, soupira-t-elle. Je vais le prendre à Scotland Street et le mettre dans un placard. Si tu y tiens...

Matthew se leva en se frottant les mains.

— Parfait ! s'exclama-t-il. Je te l'emballe et tu l'emportes avec toi ce soir.

Il gagna le mur et décrocha le Peploe ? pour venir le poser sur le bureau. Là, il le retourna, afin que tous deux puissent examiner l'arrière de la toile. Le châssis sur lequel était tendue celle-ci était craquelé en divers points et recouvert de poussière. Une étiquette restait collée sur la barre supérieure ; Matthew sortit un mouchoir blanc de sa poche et entreprit de l'essuyer.

— Les étiquettes révèlent une infinité de choses, affirma-t-il d'un ton docte. Des choses qui peuvent en dire long sur une peinture.

Pat lui jeta un coup d'œil. Il semblait savoir de quoi il parlait et, l'espace d'un instant, elle se dit qu'après tout, il n'était peut-être pas aussi ignare qu'il en avait l'air en matière d'art. D'un autre côté, personne ne pouvait ignorer qu'une étiquette était révélatrice, le véritable talent consistant à comprendre ce qu'elle avait à révéler.

— Il y a quelque chose d'écrit là, reprit Matthew en frottant de plus belle. Regarde.

Pat se pencha sur l'étiquette délavée. On y distinguait une inscription au crayon. Lorsque Matthew fut parvenu à retirer toute la saleté, les caractères apparurent plus clairement, et il lut à haute voix :

— C'est marqué : 3,2 livres et 6 pence.

Ils échangèrent un regard.

— Ça date d'il y a longtemps, bien sûr, commenta Matthew.

42. À la galerie

Le problème de Matthew, songeait Pat, c'était qu'il se lassait très vite de tout ce qu'il entreprenait. Cette journée en avait été l'illustration parfaite. Après leur discussion sur ce qu'il convenait de faire du Peploe ?, il s'était lancé dans différentes tâches sans en achever aucune. Il avait commencé une grille de mots croisés, mais n'avait répondu qu'à quelques définitions avant d'abandonner. Il avait ensuite écrit une lettre, reposant bientôt son stylo en annonçant qu'il terminerait le lendemain. Puis il s'était mis en tête de ranger son bureau pour décider très vite qu'il était l'heure de déjeuner et disparaître pendant deux heures au *Café St Honoré*. Pat se demanda s'il avait terminé son assiette. Et au *Big Lou*, buvait-il tout son café ? Elle vérifierait à la prochaine occasion.

Bien entendu, Matthew se comportait ainsi parce qu'il s'ennuyait. La galerie ne vendait rien et qu'y avait-il d'autre à faire que de rester assis, à attendre le client ?

— Peut-être devrions-nous organiser une exposition ? suggéra-t-elle lorsqu'il rentra du restaurant.

Matthew posa sur elle un œil surpris.

— Mais… n'est-ce pas ce que nous faisons en ce moment ? s'enquit-il avec un geste vague en direction des murs.

— Ça, c'est une collection dépareillée, expliqua Pat. Dans une exposition, on choisit une certaine catégorie de tableaux. Ou les œuvres de tel ou tel artiste. C'est destiné à faire réfléchir les gens. C'est une bonne façon d'attirer du monde.

Matthew demeura pensif.

— Mais où trouverions-nous tous les tableaux ? interrogea-t-il.

— Tu pourrais contacter un peintre et lui demander de te prêter une série de toiles, répondit Pat. Les artistes adorent ça. C'est cela qu'on appelle une expo.

— Le problème, objecta Matthew, c'est que je ne connais pas d'artistes.

Pat le dévisagea. Elle fut tentée de lui demander pourquoi il tenait une galerie d'art, mais se ravisa. Bruce avait raison, se dit-elle. Ce garçon était un bon à rien. Il n'avait aucune suite dans les idées.

— Moi, j'en connais quelques-uns, insista-t-elle. Nous en avions un à résidence au lycée. Il était excellent. Il s'appelle Tim Cockburn et il vit dans le Fife, à Pittenweem. Il y a beaucoup d'artistes là-bas. À part Tim Cockburn, il y a Reinhard Behrens, qui met un petit sous-marin dans chacun de ses tableaux. Lui aussi a du talent. Nous pourrions leur proposer une expo.

Si Matthew semblait intéressé, cela ne l'empêcha pas de consulter soudain sa montre.

— Oh là là ! Tu as vu l'heure ? J'ai rendez-vous au golf avec mon père. Il faut que je file.

Livrée à elle-même durant le reste de l'après-midi, Pat s'occupa des quelques clients qui se présentèrent. Elle vendit une gravure de D. Y. Cameron et discuta avec une femme qui cherchait un Vettriano pour son mari.

— Je suis allée dans une autre galerie, lui confia cette dernière, et j'ai demandé la même chose. Ils m'ont répondu qu'ils n'avaient pas de Vettriano, mais que je pourrais en peindre un moi-même, si je voulais. Qu'est-ce que ça signifie, à votre avis ?

Pat réfléchit. Un snobisme endémique régnait dans le monde de l'art et elle venait d'en avoir une nouvelle preuve.

— Il y a des gens qui regardent Vettriano de haut, expliqua-t-elle. Certains n'aiment pas du tout son travail.

— Mais mon mari adore ! s'indigna la femme. Et croyez-moi, il s'y connaît en art ! Un jour, il est même allé à une conférence de Timothy Clifford.

— Sur Vettriano ?

— Peut-être, répondit la femme, évasive. C'était sur la Renaissance, en tout cas. Enfin, il me semble…

Pat baissa la tête.

— Vettriano n'est pas un peintre de la Renaissance. En fait, il est encore en vie, vous savez.

— Ah bon ? fit la femme. Eh bien alors, voilà !

— Et je suis désolée, mais nous n'avons pas de Vettriano en stock. En revanche, que diriez-vous d'une gravure de D. Y. Cameron ? Nous en avons une qui représente le Ben Lawers.

Pat faillit ainsi vendre une deuxième gravure de D. Y. Cameron, mais en définitive, la cliente n'en voulut pas. Toutefois, sa première vente l'avait mise de bonne humeur et, lorsqu'elle quitta la galerie ce soir-là, le Peploe ? soigneusement emballé sous le bras, elle était pleine d'entrain. Certes, elle avait accepté l'invitation de Chris et elle en éprouvait une vague appréhension, mais au moins, elle sortirait ce soir-là et n'aurait pas à endurer la compagnie de Bruce dans l'appartement. En outre, songeait-elle, cela ne ferait pas de mal à ce dernier d'apprendre qu'un homme l'avait conviée à boire un verre. Depuis le début, il adoptait à son égard une attitude condescendante et pensait sans doute que l'invitation au pub qu'il lui avait lancée l'autre soir était la seule qu'elle recevrait jamais. Savoir qu'elle avait rendez-vous avec un homme dans un bar à vins lui donnerait à réfléchir.

Une fois dans l'appartement, Pat ouvrit le placard de l'entrée et en examina le contenu. Elle découvrit deux vieilles valises, quelques cartons vides et une selle de bicyclette. Tout cela paraissait abandonné. C'était donc l'endroit idéal pour dissimuler le tableau, aussi déposat-elle celui-ci contre le mur du fond, derrière un carton. Il serait à l'abri ici, se dit-elle, aussi introuvable, peutêtre, que ces chefs-d'œuvre disparus qui constituaient les collections secrètes des barons de la drogue en Amérique du Sud. Sauf que l'on était à Édimbourg, et non à Bogotá ou à Asunción. C'était toute la différence.

43. *La faune des bars à vins d'Édimbourg*

Elle avait rendez-vous avec Chris au *Hot Cool Wine Bar*, sur Thistle Street, à sept heures. Elle s'y présenta à sept heures dix sans le faire exprès, quoique ce fût l'heure parfaite pour arriver en ce genre de circonstances.

Encore cinq minutes et elle eût été en retard, alors que cinq ou dix minutes plus tôt eussent témoigné d'une impatience suspecte et d'un enthousiasme qu'elle ne ressentait pas – loin de là. Certes, le garçon était assez présentable et il s'était montré courtois. Le problème était ce *Ha, ha, ha !* qu'il avait lancé et qui ne présageait rien de bon. À présent, elle se trouvait là par devoir ; elle avait accepté l'invitation et ne pouvait revenir en arrière, mais elle ne s'attarderait pas.

Elle observa le bar. C'était une salle tout en longueur, décorée dans l'incontournable style minimaliste danois, c'est-à-dire dénuée de tout mobilier. Pat avait toujours estimé que le style minimaliste danois aurait dû être le moins coûteux de tous, dans la mesure où il reposait sur le plus extrême dépouillement ; en réalité, il n'en existait pas de plus onéreux. Les espaces vides du minimalisme danois revenaient une fortune.

Dans le plus pur style minimaliste, donc, chacun devait rester debout, et c'était ce qui se passait. Les clients se tenaient le long d'un interminable bar en inox, au-dessus duquel, suspendus à des fils quasi invisibles, des spots minimalistes lançaient des cônes de lumière sur ceux placés juste au-dessous. Cela conférait un air austère aux consommateurs, impression encore accentuée par le fait que beaucoup portaient du noir.

Il n'y avait qu'une vingtaine de personnes au bar, aussi Pat vit-elle très vite que Chris n'en faisait pas partie. Elle consulta sa montre. Avait-il bien dit sept heures ? Oui, elle en était sûre. Mais était-ce vraiment le *Hot Cool* ? Elle n'en doutait pas non plus. Ce n'était pas le genre de nom que l'on pouvait confondre avec un autre, sauf, bien sûr – et cette pensée suscita en elle un bref moment de panique – s'il avait voulu parler du *Cool Hot*, situé dans George Street et totalement différent (très peu minimaliste). Toutefois, le *Cool Hot* était ambivalent, lui semblait-il, tandis que l'établissement où elle se trouvait à présent était... Elle observa un petit groupe de quatre, tout près d'elle. Il y avait deux hommes et deux femmes. Les hommes se tenaient côte à côte et les femmes… Non, les femmes n'avaient rien d'ambivalent.

Elle se tourna vers le bar et adressa un signe au serveur.

— J'avais rendez-vous avec quelqu'un qui s'appelle Chris, lui dit-elle.

Le serveur lui sourit.

— Des Chris, il n'y a que ça, ici. Tout le monde s'appelle Chris cette année. C'est quel genre de Chris, le vôtre ? Le Chris architecte ? Le Chris avocat ? Le Chris de la télé ? Le Chris qui va bientôt être publié chez Canongate ? En fait, il y en a pas mal dans cette catégorie-là. Alors, de quel Chris s'agit-il ?

Elle fut sur le point de répondre : le Chris de la police, mais se retint à temps. On était au *Hot Cool* et cela aurait fait désordre.

— Je vais l'attendre, se contenta-t-elle de dire. Et je prendrai un verre de vin blanc.

Le serveur alla chercher la consommation et Pat, les mains nonchalamment posées sur le comptoir, observa les autres clients sans en avoir l'air. La plupart avaient vingt-cinq ou trente ans, estima-t-elle. Visiblement aisés, ils étaient vêtus avec une savante décontraction. Deux ou trois personnes plus âgées, qui devaient approcher la quarantaine, voire plus, occupaient les rares tabourets disponibles et discutaient paisiblement entre elles. Pour le reste de la clientèle, elles étaient invisibles, ne présentant aucun intérêt sexuel ni social.

Le serveur revint avec la boisson, servie dans une coupe vert fumé et inexplicablement, mais généreusement, remplie de glaçons. Pat but une gorgée de vin glacé et jeta un coup d'œil par-dessus son épaule. De l'autre extrémité du bar, un jeune homme, vêtu d'une veste en velours côtelé et d'une chemise noire ouverte sur la poitrine, rencontra son regard et lui sourit. Pat se demanda si elle le connaissait et, dans le doute, sourit à son tour. Ayant suivi toute sa scolarité à Édimbourg, elle avait remarqué que de nombreuses personnes semblaient avoir gardé un vague souvenir d'elle, alors qu'elle-même les avait pratiquement oubliées : c'étaient des gens avec lesquels elle avait joué au hockey ou pris des cours de danses folkloriques. Ce visage-là lui disait quelque chose, mais elle ne parvenait ni à mettre un nom dessus ni à se rappeler dans quel contexte elle l'avait croisé. Les Heriot ? Les Watson[1] ? Elle avait du mal à le situer dans une tribu. Était-il l'un de ces Chris évoqués par le serveur ?

Ce dernier revint vers elle, essuyant un verre avec un torchon blanc immaculé.

— J'espère qu'il ne va pas vous poser un lapin, dit-il. Le nombre de gens à qui on pose des lapins, vous ne pouvez pas vous imaginer ! Ça arrive tout le temps.

— Cela m'est un peu égal, avoua Pat. Je ne tiens pas particulièrement à le voir. Je suis là parce que j'ai accepté son invitation, c'est tout. J'ai dit oui sans réfléchir.

Le serveur eut un petit rire.

— Il ne vous plaît pas beaucoup, alors ?

— Pas particulièrement. C'est surtout à cause de la façon dont il fait *Ha, ha, ha !* Cela a de quoi rebuter, non ? *Ha, ha, ha !*

— Ha, ha, ha ! fit une voix derrière elle. Alors, vous êtes là ! Ha, ha, ha !

44. Souvenirs de Tulliallan

L'avait-il entendue ? Pat se sentit virer au cramoisi. C'était la plus classique des angoisses en société : être surpris sans le savoir par la personne dont on est en

1. Heriot est une université, Watson un lycée. (*N.d.T.*)

train de parler en mal. Toutefois, Chris ne semblait pas ébranlé. Soit il n'avait rien entendu, pensa la jeune fille, soit il tenait à lui épargner tout embarras. Le serveur, qui venait de comprendre, lança à Pat un regard compatissant et secoua discrètement la tête. Cela signifiait que, de son point de vue tout au moins, le nouveau venu n'avait pas saisi que l'on parlait de lui. Pat se détendit.

— Désolé pour le retard, déclara Chris. Je suis sorti tard du boulot. Un truc nous est tombé dessus en fin d'après-midi et ça s'est éternisé. Excusez-moi.

— Ce n'est pas grave, assura Pat. J'étais un peu en retard moi aussi.

— Eh bien, voilà ! lança Chris d'un ton léger. C'est le *Hot Cool* !

Il commanda une bière au serveur, qui échangea un regard entendu avec Pat.

— Qu'est-ce qu'il a, celui-là ? s'enquit Chris en le désignant du menton tandis qu'il s'éloignait. Une blague entre vous ? Un truc qui devrait me faire rigoler ? Ha, ha, ha !

— Non, non, ce n'est rien, s'empressa de répondre la jeune fille. Rien du tout.

Elle sirota son vin tout en observant Chris. Dans la lumière minimaliste, il était tout à fait séduisant – plus séduisant que dans son uniforme de la Lothian and Borders Police. Toutefois, elle était certaine qu'elle ne reviendrait pas sur l'opinion qu'elle s'était déjà forgée. Il y avait, dans son personnage, un manque de subtilité flagrant, un côté brut de béton qui l'ennuyait profondément. Il ne présente aucun intérêt pour moi, se surprit-elle à penser. Il ne pourra jamais rien y avoir entre nous.

La bière arriva et Chris leva son verre pour porter un toast.

— Tchin, tchin ! lança-t-il, faisant frémir Pat.

Un nouveau point contre lui. Après cela, il ne pouvait plus rien dire ni faire pour sauver la situation.

Ils passèrent les quinze minutes suivantes à évoquer l'effraction du matin. Il existait un service d'aide psychologique pour les victimes de cambriolages, expliqua-t-il, et l'on pouvait bénéficier d'autant de séances que l'on jugeait nécessaire.

— Il y a des gens qui continuent pendant des mois, affirma-t-il. Il y en a même qui veulent se faire de nouveau cambrioler pour pouvoir y retourner.

— Et vous ? demanda Pat. La police a-t-elle droit elle aussi à des séances de psychothérapie après une enquête sur un cambriolage ?

— Oui, si on veut… répondit Chris.

Il avait pris la question au premier degré et fronçait les sourcils en répondant.

— Mais on a eu des cours de psycho à Tulliallan, ajouta-t-il.

— Tulliallan ?

— L'école de la police écossaise, expliqua-t-il. On reçoit tous notre formation là-bas. Dès le départ. Ensuite, on y va de temps en temps pour suivre des cours. C'est là-bas qu'on m'a formé pour la brigade artistique.

Intéressée, Pat lui demanda de plus amples détails.

— C'était un cours important, expliqua-t-il. Il y avait vingt gars des autres forces et on était une dizaine d'Édimbourg, quoiqu'on n'ait pas tous été assignés aux Arts, en fin de compte. Certains ont eu la circulation et il y en a un – un gars qui n'y connaissait vraiment rien en art – qui s'est retrouvé dans la brigade des chiens policiers. Moi, je me suis bien débrouillé, je crois, et j'ai été accepté, avec deux autres gars.

« La formation a duré une semaine. Au début, on nous a testés pour savoir si on n'étaient pas daltoniens. Quand on ne voyait pas assez bien les rouges et les verts, on était renvoyé. Mais on a réussi tous les trois l'examen. Alors, les cours ont commencé. On en avait cinq par jour, et certains étaient assez compliqués.

154

« On nous a expliqué les techniques des faussaires et on nous a appris à repérer les faux. On a décrit ce que pouvaient faire les gars des labos – les analyses de peinture et tout ça. Et puis, il y a eu les cours de critique d'art. C'étaient mes préférés. J'ai adoré. On en avait deux heures par jour et tous les trois, on aurait bien aimé qu'il y en ait plus. On se basait sur le *Civilisation*, de Kenneth Clark, qui nous servait de manuel, mais on a eu aussi d'autres cours sur l'art écossais. McTaggart. Crosbie. Blackadder. Howson. Tous ces gens-là. Et même une heure entière sur Vettriano. Cela a été la meilleure de toute la formation.

— Vettriano ? s'exclama Pat. Toute une heure ?

— Oui, acquiesça Chris. Et à la fin, le dernier jour, on nous a fait passer un test. On a éteint les lumières et on nous a présenté des diapos. Il y avait des tableaux de Vettriano et des tableaux de Hopper. Vous connaissez sûrement : Edward Hopper, l'Américain qui peignait des gens assis à des comptoirs de bars à sodas, enfin, je crois que c'est comme ça qu'on les appelle, là-bas. Si vous en avez vu, vous ne pouvez pas avoir oublié.

« Alors, on nous a passé des diapos dans le désordre et nous, on devait crier "Vettriano !" ou "Hopper !" en fonction de ce qu'on voyait à l'écran. C'était une super formation ! Et puis, ça crée des liens ! Je conseillerais ça à tout le monde. Vraiment.

Il s'interrompit un instant, puis ajouta :

— Je n'oublierai plus jamais la différence, plus jamais. Encore aujourd'hui, je les reconnais au premier coup d'œil. Montrez-moi un tableau de l'un ou de l'autre, n'importe lequel, et je vous le dirai tout de suite : Hopper ! Vettriano ! Sans jamais me tromper. Jamais.

Pat le dévisagea en silence. Cela ne collerait pas entre eux.

45. *Autres souvenirs de Tulliallan*

Chris semblait prendre un plaisir immense à évoquer Tulliallan et l'expérience qu'avait représentée cette semaine de formation en vue d'intégrer la brigade artistique.

— Le dernier jour, reprit-il, nous avons reçu la visite d'un monsieur très important du monde de l'art d'Édimbourg. Très, très important. Il est venu nous parler le samedi après-midi. La veille, l'inspecteur qui s'occupait de nous avait annoncé sa visite en nous disant que nous avions beaucoup de chance qu'il vienne, parce qu'il était presque toujours en déplacement à Venise ou à New York. Les gens comme lui passent leur temps dans ce genre de villes, nous a-t-il expliqué. Ils se sentent chez eux là-bas. C'est assez normal, je suppose. Vous les imaginez dans des bleds comme Motherwell ou Airdrie ? Vous les imaginez ?

« Il est arrivé dans l'après-midi, environ une heure avant le début de la conférence, prévue pour trois heures. Il faisait grand soleil et on s'était presque tous installés sur l'esplanade, parce qu'on avait quartier libre jusqu'à la conférence. L'école avait envoyé une voiture le chercher à Édimbourg et on l'avait vu arriver, encadré par deux policiers à moto. Le convoi s'est arrêté devant le bâtiment principal et il a attendu que le chauffeur vienne lui ouvrir la portière. Il est descendu et il a répondu au salut du chauffeur par un signe de tête.

« Quand il est rentré dans la salle de conférences, on s'est tous levés. L'inspecteur, qui était là pour le présenter, nous a fait signe de nous rasseoir et le type s'est mis à parler. Il a commencé par nous dire à quel point il trouvait le bâtiment agréable, mais qu'il était dommage qu'on ne l'ait pas décoré de façon plus sympathique. Il a suggéré des moyens de l'améliorer en restaurant l'architecture d'origine. Il a même proposé des couleurs pour les tapis et les papiers peints.

156

« Ensuite, il nous a expliqué quelque chose sur le psychisme écossais, qui avait souffert des agissements iconoclastes de la Réforme. Il a dit qu'il y avait dans l'âme écossaise une blessure qui provenait d'un déni de la beauté. Et que l'âme écossaise ne redeviendrait elle-même que si la beauté était de nouveau reconnue. Puis il a parlé des uniformes de la police écossaise, qu'il trouvait ternes, et il a dit qu'il faudrait plutôt prendre exemple sur les Italiens.

« "Regardez les *carabinieri*, s'est-il exclamé, et les très beaux, les magnifiques insignes qu'ils ont sur leur casquette ! Ces superbes flammes qui s'élèvent. Et vous autres, à côté, avec vos carreaux noirs et blancs ! Quelle tristesse ! Quelle tristesse !"

« Nous, on ne savait pas trop comment prendre ça, mais on était subjugués. Il a continué comme ça pendant plus d'une heure, et puis il a regardé sa montre et a fait un signe à l'inspecteur. L'inspecteur s'est levé et l'a remercié pour son discours. Il a dit qu'il nous avait donné beaucoup à réfléchir et que Tulliallan ne serait plus jamais comme avant. Après ça, ils sont sortis tous les deux et la voiture de police qui attendait dehors l'a reconduit à Édimbourg. Nous, on a parlé à voix basse pendant tout le reste de l'après-midi. Il nous semblait avoir été touchés par la grâce et on en était très reconnaissants. C'était comme si Lord Clark en personne était venu nous voir. Enfin, presque…

Chris s'était tu et Pat demeurait silencieuse. Elle le regardait, observant l'ombre que dessinait sur son visage le curieux éclairage vertical. De façon inattendue, ce récit l'avait remuée et elle avait envie de dire quelque chose, mais sans savoir quoi. Comme cet intermède avait dû paraître étrange ! Il lui rappelait une histoire, lue dans un recueil de nouvelles italiennes que son père lui avait conseillé. Un comte aux manières très aristocratiques visitait un site archéologique avec ses aides. Là, il parlait d'une façon si distinguée que personne ne comprenait un traître mot de son discours. Et pourtant, les spectateurs étaient tous subjugués et ils se sentaient très honorés que ce visiteur ait condescendu à venir jusqu'à eux. Sans doute les élèves de Tulliallan avaient-ils éprouvé des sentiments du même ordre.

Elle continuait de contempler Chris et celui-ci lui rendait son regard en silence. Tout à coup, un léger sourire effleura les lèvres du jeune homme et il baissa les yeux sur son verre de bière.

— J'ai entendu ce que vous avez dit sur moi tout à l'heure, souffla-t-il. Ça ne va pas marcher entre nous, hein ?

Mortifiée, Pat resta d'abord sans voix. Puis elle se mit à bafouiller des excuses.

— Je ne voulais pas être désagréable, affirma-t-elle. Vous savez bien que parfois, les gens disent des choses qui vous portent sur les nerfs, des choses qui n'ont aucun fondement. Cela arrive à tout le monde…

— Sauf que, dans ce cas, il y avait un fondement, contra Chris d'une voix calme et maîtrisée. Je vous fais un peu rire, non ? Parce que je ne suis pas de votre monde. Je ne peux pas en faire partie. Tous les gens que j'ai rencontrés depuis que je travaille dans cette brigade artistique – tous, vous m'entendez ? – m'ont regardé de haut. Oh, ils étaient très gentils, surtout quand ils avaient besoin de moi pour une chose ou une autre ! Mais c'est tout. Édimbourg est une ville de snobs, voilà la vérité. Une ville de pauvres snobs. Et ce café-ci en est rempli. D'un mur à l'autre.

46. Humiliation et embarras

Pat ne s'attarda pas au *Hot Cool* après la déclaration teintée d'amertume de Chris. Qu'il ait pris ombrage de la fin de non-recevoir qu'elle lui avait opposée avant même de le connaître ne l'avait pas surprise –, toute disqualification est offensante pour qui en est l'objet. Toutefois, se trouver englobée dans une critique générale du monde de l'art d'Édimbourg l'indisposait. Elle comprenait que Chris se soit figuré qu'elle appartenait à ce monde – ce qui était le cas, certes, dans un sens très atténué –, mais cela n'autorisait pas le policier à formuler ainsi des jugements hâtifs sur les gens. Comment aurait-il pu savoir ce qu'elle pensait, elle, dans le fond, mis à part cette conviction qu'elle avait laissé filtrer, selon laquelle tous deux n'avaient guère de chances de se lier parce qu'elle ne supportait pas les gens qui faisaient *Ha, ha, ha !* N'importe qui pouvait réprouver un rire comme celui-là, de même que l'on pouvait réprouver l'emploi de telle ou telle expression ; ce n'était pas une raison pour la traiter – elle et beaucoup d'autres – de snob. Il n'y avait rien de snob, pensait-elle, à ne pas aimer les gens qui font *Ha, ha, ha !* Il s'agissait là d'une aversion toute personnelle, et n'avait-on pas le droit d'être allergique à telle ou telle façon de s'exprimer ? Était-on obligé de toujours apprécier la manière dont les gens marchaient, parlaient, se coiffaient ou buvaient leur café ? Fallait-il aimer tout et tout le monde ?

Ils s'étaient quittés en toute civilité. Après quelques minutes d'une conversation tendue, Chris avait consulté sa montre et s'était soudain souvenu d'un autre rendez-vous qu'il avait, au moment même où Pat envisageait d'invoquer un prétexte similaire.

— Peut-être qu'on se reverra, dit-il en lançant un regard dubitatif au décor du bar à vins et aux autres consommateurs. On ne sait jamais.

— Peut-être, acquiesça Pat. Et je suis vraiment désolée de vous avoir blessé. Vraiment…

Il leva la main.

— C'est oublié. Ne vous en faites pas. C'est juste que cette ville me porte sur les nerfs, de temps en temps.

Vous n'y êtes pour rien, à vrai dire. Je devrais peut-être retourner à Falkirk.

— Non ! s'indigna Pat. Surtout pas !

Elle s'interrompit : ces mots sonnaient comme une vérité profonde qu'elle aurait assenée sur la vie en général et sur Falkirk en particulier, ce qui n'était pas du tout le cas.

Chris la dévisagea, surpris.

— Pourquoi ?

— Je ne sais pas, peut-être que vous pouvez, après tout. Peut-être que c'est bien de retourner à Falkirk, si c'est de là que vous venez. Mais bon... Ce que j'ai voulu dire, c'est qu'en général, dans la vie, on ne peut pas revenir en arrière.

Il regarda de nouveau sa montre.

— Quelqu'un m'attend, rappela-t-il. Il faut vraiment que j'y aille.

Une fois Chris parti, Pat demeura encore quelques minutes au bar. Le serveur, qui avait suivi la scène, revint vers elle, essuyant le comptoir d'un geste machinal.

— Chris est parti ? s'enquit-il.

Pat regarda son verre.

— Il avait entendu, confia-t-elle à mi-voix. Il avait entendu ce que j'avais dit sur son rire. Je m'en veux terriblement.

Le serveur s'approcha et lui posa une main apaisante sur le poignet.

— Vous avez tort. Ce n'était pas vraiment méchant. Si vous saviez les choses que les gens se disent ici ! Des choses terribles. Des choses cruelles. Ce que vous avez dit, vous, ce n'était rien à côté.

Pat le regarda.

— Peut-être, mais Chris l'a très mal pris. Il a affirmé que tout le monde était comme ça dans cette ville.

— Si vous voulez mon avis, c'est un marginal, commenta le serveur. Je vois toutes sortes de gens dans mon travail, je sais de quoi je parle. Au fait, vous saviez qu'il était flic ?

— Oui, bien sûr. Mais vous, comment le savez-vous ? Vous le connaissiez ?

Le serveur lui adressa un clin d'œil complice.

— Je les repère à des kilomètres ! Et croyez-moi, ce n'est pas une bonne idée de se lier avec un flic. Ce ne sont pas des gens faciles.

Il marqua un temps d'arrêt.

— À part ça, vous avez vu ce gars, là-bas, au bout du comptoir ? Avec la veste en velours ? Il cherche à vous aborder depuis le début de la soirée. Mais laissez tomber.

Pat jeta un coup d'œil au jeune homme, resté à la même place durant toute la durée du malheureux entretien avec Chris. Il picorait des olives dans une petite soucoupe, l'air rêveur, lorsqu'il la regarda soudain, avant de détourner aussitôt la tête.

— Pourquoi ? s'étonna Pat.

— Parce que. Écoutez-moi, je sais de quoi je parle. N'adressez pas la parole à ce gars.

Le serveur partit s'occuper d'autres clients. Restée seule, Pat termina son verre et quitta l'établissement. Elle remarqua que le jeune homme en veste en velours la suivait des yeux, aussi conserva-t-elle le regard fixé sur la porte. Il faisait beau au-dehors, le soir tombait. Elle regarda le ciel, qui était clair et conservait encore une teinte bleutée, mais à peine. Dans quelques minutes, il ferait nuit.

47. Irene et Stuart : conversazione autour du petit déjeuner

On était samedi et Stuart n'avait pas à se presser pour aller prendre le bus qui le menait à son travail. Cependant, il était matinal et, à l'heure où Irene se leva, il avait

déjà cassé les noix et coupé en rondelles les bananes destinées au Bircher-muesli[1]. Il était également sorti acheter
le journal et lisait la page littéraire lorsque Irene pénétra
dans la cuisine.

— Des choses intéressantes ? s'informa la nouvelle
venue en préparant le café sur la cuisinière Aga[2].

— Presque pas. Une nouvelle biographie de Jacques VI[3]. Il y a une bonne critique du livre.

Irene leva le store de la cuisine et observa Scotland
Street.

— Je ne comprends vraiment pas, dit-elle, pourquoi
les gens continuent à écrire des biographies royales. Ça
n'arrête pas. Même sur le duc de Windsor, alors que sur
lui, il n'y a vraiment rien à dire, à part établir un diagnostic.

Stuart posa son journal.

— Certains de ces rois ont eu beaucoup d'influence,
fit-il remarquer. Ils décidaient de tout à leur époque.

— Mais l'histoire, ce n'est pas ça, rétorqua Irene.
L'histoire, ça concerne les gens ordinaires : comment ils
vivaient, ce qu'ils mangeaient, ce genre de choses.

Stuart baissa les yeux vers son article.

— Et les idées, hasarda-t-il. L'histoire a trait aux idées.
Et les monarques avaient tout de même leur influence sur
ce plan. Prends Jamie Sext, par exemple. Il avait des idées
sur le langage. C'était un homme éclairé. Il aurait aimé
lire les journaux, s'il y en avait eu à son époque.

Irene le dévisagea.

— Quels journaux ?

Voyant qu'il ne répondait rien, elle reprit :

— C'est bizarre, comme remarque !

1. Recette suisse à base de yaourt, de lait, de sucre et de flocons
d'avoine, auxquels on ajoute un fruit frais et des fruits secs. (*N.d.T.*)
2. Gamme britannique d'appareils ménagers de luxe. (*N.d.T.*)
3. Jacques Ier, roi d'Écosse (1567-1625) sous le nom de Jacques VI
(d'où l'appellation familière Jamie Sext), et roi d'Angleterre (1603-
1625), fils de Marie Stuart, reine d'Écosse. (*N.d.T.*)

162

— Non, protesta Stuart. Pas tant que ça. En fait, il est intéressant de se demander quels journaux ces gens-là auraient lu s'ils en avaient eu la possibilité. La reine Victoria, par exemple, lisait le *Times*, mais qu'aurait lu le prince Albert ?

— Le *Frankfurter Allgemeine* ? suggéra Irene.

Tous deux éclatèrent de rire. La plaisanterie était à l'évidence très drôle.

— Et Victoria, crois-tu que le *Times* la faisait rire ? s'enquit Stuart.

— Non, s'esclaffa Irene. Pas du tout.

Elle vint rejoindre son mari à la table.

— Assez plaisanté, déclara-t-elle. Il faut que nous parlions de Bertie. Nous devons faire quelque chose. Je n'ai aucune envie de retourner chez cette horrible Macfadzean. Bertie doit donc changer d'école.

— Ne pourrait-on pas attendre un peu ? suggéra Stuart. Il sait déjà beaucoup de choses. Si nous lui accordions une année sabbatique ?

— Une année sabbatique ?

Stuart semblait ravi de son idée.

— Oui, une année sabbatique entre l'école maternelle et l'école primaire. Après tout, il n'a que cinq ans ! Alors pourquoi pas ? Ce concept est très à la mode en ce moment...

Irene demeura pensive.

— Tu sais, ce n'est pas une mauvaise idée. Ainsi, il pourrait passer tranquillement son septième niveau de musique et s'initier à une ou deux autres disciplines. Cela lui permettrait de sortir du système pendant un temps et de s'épanouir. Nous lui établirions un programme.

— Et si on l'envoyait à l'étranger ? Si on le faisait travailler dans un village d'Amérique du Sud, ou même en Afrique...

Irene se donna quelques instants pour évaluer cette dernière suggestion.

— Je ne crois pas. Mais ce serait tout de même un bon moyen de lui donner la possibilité de se développer sans avoir à attendre les enfants à la traîne. Je suis sûre qu'il en tirerait profit. Et peut-être pourrais-je aussi l'emmener en Italie, pour qu'il se perfectionne à l'oral en italien.

Stuart repoussa son journal.

— En fait, ce que j'avais en tête, c'était de relâcher un peu la pression, pas d'en rajouter. Je pensais plutôt à une année de vacances, pour ainsi dire. Peut-être pourrions-nous laisser un peu l'italien de côté pour le moment...

Cette proposition ne plut guère à Irene.

— Il serait criminel de laisser son italien se rouiller, après tout ce que nous avons fait jusqu'ici, riposta-t-elle froidement. Même chose pour le saxo et le solfège. Et pour tout, d'ailleurs.

— Mais peut-être qu'à son âge, il est préférable de se concentrer sur sa *langue maternelle**, insista Stuart. L'italien est une langue magnifique, je l'admets, mais ce n'est pas sa *langue maternelle**.

— Là n'est pas la question, rétorqua Irene d'un ton dédaigneux. Il est prouvé – amplement prouvé – que le développement des capacités linguistiques dans les années précoces mène à une aisance bien plus grande dans l'apprentissage des langues ensuite. Chaque minute est précieuse à cet âge. Le cerveau est très élastique.

Stuart ouvrit la bouche pour répondre, mais se ravisa. Il savait qu'il n'avait aucune chance de l'emporter contre Irene et neuf ans de vie commune l'avaient convaincu que cela ne valait même pas la peine d'essayer.

— Je vais y réfléchir, reprit-elle. La seule décision à prendre pour le moment, c'est de ne plus le mettre en contact ni avec cette femme ni avec cette école déplorable. C'est mon avis, en tout cas.

— *D'accordo*, acquiesça Stuart.

Irene parut satisfaite.

— Dans ces conditions, il faudra que j'étudie les possibilités que nous avons. Je le ferai une fois que nous aurons entrepris la thérapie.

Stuart sursauta. C'était là une information nouvelle. Avaient-ils déjà évoqué une quelconque thérapie ? Il ne s'en souvenait pas, mais il lui arrivait parfois de cesser de prêter attention à ce que disait sa femme, aussi avait-il dû manquer cette discussion.

Remarquant sa surprise, Irene expliqua :

— L'Institut écossais des relations humaines. Nous avons rendez-vous lundi. Avec un certain Dr Fairbairn. Il m'a été chaudement recommandé et il pourra nous dire pourquoi Bertie m'a fait cette sortie l'autre jour.

— Est-ce vraiment indispensable ? tenta Stuart.

Irene le dévisagea. Il n'était pas nécessaire de répondre, du moins pas par des mots.

48. *Les préparatifs du bal*

De l'autre côté de la ville, sur les hauteurs des Braids, Raeburn Todd et son épouse Sasha avaient terminé leur petit déjeuner et savouraient à présent une tasse de café dans la serre. Ils aimaient s'installer là les samedis et dimanches matin, surtout par beau temps, comme ce jour-là. Il pouvait faire froid dans les Braids, qui s'élevaient à une centaine de mètres au-dessus de la ville, mais ce matin-là, le temps était plus doux qu'à l'ordinaire et ils avaient même ouvert une fenêtre. C'était le jour du bal de la section sud des conservateurs d'Édimbourg et Todd, qui présidait le comité, passait en revue les détails à régler pour le grand événement. Il avait établi une liste, qu'il cochait avec l'aide de Sasha. Celle-ci composait le reste du comité en l'absence des autres membres, qui s'étaient tous excusés.

— En premier lieu, déclara-t-il d'un ton très professionnel, voyons tout ce qui concerne l'hôtel. Salle de réception et dîner.

— Tout est réglé, répondit Sasha. La composition du menu a été approuvée et l'hôtel a dit qu'il s'occuperait du bouquet.

Todd sourit.

— Du bouquet ? Il n'y en aura qu'un ?

Sasha le poussa du coude d'un air taquin.

— Tu sais bien ce que je veux dire. *Des* bouquets. Ce n'est pas parce que nous ne sommes pas nombreux qu'il faudra se contenter d'un seul bouquet !

Todd baissa les yeux sur sa liste et secoua la tête.

— À ce propos, reprit-il, c'est un peu décevant. Il n'y a rien eu de nouveau ce matin, je présume ? Personne d'autre ne s'est inscrit ?

Sasha fit signe que non.

— Quand le téléphone a sonné, juste avant le petit déjeuner, j'ai cru que ce serait quelqu'un. Mais ce n'était que la couturière, qui m'appelait au sujet de ma robe. Il semble donc que ce soit tout.

Elle marqua un temps de réflexion.

— Es-tu sûr qu'il faille persister ? Ne pourrions-nous pas trouver un prétexte quelconque pour annuler à la dernière minute ?

— Non, rétorqua Todd d'un ton sans appel. C'est hors de question. Nous en avons déjà parlé. Et d'ailleurs, les autres partis aussi rencontrent des problèmes quand ils organisent des fêtes. Es-tu déjà allée à une réception des travaillistes ? C'est épouvantable. D'un ennui effrayant. Comme une fête de fin d'année à l'école primaire, mais en encore moins drôle. Quant aux démocrates libéraux, ils se réunissent pour d'horribles dîners où tout le monde arrive en pull-over ou en robes négligées. Et au SNP[1], alors là, c'est encore pire : tous les invités sont ivres à

1. Scottish National Party : parti national écossais. (*N.d.T.*)

166

leurs soirées, ivres à se rouler sous la table. Répugnant. Non, nous ne nous en sortirons pas trop mal, c'est moi qui te le dis !

— Même avec… combien cela fait-il, déjà ?

Todd consulta sa liste.

— J'ai compté six, répondit-il. Toi, moi, Lizzie, ce garçon du cabinet, et Ramsey et Betty Dunbarton, qui ont confirmé. Cela fait six.

Sasha saisit sa tasse et but une gorgée de café.

— Nous pourrions faire une seule table, dans ce cas, suggéra-t-elle. Nous asseoir tous ensemble.

Cette idée ne séduisit guère son mari.

— Non, répliqua-t-il. Il me semble qu'il est important d'en faire deux. Table numéro 1 et Table numéro 2. Parce que cela paraîtrait un peu bizarre de n'avoir qu'une seule table. En outre, je ne suis pas sûr d'avoir envie de passer toute une soirée en compagnie des Dunbarton, aussi charmants soient-ils, assurément. Il faut dire que lui est assommant ! Et je regrette d'avoir à l'avouer, mais elle, je ne la supporte pas. Bon, alors non. Nous ferons deux tables. Nous, nous serons à la Table numéro 1 et eux, ils pourront être à la Table numéro 2.

Sasha accepta le raisonnement qui sous-tendait cette décision et passa au sujet suivant : l'orchestre et les danses.

— J'ai parlé au responsable du groupe, expliqua-t-elle. Ils viennent de Penicuik, je crois, ou quelque chose comme ça. Je lui ai dit que nous voulions des rythmes modérés pour débuter, puis quelque chose pour pouvoir danser le quadrille écossais. Il a dit d'accord. Il a affirmé qu'ils pouvaient tout faire.

Todd signifia son approbation d'un hochement de tête. Il était sur le point de poursuivre, lorsqu'il s'immobilisa.

— Le quadrille écossais ? répéta-t-il. Celui qui se danse à huit ?

— Oui, répondit Sasha. Les gens adorent.

— Mais... nous ne serons que six, rappela Todd. Comment ferons-nous pour danser un quadrille écossais si nous ne sommes que six ? Et puis Ramsey Dunbarton n'est pas trop solide sur ses jambes. Je ne l'imagine pas dansant un quadrille. Le pauvre garçon risque de tomber raide mort. Dans ce cas, nous ne serons plus que cinq.

— Il y a d'autres danses, rectifia Sasha à la hâte. Le Gay Tories[1], par exemple... enfin, je veux dire, le Gay Gordons. Il suffit d'être deux pour le danser. Et puis, il y a le Dashing White Sergeant. Là, il faut des groupes de trois personnes, ce qui nous fera deux groupes.

Todd réfléchit.

— Mais ne doit-on pas partir dans des directions opposées pour le Dashing White Sergeant, de sorte que les deux groupes se croisent à un moment donné ? Si trois d'entre nous s'en vont d'un côté et les trois autres de l'autre – toujours en supposant que Ramsey Dunbarton veuille bien participer –, nous ne nous croiserons qu'une seule fois, après avoir dansé à travers toute la salle. Il faudra que l'orchestre s'adapte. Qu'il continue de jouer jusqu'à ce que nous ayons parcouru toute la distance et que nous nous retrouvions de l'autre côté. Cela ne fera-t-il pas un peu étrange ?

— Les orchestres de ce genre sont souvent très doués, assura Sasha.

49. Les lots de la tombola

Todd laissa Sasha à la maison et partit jouer au golf. Son partenaire avait refusé d'acheter une place pour le bal et Todd comptait bien le lui reprocher, quoiqu'il sût que cela ne le ferait pas revenir sur sa décision. Il s'était désormais accommodé à l'idée d'un bal pour

1. *Tories* signifie « conservateurs ». (*N.d.T.*)

six, chiffre qui, à ses yeux, représentait le quorum nécessaire. D'ailleurs, même s'ils n'avaient été que deux, Sasha et lui auraient tenu bon et dansé ensemble face à l'adversité. C'était la seule méthode en politique. Un bal qui comptait six personnes une année pouvait en rassembler soixante l'année suivante et six cents deux ans plus tard. La chance fluctuait en politique et l'on ne devait pas jeter l'éponge sous prétexte d'un revers passager. Le parti conservateur d'Écosse se relèverait et redeviendrait la grande force qu'il représentait jadis dans les affaires de la nation. Ce n'était qu'une question de temps. Alors, les gens supplieraient à genoux pour assister au bal annuel de la section sud d'Édimbourg et lui, Todd, se ferait un immense plaisir de les rejeter.

Lorsque son mari eut pris la direction du Luffness Golf Club (Gullane, mais non Muirfield), Sasha gagna la salle à manger. Les lots de la tombola envahissaient la longue table et le sol, tout autour. Bien qu'ils n'aient pas souhaité assister au bal, les membres de la section locale du parti s'étaient montrés généreux et plus d'une quarantaine de cadeaux attendaient d'être recensés. Sasha s'assit en tête de table et commença à compiler un catalogue en assignant un numéro à chaque prix. Ces numéros seraient ensuite placés dans un chapeau et les participants au bal (et eux seuls) auraient le droit d'acheter des billets de tombola.

Elle s'attaqua tout d'abord aux articles posés sur la table. Il y avait une chemise Thomas Pink à rayures multicolores, avec une encolure de 50. La qualité était excellente, la coupe parfaite, avec des manchettes doubles, mais la taille était un peu grande. Todd mettait du 43, ce qui se révélait parfois même trop large pour lui, alors qu'il était grand et assez fort. La chemise proposée conviendrait à un homme extrêmement bien bâti. Y avait-il, au parti conservateur, quelqu'un d'aussi imposant ? Mr Soames, bien sûr, mais il devait déjà posséder des chemises en nombre suffisant. Ce prix-là, à l'évidence, ne serait donc pas le plus utile.

Elle assigna un numéro à la chemise et s'intéressa au lot suivant. C'était un service de six couverts à poisson de chez Hamilton and Inches, qui faisait un prix magnifique. Il serait du plus bel effet dans une réception conservatrice, mais ne servirait en revanche à rien chez des travaillistes. Ceux-ci n'avaient pas la moindre idée, pensait Sasha, de l'utilité de couteaux et fourchettes à poisson, puisqu'ils employaient les mêmes couverts pour tout. C'était bien là une partie du problème, d'ailleurs. Quant aux démocrates libéraux, ils savaient très bien à quoi servaient de tels couverts, mais feignaient de ne pas s'en soucier ! Hypocrites de libéraux ! songea Sasha.

Il y avait beaucoup d'autres très beaux prix. Une radio digitale encore dans son emballage, une partie de golf au Merchants Golf Course, une grosse boîte de thé de tradition de chez Jenners, et aussi… de quoi s'agissait-il ? Ah oui, le plus beau de tous : un déjeuner avec Malcolm Rifkind et Lord James[1] à l'hôtel *Balmoral* ! C'était un prix splendide et Sasha songea qu'elle aimerait beaucoup le gagner.

Cette pensée l'incita à abandonner quelques minutes son travail de recensement pour évaluer les implications de cette tombola. S'il y avait quarante prix et qu'ils n'étaient que six au bal, cela signifiait que chaque personne recevrait au moins six cadeaux. À condition, bien entendu, que chacune d'elles achète le même nombre de tickets (qui serait limité à quarante en tout). Si cela se produisait, tous les participants s'en sorti-

1. Sir Malcolm Rifkind (né en 1946) est un membre important du parti conservateur vivant à Édimbourg. Ministre des Affaires étrangères dans le gouvernement de Margaret Thatcher, il devint ensuite secrétaire d'État pour l'Écosse. Lord James Douglas-Hamilton, après avoir été député à Westminster sous le même gouvernement, est désormais membre du Parlement écossais à Édimbourg. (*N.d.A.*)

raient plutôt bien, gagnant des lots dont la valeur totale excéderait de beaucoup le prix d'achat de leurs tickets.

Dans ces circonstances, se dit Sasha, il devait être permis aux organisateurs – c'est-à-dire à elle-même – de s'assurer que chacun gagne des lots qui lui soient appropriés. Cela signifiait que la partie de golf ne devait pas revenir à Ramsey Dunbarton, qui n'était guère solide sur ses jambes et ne pratiquait sans doute pas ce sport. En revanche, il pourrait être *dirigé* vers Bruce, pour le récompenser d'avoir bien voulu servir de cavalier à Lizzie. Ou peut-être – et cela semblait encore plus judicieux – ferait-on gagner au jeune homme le dîner pour deux personnes au *Prestonfield House* ; il y emmènerait Lizzie, ce qui leur donnerait à tous deux l'occasion de mieux se connaître. Ce serait très satisfaisant, et cela semblait d'ailleurs l'épilogue le plus logique. Quant aux Dunbarton, ils remporteraient la boîte de thé, qui leur correspondait davantage.

Restait le déjeuner avec Malcolm Rifkind et Lord James. De l'avis de Sasha, la meilleure personne pour ce lot était elle-même. Non qu'elle fût égoïste et tînt à s'attribuer le prix le plus prestigieux, mais elle voulait épargner aux deux généreux donateurs d'avoir à endurer la compagnie de Ramsey Dunbarton. Ce serait trop dur : on ne pouvait leur infliger cela. Ce fut donc pour cette raison – la meilleure de toutes – que Sasha décida de s'assurer qu'elle empocherait elle-même ce prix.

50. Bruce se prépare pour le bal

Ce matin-là, lorsque Bruce reçut le coup de téléphone de Sasha l'invitant à venir boire un verre chez eux, dans les Braids, juste avant le bal, il s'apprêtait à quitter le 44, Scotland Street pour aller s'acheter une nouvelle chemise blanche. La précédente, qu'il avait eue à bon prix, avait mal réagi au lavage : elle paraissait désormais grise, même à la lumière artificielle.

— Il n'y aura pas beaucoup de monde, prévint Sasha, mais le *Braid Hills Hotel* est réputé pour sa table, et l'on m'a assuré que l'orchestre était excellent.

— Combien de personnes sont prévues ? s'enquit Bruce.

Il y eut un court silence à l'autre bout du fil.

— Pas beaucoup. Sans doute moins de cinquante.

Bruce était un garçon poli.

— Je suis sûr que la soirée sera très sympathique. De toute façon, je n'aime pas les trop grandes réceptions. On ne s'entend pas parler.

— Nous nous amuserons beaucoup, assura Sasha.

Il en doutait – du moins, en ce qui le concernait –, mais garda cette intuition pour lui. Avec un peu de chance, il parviendrait à s'éclipser vers minuit – les conservateurs devaient être des couche-tôt : ses parents, tous deux membres de l'Association des conservateurs de Crieff, avaient pour habitude de se retirer vers dix heures. Si la fête prenait fin à une heure raisonnable, il trouverait toujours une boîte de nuit où finir la soirée.

— Encore une chose, ajouta Sasha avant de raccrocher. Nous organisons une tombola. Nous disposons déjà de très beaux lots, mais si vous pouviez apporter un petit quelque chose à ajouter, ce serait gentil.

— Je vais essayer, promit Bruce.

Il quitta l'appartement, l'esprit agité. Il trouvait sa vie fort peu satisfaisante en ce moment. Il avait passé tous ses examens, aussi se sentait-il libéré de ce poids, mais il lui semblait qu'il ne se passait plus grand-chose dans son existence. Le problème venait en partie de l'absence de petite amie. J'ai besoin de quelqu'un avec qui sortir, se dit-il. Il me faut une compagnie. Il y avait bien la fille de l'appartement – Pat –, mais il la trouvait un peu agaçante. Elle se montrait distante, voire indifférente, mais c'était, soupçonnait-il, un air qu'elle se donnait. Je suis sûr qu'elle s'intéresse à moi, songeait-il. Elle voudrait que je la remarque, mais elle peut toujours attendre, la pauvre. Beaucoup trop jeune, beaucoup trop simple. Encore verte. Tout en marchant dans George Street, il jetait de rapides coups d'œil à son reflet dans les vitrines. « Quel gâchis ! murmura-t-il. Un physique pareil et pas de petite amie ! Quel gâchis ! »

Une fois la chemise achetée, il retourna à Scotland Street et passa l'après-midi sur son lit, à visionner des cassettes de matches de rugby d'anthologie. Il y avait Écosse contre Irlande à Murrayfield, qui datait de quelques années déjà, une belle victoire écossaise, avec un essai magnifique d'un joueur que Bruce avait connu à la Morrison's Academy. Et aussi les Springboks contre Fidji, un match extraordinaire au cours duquel quatre joueurs avaient été conduits à l'hôpital pendant la première manche ! Et l'Écosse affrontant la France à Paris, quand cette dernière avait comptabilisé soixante-dix points et l'Écosse trois. Le match n'était pas fameux, songea Bruce, aussi éteignit-il à la mi-temps.

À cinq heures, il s'enferma dans la salle de bains, se fit couler un bain chaud et, après quelques minutes passées devant le miroir en pied, s'immergea dans l'eau mousseuse. Il se sentit mieux. La fille de Todd allait lui faire perdre tous ses moyens, c'était sûr, mais il y en aurait certainement d'autres avec qui danser. Il ne resterait pas collé à elle toute la soirée. Et peut-être que l'une de ces autres filles, justement, lui conviendrait. Il existait des endroits plus insolites qu'un bal de conservateurs pour rencontrer quelqu'un. Par exemple… Il réfléchit quelques instants. Quel était l'endroit où l'on avait le moins de chances de rencontrer une fille ? Un cabinet dentaire ? Le crématorium de Warriston ?

Bruce s'habilla avec soin. Le gel fut appliqué sur ses cheveux, l'eau de toilette, aspergée sur son torse nu. Puis il procéda à une dernière inspection. Parfait, estima-t-il. Superbe.

Il franchit le seuil de sa chambre pour se retrouver dans le vestibule. Ce fut à cet instant précis que la demande de Sasha d'apporter une contribution à la tombola lui revint en mémoire. C'était un peu agaçant, mais après tout, peut-être trouverait-il une babiole dans le bric-à-brac du placard de l'entrée. Il ouvrit celui-ci et en inspecta l'intérieur. Plusieurs objets avaient été laissés là par les locataires consécutifs. Ce serait bien le diable s'il ne dénichait pas quelque chose.

Il découvrit le paquet et l'ouvrit. Il tint le tableau devant lui pour l'examiner à la lumière. Il n'aimait pas trop. Les couleurs étaient trop claires et cela manquait de détails. C'était le problème, avec les amateurs : ils ne savaient pas dessiner correctement. Il fallait se creuser la cervelle pour savoir ce qu'ils cherchaient à représenter. Bruce aimait Vettriano. Ce peintre-là connaissait son métier. Néanmoins, ce tableau-ci conviendrait tout à fait pour la tombola. Ce devait être l'œuvre d'une vieille tante, oubliée depuis longtemps et abandonnée dans ce placard. Ainsi, il n'arriverait pas les mains vides. Bruce reglissa donc le tableau dans son emballage, saisit son manteau et s'en alla chez les Todd, dans les Braids, la toile sous le bras.

51. Cuir velouté

Lizzie Todd remontait en traînant les pieds la courte allée qui menait chez ses parents. Si elle avait grandi dans cette maison, elle ressentait très peu de cette affection qu'est censé inspirer le lieu où l'on a passé ses jeunes années. Le jour où elle l'avait quittée pour s'installer à la Caledonian University de Glasgow, en vue de préparer un diplôme d'études indéterminées, elle avait éprouvé un soulagement si intense qu'il en était visible.

— Crois-tu que nous allons lui manquer ? avait demandé Todd à sa femme peu après son départ. Elle a l'air si heureuse ! On dirait presque qu'elle est contente de s'en aller.

— C'est une drôle de fille… avait soupiré Sasha. Je ne suis pas sûre de bien la comprendre. Ce dont je suis sûre, en revanche, c'est que nous lui manquerons.

Todd avait gardé le silence. Il eût aimé avoir un fils, qui aurait joué au rugby pour Watson et, le moment venu, l'aurait rejoint au sein du cabinet d'experts. Toutefois, la vie se déroule rarement comme on le souhaiterait et, ne voyant pas arriver d'autre enfant, il s'était résigné à accepter son lot : être le père d'une fille qui lui semblait chaque année plus distante et moins intéressée par son monde à lui. Il regardait parfois sa femme, quêtant une explication et, qui sait, une solution, mais Sasha ne paraissait pas plus apte que lui à communiquer avec Lizzie. Peut-être s'agissait-il d'une simple antipathie, avait-il songé un jour, d'un manque d'atomes crochus, d'une absence de cette mystérieuse alchimie qui pousse les gens à s'apprécier, voire à s'aimer et qui, inexplicablement, n'avait pas opéré. Cependant, c'était là une conclusion déprimante à laquelle il n'était parvenu qu'une fois, et de façon très éphémère, après une conversation qu'il avait eue avec Lizzie, alors âgée de seize ans.

— Je suppose que tu m'aimerais davantage si j'étais Sean Connery, n'est-ce pas ? lui avait-il lancé.

Elle l'avait regardé sans comprendre, avant de répondre :

— Mais tu n'es pas Sean Connery. Et toi, je suppose que tu m'aimerais mieux si j'étais Gavin Hastings[1].

Cet échange ne s'était guère révélé constructif.

Bien des années plus tard, Lizzie glissait donc sa clé dans la porte parentale et humait l'atmosphère. C'était

---

1. Célèbre joueur de rugby écossais, né en 1962. (*N.d.T*)

l'odeur familière de la maison et elle ne l'aimait pas. La femme de ménage utilisait une cire à la lavande, dont le parfum envahissait les moindres recoins. Il avait toujours été là, Lizzie l'avait respiré dès sa plus tendre enfance, de sorte qu'elle haïssait désormais la lavande de façon irrémédiable.

Le son d'un bain qui coulait parvint à ses oreilles. Todd était rentré tard du golf et il avait besoin de se laver avant d'enfiler son kilt. En revanche, Sasha, toujours prête en avance, traversait le couloir dans sa robe de soirée lorsqu'elle entendit Lizzie entrer. Dès qu'elle l'aperçut, elle évalua sa tenue d'un coup d'œil. La jeune fille avait-elle fait un effort ? Là était la question. Lizzie était tout à fait capable de consentir à assister au bal et de ne rien tenter pour paraître à son avantage en cette occasion.

Cette fois, le verdict fut favorable.

— Ta robe est très jolie, ma chérie, commenta Sasha. Et ces chaussures aussi…

Toutes deux se dirigèrent vers le salon. Dès le seuil franchi, Lizzie se détourna pour gagner la fenêtre qui donnait sur les toits lointains de Morningside.

— Elles me font mal aux pieds, grogna-t-elle. Il va falloir que j'en emporte d'autres avec moi.

— Je peux t'en prêter, répondit gaiement Sasha. J'en ai acheté une paire il y a deux semaines. Elles iront très bien avec cette robe.

Elle partit les chercher, tandis que Lizzie demeurait à la fenêtre, morose.

— Voilà, dit Sasha en lui tendant les chaussures. Essaie-les. Elles seront plus confortables.

Lizzie considéra la paire d'escarpins en cuir velouté ornés de strass et esquissa une moue très légère, presque indécelable.

— Où les as-tu achetées ? s'enquit-elle. J'ai vu les mêmes chez Marks and Spencers l'autre jour. C'est de là-bas qu'elles viennent ?

Sasha se figea.

— Marks and... ? Marks and... ? répéta-t-elle d'une voix tremblante d'indignation. Certainement pas ! Je les ai trouvées dans une boutique de William Street. Si tu te donnes la peine de lire l'étiquette, tu verras exactement laquelle.

Lizzie lui prit les chaussures des mains, regarda l'étiquette et haussa les épaules.

— Ce n'est pas vraiment mon genre, commenta-t-elle. Mais elles sont très bien pour toi. Eh, ne le prends pas mal ! Je te dis qu'elles doivent bien t'aller.

— Je ne t'ai jamais forcée à mettre mes chaussures, marmonna Sasha.

Lizzie sourit.

— De toute façon, je fais du 37 et toi, du... du combien, déjà ? 39 ?

Sasha ne répondit pas. Dans l'absolu, elle chaussait du 39, mais elle pouvait tout à fait rentrer dans un 37 ½, à condition de ne pas avoir à marcher. Néanmoins, elle n'avait aucune envie de se lancer dans une discussion sur les tailles de pieds avec sa fille. On reconnaissait bien là Lizzie, songea-t-elle : à peine arrivée à la maison et, qui plus est, en un jour comme celui-ci, alors qu'il importait de se mettre en condition pour bien profiter de la fête, voilà qu'elle engageait une conversation sur les tailles de pieds ! On eût dit qu'elle cherchait à lui saper le moral, ce qui était injuste, dans la mesure où elle-même ne critiquait jamais la façon dont la jeune fille s'habillait, malgré la tentation. Lizzie rejetait systématiquement ses offres d'aide et de conseils dans ce domaine. Décidément, cette fille est impossible à satisfaire ! pensa Sasha. Ce qui signifiait, conclut-elle tristement, qu'elle ne trouverait jamais de mari, car l'homme parfait n'existait pas. Nulle part. Il suffisait de regarder Raeburn pour s'en convaincre.

52. Taffetas de soie

Todd consulta sa montre. Bruce arriverait d'un instant à l'autre, mais il avait encore le temps d'avaler un petit whisky. L'anxiété de Sasha, inévitable, supposait-il, étant donné leur position d'organisateurs, s'était révélée contagieuse. Un whisky lui ferait du bien. Il se servit un verre de Macallan et s'aventura dans le salon, où Lizzie était restée postée à la fenêtre.

— Je te suis reconnaissant, déclara-t-il avec précaution. Je sais que tu n'aimes pas trop ce genre de chose. Mais cela fait très plaisir à ta mère que tu aies accepté de venir ce soir. Alors merci.

— Ça ne me dérangeait pas, marmonna Lizzie sans se retourner. Je n'avais rien de prévu.

— Tout de même, insista Todd. C'est très gentil à toi.

Il entendit une porte se refermer derrière lui et se retourna pour voir entrer Sasha, une assiette de canapés de saumon fumé à la main. Elle posa celle-ci sur une table et vint se poster près de lui.

— Comme tu es beau dans ton kilt ! s'exclama-t-elle. N'est-ce pas, Lizzie, que ton père est beau dans son kilt ?

— Oui, acquiesça l'intéressée sans grand enthousiasme.

Todd lui lança un coup d'œil. Peu lui importait cette tiédeur qu'elle manifestait vis-à-vis de sa tenue vestimentaire à lui, mais il eût aimé que, pour une fois, elle complimentât Sasha.

— Et ta mère est très belle, tu ne trouves pas ? lança-t-il. Avec cette robe superbe. Et ces chaussures.

Lizzie détailla Sasha de la tête aux pieds.

— Taffetas de soie. Coupe en queue de poisson. Je vois…

— En queue de poisson ? répéta Todd, surpris.

— Oui, en queue de poisson, répéta la jeune fille en désignant la robe de Sasha. Tu as remarqué que le devant est plus court – les genoux sont découverts –, tandis que ça redescend derrière comme une queue de poisson. Ça se fait beaucoup chez les filles de vingt ans.

Todd observa Sasha, qui fixait Lizzie.

— Eh bien, moi, ça me plaît, rétorqua-t-il. Filles de vingt ans, femmes de quarante, quelle différence ?

— Vingt ans, répondit sa fille.

Sasha se pencha pour prendre un morceau de pain beurré garni de sa fine tranche de saumon fumé. L'espace d'un instant, Todd se demanda si elle n'allait pas s'en servir comme d'une arme, mais elle se contenta de l'enfourner et se lécha les doigts.

— En fait, expliqua-t-elle, j'ai fait faire cette robe à mes mesures à partir d'une photo que j'avais repérée dans *Harpers*. Et, si je me souviens bien, la personne qui la portait dans le magazine n'avait pas vingt ans.

— Quinze ? fit Lizzie.

Sasha regarda son mari. Elle avait rougi et sa lèvre supérieure tremblait légèrement. Todd se tourna vers sa fille.

— Es-tu obligée d'être désagréable ? lança-t-il. Ne peux-tu pas t'empêcher de dire des choses cruelles ? Tu tiens vraiment à mettre ta mère en colère ?

Lizzie afficha une expression d'innocence blessée.

— Mais je n'ai rien dit ! protesta-t-elle. J'ai seulement fait remarquer que ce genre de robe était à la mode chez les jeunes. Qu'y a-t-il de mal à ça ? C'était juste une observation.

— Sauf que tu me trouves trop vieille pour la porter ! s'indigna sa mère. C'est ça, hein ? Tu n'es heureuse que lorsque tu me rabaisses. Toi aussi, tu auras quarante-quatre ans un jour, tu sais.

— Quarante-cinq, rectifia Lizzie.

Excédée, Sasha tourna les talons et quitta la pièce, laissant son mari et sa fille en tête à tête. Todd vida son verre.

— Il me semble que tu devrais aller t'excuser, déclara-t-il. C'est un grand soir pour ta mère et je ne pense pas que ce soit bien de le lui gâcher. Ne peux-tu pas aller la voir et lui dire que tu regrettes ? Cela te demanderait un trop gros effort ?

Lizzie haussa les épaules.

— Elle aussi, elle pourrait venir s'excuser, répliqua-t-elle. Elle pourrait me dire qu'elle regrette de m'avoir pourri l'existence durant toutes ces années. De ne pas avoir cessé de me harceler. De m'avoir obligée à faire des choses que je n'avais pas envie de faire. D'avoir gâché ma vie.

— D'avoir gâché ta vie ?

— Oui.

Todd baissa les yeux sur son sporran[1] et sur ses chaussures de danse en cuir verni des Highlands. Voilà où nous en sommes, songea-t-il. Voilà où tous nos efforts ont mené : elle nous accuse d'avoir gâché sa vie !

— Je suis désolé, dit-il. Je suis vraiment, infiniment désolé que tu penses cela. Et j'imagine que ces reproches s'adressent également à moi... tu estimes que je t'ai gâché la vie moi aussi ?

Lizzie secoua la tête.

— Pas vraiment. Toi, je ne te reproche pas ça. Tu ne pouvais pas faire autrement, de toute façon.

— Autrement que quoi, si je puis me permettre ? Autrement que quoi ?

Lizzie leva les yeux au ciel, comme si devoir expliquer l'évidence l'agaçait au plus haut point.

— Qu'être comme tu es, lâcha-t-elle. Toute cette respectabilité. Tout ce côté *édimbourgeois*. Tout ça, quoi...

Tandis qu'elle parlait, Todd chercha à rencontrer son regard, mais sans succès.

— Très bien, conclut-il. Tu as dit ce que tu avais à dire. À présent, je t'en prie, fais un effort pour le reste

1. Escarcelle en peau portée avec le kilt. (*N.d.T*)

de la soirée. Le jeune homme arrive, il est là, dans l'allée, et je préférerais qu'il n'assiste pas à nos querelles de famille. Je vais chercher ta mère. Alors, je te supplie de faire un effort. Un tout petit effort. Je ne te demande pas de nous approuver, mais s'il te plaît, essaie de rester courtoise. Est-ce trop te demander ? Hein ?

53. Fantasmes

— Vous devez vous souvenir de mon épouse, dit Todd. Et de ma fille Lizzie, bien sûr...

Souriante, Sasha s'avança vers Bruce, qui lui serra courtoisement la main. Lizzie, toujours à la fenêtre, se tourna à demi pour le saluer d'un mouvement de tête sans faire mine de venir à sa rencontre.

— Bon, reprit Todd en se frottant les mains. Je dois vous avouer que j'ai pris une longueur d'avance. J'ai déjà bu un petit verre. Qu'est-ce que je vous sers, Bruce ? Whisky ? Gin ? Ou un verre de vin ?

Le jeune homme choisit le vin et Todd s'empressa d'aller le lui chercher, tandis que Sasha prenait l'invité par le bras pour l'entraîner vers le canapé. Elle s'assit et tapota le coussin à côté d'elle. Ce fut à cet instant que Bruce s'aperçut que, dans sa hâte de quitter son appartement, il ne s'était pas habillé correctement. Certes, il avait revêtu son costume traditionnel des Highlands, sa veste prince Charles aux boutons argentés, son kilt Anderson, le sporran offert par son oncle pour son vingt et unième anniversaire, ses chaussettes blanches de chez Aitken and Niven, dans George Street, et, bien entendu, sa chemise neuve. En revanche, il avait oublié le slip.

Bruce n'ignorait pas qu'une certaine catégorie d'individus refusaient de porter quoi que ce fût sous leur kilt et qu'ils en faisaient une question de principe. Il savait, comme tout le monde, qu'il existait des traditions dans ce sens, mais il s'agissait là de vieilles coutumes et il ne connaissait personne qui les respectât encore. Non pour des raisons de confort ou de chaleur, peut-être, durant la saison hivernale, mais par simple besoin de sécurité. Un besoin que, au moment de prendre place sur le sofa près de Sasha, il ressentait avec une acuité particulière.

Il se baissa avec précaution, les genoux serrés, prenant bien soin de maintenir les plis du kilt le long de chaque jambe. Puis il se tourna vers Sasha, qui le considérait avec, estima-t-il, une certaine stupéfaction. Avait-elle deviné ? Il se souvint en rougissant d'une mésaventure similaire qui lui était arrivée à l'âge de treize ans, alors qu'avec la même hâte il s'était rendu à une cérémonie organisée par son collège : les filles l'avaient montré du doigt en gloussant. L'on aurait pu croire qu'un épisode aussi douloureux appartenait bel et bien au passé, mais voilà qu'il le revivait, renouant soudain avec les brûlants embarras de l'adolescence.

Bien que son mari ne fût toujours pas de retour, Sasha leva son verre.

— Il y a une éternité que nous ne nous sommes pas vus, n'est-ce pas ? lança-t-elle. N'était-ce pas l'an dernier, au dîner organisé par le cabinet au *Prestonfield House* ?

— Si, je crois, répondit Bruce sans grande conviction.

Il portait le même kilt en cette occasion, à ceci près qu'il avait pris la sage précaution d'enfiler un slip. Comment diable avait-il pu oublier cette fois-ci un détail aussi capital ? À quoi pensait-il en s'habillant ?

Sasha échangea avec Lizzie un regard que Bruce intercepta. Il y avait de l'électricité dans l'air, devina-t-il. Mères et filles étaient souvent à couteaux tirés, il l'avait constaté plus d'une fois. Sans doute cela avait-il quelque chose à voir avec la jalousie. Bruce avait élaboré une théorie très simple, mais infaillible, sur la psychologie féminine : les femmes se disputaient les hommes en une concurrence acharnée, de sorte qu'elles ne se faisaient pas confiance et se haïssaient les unes les autres, contrairement aux hommes, qui partageaient de franches camaraderies dénuées de ces sautes d'humeur caractéristiques des relations féminines.

Bruce avait coutume que l'on se dispute ses faveurs et il goûtait fort cette expérience. Chaque fois qu'il se retrouvait dans une pièce en compagnie de deux femmes, il ne doutait pas que l'une comme l'autre chercherait à attirer son attention. Il aimait guetter les signes de cette compétition subtile et sous-jacente. Certes, on pouvait ne rien voir, mais il suffisait d'ouvrir les yeux pour que ce petit jeu ne vous échappe pas. Dans les circonstances présentes, par exemple, Lizzie en voulait à sa mère, parce qu'elle avait invité Bruce à venir s'asseoir près d'elle et lui parlait à présent d'une façon très familière. Cela ennuyait assurément la jeune fille, qui, c'était dans l'ordre des choses, avait envie qu'il la remarque, qu'il s'intéresse à elle plutôt qu'à sa mère. Bruce sourit. C'était délicieux ! Mère et fille rêvent de me conquérir et celle-là, la plus vieille, est la femme du patron !

Il examina Sasha. Elle était trop serrée dans sa robe, pensa-t-il, mais pas si vilaine que ça à regarder, pour peu que l'éclairage fût flatteur. En outre, il décelait chez elle une certaine audace qui n'était pas pour lui déplaire. On sentait qu'elle savait s'amuser. Intéressante, donc. La fille, à présent. Mal fagotée et bien peu engageante, avec ses sourcils froncés et ses épaules voûtées. Il connaissait le genre : elle avait renoncé, c'était clair, à l'idée de se trouver un homme et décidé de se comporter comme si elle s'en fichait. Et à l'évidence, elle y parvenait ! Dommage. Il lui aurait suffi de pas grand-chose pour s'arranger et certains hommes, alors, l'auraient peut-être trouvée à leur goût.

Bruce s'interrogea. Il était libre pour le moment et ce serait rendre un grand service à cette fille visiblement malheureuse que de s'intéresser à elle. Il pourrait s'en contenter quelques semaines, histoire de combler un vide, pour ainsi dire, en attendant quelqu'un de plus approprié. Il considérerait cela comme une forme de travail d'utilité publique, de ceux qu'imposent parfois les tribunaux. Vous êtes condamné à consacrer cent quarante heures à la fille de Todd. Vous êtes informé que si vous ne vous pliez pas aux termes de cette sentence, vous serez ramené devant la cour pour vous expliquer devant le juge.

« Monsieur le juge, plaiderait-il alors, l'avez-vous regardée ? » Et le juge baisserait les yeux en secouant la tête. « Mon pauvre ami, répondrait-il, c'est justement en cela que consiste le travail d'utilité publique… Mais je vois ce que vous voulez dire. Soit, vous êtes libre. »

Telles étaient les divagations de Bruce, qui les trouvaient très amusantes et souriait de nouveau. Un sourire que Sasha interpréta à sa façon. Ce séduisant jeune homme me sourit ! Il n'est donc pas trop tard ! Il n'est pas trop tard pour s'amuser un peu dans cette vie !

54. *Murs porteurs*

— C'est une maison superbe que vous avez là, Todd ! s'exclama Bruce en prenant le verre de vin que son patron lui tendait.

Todd eut un chaleureux sourire.

— Et c'est un excellent coin, renchérit-il. Nous habitons là depuis… quoi, seize ans, et je ne pense pas que nous ayons l'intention de déménager, n'est-ce pas, Sasha ?

L'intéressée secoua la tête.

— Pour rien au monde je ne quitterais cette maison, confirma-t-elle. J'ai mis trop de travail dans le jardin. Et puis, c'est devenu si bruyant en centre-ville ! Avec ces étudiants et cette foule… Sans parler de cette faune que l'on trouve de nos jours à Édimbourg…

Bruce acquiesça. Il connaissait les désagréments qu'induisaient les étudiants, toujours bruyants. Bien sûr, lui-même en était encore un il n'y avait pas si longtemps et, pour être honnête, il s'était également rendu coupable de tapage nocturne. Un tapage qui n'avait cependant rien à voir avec la musique que les jeunes passaient à pleine puissance : il découlait plutôt des festivités qui suivaient notamment les grands matches de rugby. Ces réjouissances produisaient une sorte de grondement diffus, bien plus acceptable, à son sens, que la musique assourdissante qui s'échappait des chambres d'étudiants.

— Le quartier de Marchmont est devenu impossible, affirma-t-il. J'ai été bien content quand j'ai déménagé pour Scotland Street. C'est mille fois mieux.

Todd s'était dirigé vers la cheminée, à laquelle il tournait désormais le dos. Il désigna la pièce d'un geste ample.

— Bien sûr, nous avons dû faire bon nombre d'aménagements en arrivant, expliqua-t-il. Cette maison était une construction caractéristique des années 20, avec des pièces minuscules. Ici, par exemple, il y en avait deux. Nous avons abattu la cloison qui était là, au milieu, afin d'obtenir un salon de taille décente.

Bruce suivit son regard. Il devinait où avait dû se trouver la cloison en question, car une ligne restait visible au plafond et l'un des lustres avait de toute évidence été déplacé. Mû par son instinct d'expert, il prolongea son observation. Le plafond n'était-il pas légèrement bombé, là, à l'endroit qui reposait autrefois sur la cloison ? Ne semblait-il pas s'affaisser en son milieu ? Bruce examina ensuite l'un des murs contre lequel celui désormais disparu avait dû s'appuyer et crut remarquer, là aussi, un signe évident de distorsion.

Il se tourna vers Todd, qui caressait pensivement de l'index le bord de son verre de whisky.

— C'est une pièce très agréable, commença-t-il, mais cette cloison dont vous parlez... ne s'agissait-il pas plutôt d'un mur de soutien ? Je suppose que vous avez demandé l'avis d'un architecte ?

Todd eut un petit rire.

— D'un architecte ? Pour abattre une cloison dans un pavillon ? Grands dieux, non ! J'ai vérifié moi-même et il n'y avait aucun problème. Je suis pratiquement sûr qu'il ne s'agissait pas d'un mur porteur.

Bruce observa de nouveau le plafond bombé.

— Vous en êtes certain ? insista-t-il. N'y a-t-il pas eu un peu de jeu ?

Todd fronça les sourcils.

— Qu'êtes-vous en train d'insinuer, au juste ? Suggérez-vous que la maison va nous tomber sur la tête ?

Percevant la tension naissante entre les deux hommes, Sasha jugea bon d'intervenir. Il était déjà assez désagréable de voir Lizzie bouder comme une gamine, sans y ajouter une mauvaise ambiance entre son mari et Bruce.

— Mais je suis sûre que ce n'est pas du tout ce qu'il a voulu dire ! s'exclama-t-elle. Pas du tout !

— Si votre plafond s'écroule, lança soudain Lizzie, vous aurez perdu une pièce, mais vous aurez gagné une cour. Ça vaut la peine d'y réfléchir.

Sasha décocha un regard noir à sa fille. Regrettant d'avoir abordé ce sujet, Bruce voulut croiser les jambes, mais se ravisa aussitôt pour serrer les genoux l'un contre l'autre de toutes ses forces. Lizzie ne l'avait pas quitté des yeux – du moins, lui semblait-il – et il vit la surprise marquer son visage. Cela le fit rougir, de sorte que Sasha, le croyant gêné par l'attitude désagréable de la jeune fille, lui tapota le bras.

— Tout va bien se passer, lui glissa-t-elle à l'oreille.

La conversation reprit, évitant le thème de l'architecture pour s'intéresser aux perspectives de l'équipe écossaise dans la saison de rugby qui débutait. Todd révéla qu'il détenait des invitations pour Murrayfield et passa un bon moment à exposer les avantages de la tribune ouest. S'ensuivirent quelques remarques méprisantes sur le jeu déloyal des Français et des Italiens. Bruce se rangea à l'analyse de Todd sur cette question, ce qui sembla détendre considérablement l'atmosphère. Les observations précédentes sur le manque de solidité de la construction semblaient déjà oubliées ou, du moins, reléguées au second plan.

Lorsque Todd consulta sa montre et déclara qu'il était temps de se mettre en route pour le *Braid Hills Hotel*. Bruce se leva avec précaution. Pouvait-il passer rapidement aux toilettes avant de partir ? Bien sûr, bien sûr. Au fond du couloir, la dernière porte à gauche.

Il prit la direction indiquée. Dans la salle de bains, conforme à ce qu'il s'attendait à trouver, étaient accrochées plusieurs gravures de scènes de chasse. Le jeune homme profita de l'occasion pour contempler son reflet dans le miroir, ce qui eut pour effet de restaurer sa confiance en lui mise à mal. Certes, il ne portait pas de slip, mais quelle importance quand on possédait un tel physique ? Aucune. À vrai dire, le slip n'était pas indispensable pour qui avait la beauté, songea-t-il, et il faillit éclater de rire à cette pensée.

Il reprit le couloir en sens inverse. La porte voisine de la salle de bains était ouverte et la lumière allumée. C'était une buanderie, équipée d'une machine à laver et d'un sèche-linge, ainsi que d'un séchoir. Sur ce dernier, plusieurs slips étaient étendus.

55. *La main dans le sac !*

En apercevant la buanderie des Todd, Bruce éprouvait davantage que la curiosité naturelle (modérée, dans la plupart des cas) que l'on ressent lorsqu'on entrevoit la buanderie d'une tierce personne. Après tout, ce genre de pièce est loin d'éveiller la même attention que l'*Homère* de Chapman[1], par exemple, ou qu'un pic à Darien.

Le seul intérêt que présentait cette buanderie résidait dans les quatre slips étendus sur le séchoir. Or, Bruce était conscient de la terrible gêne qui l'attendait sans doute s'il se rendait au bal dans son état vestimentaire actuel. Il existait à cela une solution simple, qui consistait à subtiliser – mais à titre provisoire seulement – l'un de ces slips appartenant à Todd, à l'enfiler à la première occasion, puis à le rendre, lavé et repassé, quelques jours plus tard. Il ne s'agirait pas d'un vol, mais d'un emprunt d'un genre parfaitement compréhensible et justifiable.

Bien sûr, il faudrait réfléchir à la façon dont s'opérerait la restitution. D'ordinaire, les affaires empruntées étaient retournées en toute simplicité, mais celles qui l'avaient été *de façon informelle*, avec un consentement implicite, devaient sans doute être rendues de manière discrète. Envoyées par la poste, pourquoi pas, avec un petit mot de remerciement anonyme – ou portant une signature illisible –, ou encore posées sur la corbeille à courrier de Todd, au bureau, à un moment où personne ne regarderait.

Bruce jeta un coup d'œil derrière lui. Le couloir était désert et il entendait le murmure d'une conversation,

1. Référence à un poème de Keats. Chapman est un poète dramatique anglais à qui l'on doit une superbe traduction d'Homère, texte auquel Keats fait allusion dans l'un de ses sonnets célèbres intitulé *On First Looking Into Chapman's Homer*, littéralement « La première fois que j'ai posé les yeux sur l'Homère de Chapman ». Ce poème se termine par les vers « Silent, upon a peak in Darien », (silencieux, sur un pic à Darien). (*N.d.T.*)

venant du salon. Il était peu probable, pensa-t-il, que quelqu'un surgisse maintenant ; tous attendaient son retour pour se rendre au *Braid Hills Hotel*. Il pouvait donc opérer en toute quiétude, il ne craignait rien.

Il entra dans la buanderie et saisit un slip sur le séchoir, pour constater aussitôt qu'il était troué. Quelle mesquinerie de la part de Todd ! C'était tout à fait caractéristique de son attitude générale : au bureau, il rognait sur les fournitures et veillait à limiter les frais. Ainsi, il appliquait la même philosophie à ses sous-vêtements !

Bruce reposa le slip à sa place et en prit un autre, en meilleur état. Certes, il serait beaucoup trop grand, mais l'élastique suffirait à le maintenir en place. Bruce le plia prestement, le fourra dans son sporran, se retourna pour prendre le chemin du salon et s'immobilisa net.

Son patron se tenait sur le seuil, un verre à whisky vide à la main.

— Todd, articula le jeune homme d'une voix étranglée. Todd…

Le nouveau venu le dévisageait. Pour la première fois, Bruce remarqua que le blanc de ses yeux était anormalement large.

— Oui, répondit Todd.

Bruce déglutit.

— Voilà, je suis plus ou moins prêt pour partir, déclara-t-il. Je ne voudrais pas faire attendre tout le monde.

Todd plissa les yeux.

— La salle de bains est un peu plus loin, dit-il. Ici, c'est la buanderie.

Bruce se mit à rire.

— Oh, mais je l'ai déjà trouvée ! assura-t-il d'un ton dégagé. Seulement, j'ai dû tourner trop tôt au retour et je suis tombé sur…

Il s'interrompit et fit un signe derrière lui.

— Sur cette pièce…

Todd recula pour lui permettre de sortir.

— C'est un peu étrange, comme méprise, fit-il remarquer. La maison n'est pas très compliquée. Le couloir est tout droit, il suffit de le prendre dans un sens, puis de revenir dans l'autre. Franchement, je vois mal comment on peut se perdre…

Bruce sourit.

— J'ai toujours eu un sens de l'orientation déplorable, affirma-t-il. Catastrophique, même.

Todd garda le silence et Bruce, affichant le plus large sourire dont il était capable, se dirigea vers le salon. Sa désinvolture n'était qu'une façade : la rencontre l'avait embarrassé au plus haut point. Il n'était déjà pas très agréable d'être surpris dans une buanderie, mais il se demandait surtout si Todd l'avait vu empocher le slip. Si tel avait été le cas, aurait-il dit quelque chose ? La réponse n'avait rien d'évident. S'il l'avait vu, on ne pouvait qu'imaginer ce qu'il en avait conclu.

Peut-être l'avait-il pris pour l'un de ces infortunés qui volent les vêtements d'autrui et dont les raisons sont trop sombres, trop impénétrables, pour être envisagées. Ce serait si injuste ! L'idée que Bruce pût dissimuler un trait de caractère aussi sordide était inconcevable. Après tout, il était fan de rugby, il venait d'être admis à l'Institut royal des experts assermentés et… Aucun autre gage de respectabilité ne lui vint à l'esprit en cet instant, mais il en existait certainement d'autres.

De toute façon, il ne pouvait rien faire pour se rattraper. Et, tout bien réfléchi, est-ce que ce que Todd pensait de lui importait ? Il atteignit le salon avant d'avoir trouvé la réponse à cette dernière question.

— Bruce s'est perdu ! lança Todd à la cantonade. Je l'ai retrouvé dans la buanderie.

Sasha, engagée dans une conversation avec Lizzie, releva vers les deux hommes un visage stupéfait.

— Vous vous êtes perdu dans la maison ? s'exclama-t-elle. Comment vous êtes-vous débrouillé ?

— J'ai tourné trop tôt, répondit Bruce.

Il lança à Todd un regard de reproche. Un hôte n'avait aucune excuse pour mettre ainsi son invité dans l'embarras, même si l'hôte en question était le patron de l'invité.

— C'est vraiment bizarre, commenta Lizzie en couvrant Bruce d'un regard glacial. Alors, comme ça, vous vous êtes retrouvé au milieu des slips familiaux ?

Sasha fit volte-face pour fusiller sa fille du regard. Bruce, qui, cette fois, avait rougi sensiblement, se détourna vers la fenêtre.

— J'espère qu'il ne va pas pleuvoir, hasarda-t-il.

56. *Au* Braid Hills Hotel

— Ce qu'il y a de bien dans ce métier, fit observer le responsable du département « réceptions » du *Braid Hills Hotel*, c'est qu'on n'est jamais au bout de ses surprises.

Son assistante embrassa du regard le cadre somptueux qui devait accueillir le bal de la section sud de l'Association des conservateurs d'Édimbourg et hocha la tête. La salle était superbement décorée, avec de multiples gerbes de fleurs disséminées çà et là, mais elle ne comptait que deux tables, l'une de quatre couverts, l'autre de deux. Bien que l'hôtel eût sorti son linge le plus chic, amidonné et plié à la perfection, et choisi une belle verrerie rouge, il ne se dégageait pas moins de cet espace presque vide une atmosphère de désolation.

— On aurait pu penser qu'ils vendraient un peu plus de billets, remarqua l'assistante, pour une salle comme celle-ci.

Le responsable haussa les épaules.

— Je suis sûr qu'ils ont fait de leur mieux. Ce que j'ai du mal à comprendre, c'est qu'ils aient insisté pour séparer les deux tables. Cela me semblerait bien plus

convivial de faire asseoir les six personnes ensemble...
en tout cas, moins gênant.

Lorsque Sasha avait téléphoné dans l'après-midi pour
mettre au point les derniers détails, il lui avait suggéré de
réunir tous les convives autour d'une même table, mais
elle avait opposé un refus catégorique.

— Personnellement, je n'y verrais pas d'inconvénient,
avait-elle ajouté, mais mon mari a un avis bien arrêté sur
la question.

Les tables étaient donc restées séparées, et elles
l'étaient toujours quand les premiers invités, Ramsey et
Betty Dunbarton, arrivèrent à l'hôtel, quelques minutes
avant les Todd.

Ramsey Dunbarton était un homme de haute taille à
l'allure distinguée, quoiqu'il commençât à se voûter
depuis peu. Il se considérait lui-même comme bohème
et avait été un pilier des cercles d'art dramatique amateur et du Savoy Opera Group. En plus d'une occasion,
il était apparu sur la scène du Churchhill Theatre,
notamment – et cela avait été le point culminant de sa
carrière théâtrale – dans le rôle du duc de Plaza-Toro,
dans *Les Gondoliers*.

Betty Dunbarton, quant à elle, était fille d'un fabricant
de marmelade. Elle avait rencontré Ramsey à un cours de
bridge de la Royal Overseas League et ils s'étaient
mariés un an plus tard. Aucun enfant n'était né de leur
union, ce qui ne les empêchait pas de mener une vie bien
remplie, dont le bal des conservateurs n'était qu'un événement parmi de nombreux autres. Ainsi étaient-ils atten-
dus à déjeuner le lendemain au Spa de Peebles, puis le
surlendemain pour une réunion des Amis du zoo (avec
un déjeuner prévu au Pavillon des membres), et ainsi de
suite.

Ramsey et Betty se tenaient près du bar lorsque la
famille Todd, escortée de Bruce, fit son entrée. Ramsey
remarqua que Todd ne lui adressa pas le moindre sourire,
ce qu'il jugea blessant. Cet homme ne m'aime guère, se

dit-il. Je n'ai rien fait pour mériter une telle animosité, mais il ne m'aime guère. Quant à sa fille, cette Lizzie, c'est un véritable épouvantail, n'est-ce pas ? Qu'y avait-il à dire face à une telle fille ? Rien. On ne pouvait que soupirer.

L'on fit les présentations et l'on résolut de prendre un verre avant de gagner la salle de bal.

— C'est fort dommage que nous ne soyons pas plus nombreux, déclara Ramsey Dunbarton en se tournant vers Todd. Peut-être auriez-vous pu faire davantage d'efforts pour vendre les billets.

Todd le foudroya du regard.

— Figurez-vous que nous avons fait de notre mieux, rétorqua-t-il. Le problème, c'est que nous n'avons guère pu compter sur le reste du comité pour nous aider. Ni sur quelque membre que ce fût, d'ailleurs.

— Certaines choses sont tout bonnement invendables, commenta Lizzie à mi-voix.

Tous se tournèrent vers elle, sauf Bruce, qui contemplait les bouteilles de whisky alignées derrière le bar. L'une des façons de supporter cette soirée, se disait-il, serait de prendre une bonne cuite. Seulement…

— Ça n'est pas grave que nous soyons peu nombreux ! lança gaiement Sasha. L'essentiel, c'est de s'amuser. Et nous avons toute la place qu'il faut pour danser !

— Un quadrille à six ? suggéra Lizzie.

Cette fois, Bruce se détourna du bar pour rencontrer le regard de la jeune fille. Elle non plus n'est pas ravie de se trouver là, songea-t-il. D'ailleurs, qui pourrait le lui reprocher ? Il lui décocha un sourire encourageant, auquel elle ne réagit pas.

Le petit groupe se dirigea bientôt vers la salle de bal.

— Oh, regardez ! s'exclama Betty Dunbarton. Regardez ces beaux verres ! On dirait la verrerie de canneberge que collectionnait ma cousine ! Tu t'en souviens, Ramsey ? Tu te souviens du pichet qu'elle avait dans sa vitrine, à Carnoustie ? Celui en forme de cygne ? Tu t'en souviens ?

— J'ai toujours cru que c'était un canard, répondit Ramsey Dunbarton. J'aurais même juré que c'était un canard !

— Ah non, rétorqua Betty en se tournant vers Sasha pour quêter un soutien. Le cou était bien trop long pour que ce soit un canard. C'était un cygne. Et quand on servait, le liquide passait tout le long du cou pour sortir par le bec.

— Magnifique ! commenta Todd. Mais nous ferions mieux de rejoindre nos places. Tenez, je crois que c'est votre table qui est là.

Betty Dunbarton secoua la tête.

— Non, décréta-t-elle. Ils ont disposé ça de façon complètement idiote. Rapprochons les deux tables pour pouvoir bavarder tous ensemble. Ramsey, va demander à ce serveur qui est là de réunir les tables.

Ramsey s'exécuta. Il était sûr qu'il s'agissait d'un canard ; il en était certain. Mais ils en discuteraient en tête à tête.

57. *Le duc de Plaza-Toro*

Une fois installé, Ramsey Dunbarton se pencha sur la table pour s'adresser à Bruce. Tous deux étaient séparés par une place, qu'occupait Lizzie, et par une soupière de velouté de poireau que le *Braid Hills Hotel* avait jugé bon de servir en entrée.

— J'ai toujours estimé qu'un repas du soir devait commencer par du potage, lui confia-t-il.

Bruce regarda son assiette. Chez ses parents, il n'y avait pas de dîner sans potage et, chaque fois qu'ils sortaient, que ce fût aux thermes ou au *Royal Hotel* de Comrie, ils en commandaient. Le potage lui rappelait donc immanquablement Crieff.

— Il y a des gens, poursuivait Ramsey Dunbarton, qui n'aiment pas manger de la soupe en début de repas. Ils disent qu'il ne faut pas bâtir sur un marécage.

Il marqua un temps d'arrêt.

— Ils pensent, voyez-vous, que manger de la soupe équivaut à créer un marécage… c'est une façon de parler, bien sûr. Il ne s'agit pas d'un véritable marécage.

Bruce jeta un coup d'œil à Lizzie. Celle-ci fixait le bouquet de fleurs qui ornait la table. Avait-elle, oui ou non, remarqué qu'il ne portait pas de slip ? C'était difficile à dire. Et après tout, quelle importance ? Un certain degré d'impudence s'installe quand on sort sans sous-vêtements et Bruce en faisait à présent l'expérience. C'était une sensation peu habituelle, du moins à Édimbourg.

— J'avais une tante qui était un véritable cordon-bleu, reprit Ramsey Dunbarton. Enfant, j'avais l'habitude d'aller chez elle, à North Berwick. Nous y passions les vacances d'été. On m'envoyait là-bas avec mon frère. Vous connaissez North Berwick ?

Bruce secoua la tête.

— Je sais où c'est, mais je n'y suis jamais allé. Vous avez dû en garder des souvenirs, j'imagine ?

— Oh oui ! répondit Ramsey Dunbarton. Je me souviens très bien de North Berwick. Je ne crois pas que l'on puisse facilement oublier North Berwick. En tout cas, en ce qui me concerne, non. Ni North Berwick, ni Gullane, d'ailleurs. Nous allions beaucoup à Gullane… je veux dire, quand nous étions à North Berwick. Nous avions l'habitude de déjeuner au *Golf Hotel*, puis de nous promener sur la plage. Il y a des dunes de sable là-bas, voyez-vous. Et une vue magnifique sur Fife, au-delà du Forth. On pouvait même voir jusqu'à Pittenweem ou Elie. Par beau temps, bien sûr. Le problème, c'est qu'il y a souvent du brouillard, là-bas. Une brume glaciale portée par le vent d'est. Connaissez-vous Elie ?

— Je sais où ça se situe, répondit Bruce, mais je n'y suis jamais allé. Et vous, Lizzie, ajouta-t-il en se tournant vers la jeune fille en une tentative de la mêler à la conversation, vous êtes déjà allée à Elie ?

Lizzie baissa les yeux vers son potage, auquel elle n'avait pas encore touché.

— Où ça ? lança-t-elle, sur le ton d'une personne que l'on avait éhontément coupée dans ses réflexions.

— À Elie, répéta Bruce.

— Où ça ?

— À Elie.

— À Elie ?

— Oui. À Elie.

— Qu'est-ce qu'il y a, à Elie ?

Bruce se refusa à abandonner. Cette fille se rendait volontairement désagréable, pensa-t-il. C'était une véritable... Qu'est-ce que c'était, au juste ? Une militante féministe ? Le problème venait-il de là ?

— Vous connaissez Elie ? persista-t-il. Vous y êtes déjà allée ?

— Non.

Ramsey Dunbarton, qui avait suivi l'échange avec un intérêt poli, reprit ses observations sur Elie.

— Quand j'étais un peu plus jeune que vous, dit-il en désignant Bruce du menton, j'avais un ami dont les parents possédaient une maison là-bas. Ils y passaient l'été. Sa mère était une grande figure de la société d'Édimbourg. Je me souviens que j'allais souvent là-bas avec mon ami et que nous y restions quelques jours. Ensuite, je rentrais à Édimbourg. Eh bien, je me rappellerai toujours qu'il y avait, au sous-sol de la maison d'Elie, un énorme réfrigérateur, que mon ami a ouvert un jour devant moi pour me montrer ce qu'il contenait. À votre avis, que contenait-il ?

Bruce regarda sa voisine en se demandant si elle souhaiterait suggérer une réponse à cette question, mais elle contemplait le plafond. C'était de l'impolitesse gratuite, estima-t-il. Bien sûr, ce vieux était rasoir, mais c'était à un bal qu'ils assistaient, un bal qui représentait peut-être pour lui un grand événement, et cela ne coûtait pas grand-chose de faire preuve d'un semblant de courtoisie.

— Je ne vois pas, répondit-il. Des explosifs ?

Ramsey Dunbarton s'esclaffa.

— Des explosifs ? Grands dieux, non ! C'étaient des fourrures ! Des manteaux de fourrure. On les conserve au réfrigérateur pour éviter que les poils ne tombent. Le réfrigérateur était donc rempli de manteaux de fourrure. À l'époque, on se fournissait à la Dominion Fur Company, à Churchill. Cette dame en avait une dizaine. Des manteaux magnifiques. Des visons et autres…

— Eh bien, dites-moi ! s'exclama Bruce.

— Oui, reprit Ramsey Dunbarton. La Dominion Fur Company se trouvait juste en face du Churchhill Theatre. Nous donnions souvent Gilbert et Sullivan là-bas. D'abord avec la troupe d'opéra de l'University Savoy, puis avec le Morningside Light Opera. J'ai moi-même joué le duc de Plaza-Toro, vous savez. Un rôle magnifique. J'ai eu une chance folle de l'obtenir, parce que, cette année-là, il y avait un excellent baryton qui le voulait aussi et j'étais sûr qu'il aurait la préférence. J'en étais persuadé. Mais un beau jour, le metteur en scène est venu me trouver dans George Street, juste devant la librairie Edinburgh Bookshop, et il m'a annoncé que j'avais été choisi pour le rôle. Ce fut une merveilleuse nouvelle.

Placée près de Bruce, Sasha, qui avait achevé sa conversation avec Betty Dunbarton, venait de se tourner pour écouter ce qui se disait entre les deux hommes. Elle n'entendit cependant que la mention du duc de Plaza-Toro.

— Le duc de Plaza-Toro ? Et vous le connaissez personnellement ? s'enquit-elle.

Ramsey Dunbarton eut un petit rire poli.

— Dieu du ciel, non ! Il s'agit d'un personnage des *Gondoliers*. Pas d'un vrai duc !

Sasha vira au cramoisi.

— Ah, je croyais que… commença-t-elle.

— Vous savez, nous n'avons pas beaucoup de ducs en Écosse, fit observer Ramsey Dunbarton en reposant sa cuiller à soupe. Il y a le duc de Roxburghe, le plus méridional de nos ducs, pour ainsi dire… Non, attendez, attendez ! Le duc de Buccleuch n'habite-t-il pas plus au sud ? Je crois que si, voyez-vous, en y réfléchissant bien. Est-ce que Bowhill se trouve au sud de Kelso ? Peut-être. Dans ce cas, nous aurions, en partant du sud, Buccleuch, Roxburghe… laissez-moi réfléchir… Hamilton, puis Montrose (parce qu'il vit au bord du Loch Lomond, n'est-ce pas, et non pas à Montrose même), ensuite, il y a Atholl, Argyll, puis Sutherland. Ah, une minute ! Le duc de Sutherland ne vit-il pas dans les Borders ? Je pense que si. Dans ce cas, sur notre liste, il faut le placer entre…

Bruce regarda autour de lui. Tous les yeux, jusque-là fixés sur Ramsey Dunbarton, s'en étaient détachés. Todd ruminait encore sa contrariété liée au rapprochement des tables – en dépit de ses instructions explicites – et lançait de petits coups d'œil furibonds à Sasha, qui contemplait pour sa part Bruce, sans que celui-ci s'en aperçoive, puisqu'il examinait Betty Dunbarton, dont il venait de remarquer que les yeux partaient dans deux directions différentes, de sorte que l'on ne pouvait savoir ce qu'elle regardait. Quant à Lizzie, elle observait le serveur, qui fixait les assiettes à soupe, prêt à débarrasser pour passer au prochain plat, puis au suivant, afin que les danses pussent débuter.

58. « Catch 22 »

— Des tories ! murmura Jim Smellie, leader du Jim Smellie's Ceilidh Band. Et ma parole, t'as vu combien ils sont ? Regarde : un, deux… six en tout et pour tout ! T'as vu ça, Mungo ? Six !

Mungo Brown, accordéoniste et percussionniste à l'occasion, tira sur sa cigarette en observant la table, où les convives attendaient qu'on leur serve le café.

— Tu vas pas te plaindre ! répliqua-t-il en souriant. Ces gus feront pas long feu. À onze heures et demie, y aura plus personne.

— Possible, acquiesça Jim en observant la piste de danse encore vide.

Les participants au bal étaient en pleine discussion et il se demandait de quoi ils pouvaient bien parler. D'après son expérience, il existait deux grands sujets de conversation dans la haute bourgeoisie d'Édimbourg : les écoles et le prix de l'immobilier.

À la table, Betty Dunbarton se tourna vers Todd, qui promenait autour de lui un regard anxieux, guettant l'arrivée du café. Le service avait été impeccable. Sur ce plan, on ne pouvait rien reprocher au *Braid Hills Hotel*. C'était décidément un excellent établissement et le personnel n'y était pour rien si l'on avait réuni les deux tables. À présent, le moment du café était venu et il fallait en finir avec ce repas afin de se mettre à danser, seul moyen pour Todd d'être enfin libéré de cette femme.

— J'espère que nous aurons des sablés avec le café, lui lança Betty. Quoique, voyez-vous, j'aie eu une très mauvaise expérience avec un sablé, pas plus tard que la semaine dernière. Ramsey était à Muirfield...

Todd tressaillit.

— Muirfield ?

— Oui, fit gaiement Betty. Il joue là-bas au moins une fois par semaine. Il est un peu plus lent qu'autrefois, avec sa jambe qui lui fait des misères, mais il joue toujours le neuf trous. Ils font des parties à quatre, voyez-vous. Il y a David Forth, vous savez, Lord Playfair...

— Oui, oui, coupa Todd avec irritation.

La mention de Muirfield l'avait agacé. Combien de temps Ramsey Dunbarton avait-il dû patienter en liste d'attente avant d'être accepté ? se demanda-t-il. Peut-être pas du tout. Et quel intérêt un homme comme lui trouvait-il à faire partie de ce club ? Il s'amuserait tout autant en jouant plus près de la ville.

— Vous le connaissez ? s'enquit Betty. Vous connaissez David ?

— Non, pas du tout, répondit Todd. Je sais qui c'est, mais je ne le connais pas.

— Je pensais que vous auriez pu le rencontrer à Muirfield, insista-t-elle. Y allez-vous souvent ?

Todd jeta un nouveau coup d'œil par-dessus son épaule, dans l'espoir de capter l'attention du serveur.

— Non, rétorqua-t-il. Je ne fais pas partie de ce club. Mon frère y est, mais pas moi. Je joue dans un autre club.

— Ne serait-ce pas plus sympathique de jouer dans le même club que votre frère ? objecta Betty.

Todd haussa les épaules.

— Cela me convient tout à fait, assura-t-il. De toute façon, je n'ai guère le loisir de jouer au golf, ces temps-ci. Vous savez ce que c'est. Et puis, tout le monde ne rêve pas d'entrer à Muirfield, figurez-vous !

Betty éclata de rire – un son haut perché qui irrita Todd au plus haut point. Jamais il ne pourrait supporter d'être marié à une telle femme, songea-t-il et, l'espace d'un instant, il se prit de pitié pour Ramsey. Mais un instant seulement : il ne fallait pas exagérer.

— J'étais donc en train de vous parler de ce fameux sablé, poursuivit Betty. Je buvais tranquillement une tasse de thé pendant que Ramsey jouait à Muirfield, avec David et les autres, quand j'ai décidé de manger un sablé. Maintenant, le sablé en lui-même est intéressant, parce qu'il avait été confectionné, figurez-vous, par Judith McClure en personne, qui est directrice de St George. Vous la connaissez ?

Todd posa sur elle un regard vitreux.

— Non, répondit-il. Mais je sais qui c'est.

— Parfait, poursuivit Betty. J'étais donc allée à une vente de charité à St George, le centre artistique, avec une amie, qui a sa fille là-bas, une jeune très douée. Je suis amie avec sa mère, qui habite Gordon Terrace, et qui m'avait donc gentiment invitée à cette vente de charité. Enfin, bref, nous y sommes allées, et il y avait là un stand avec toutes sortes de délices préparées par les jeunes artistes et les professeurs de l'établissement. On vendait des scones, des biscuits et des gâteaux pour récolter de l'argent en prévision d'un voyage artistique à Florence. J'ai tenu à apporter ma petite contribution à cette cause en achetant quelque chose. J'adore Florence, quoiqu'il doive y avoir au moins vingt ans que nous n'y sommes pas allés, Ramsey et moi.

« Remarquez, enchaîna-t-elle, il paraît que Florence n'est plus ce qu'elle était. On m'a raconté qu'il y a tant de touristes là-bas qu'il faut faire la queue toute la matinée pour avoir une chance d'entrer aux Offices l'après-midi. C'est à peine croyable, non ? Faire du sur-place, parmi tous ces Allemands et ces romanichels avec leurs sacs à dos ! Pendant toute une matinée ! Non, merci ! Ramsey et moi, nous ne tolérerions jamais une chose pareille !

« Mais je suppose que quand on est étudiante à Édimbourg, que l'on est jeune et en bonne santé, on peut patienter quelques heures pour entrer aux Offices. Enfin, bref, comme il se devait, je me suis rendue au stand en question et j'ai acheté un paquet de sablés, sur lequel il était écrit : *Confectionnés par le Dr McClure*. Cela m'a fait plaisir, parce que je savais que c'était lui qui faisait la cuisine à la maison. Il s'appelle Roger. C'est un cordon-bleu, paraît-il, bien qu'en ce moment il soit en train d'écrire un très gros livre sur la vie des papes. Cela lui laisse sans doute moins de temps à consacrer aux fourneaux. À moins qu'il ne soit possible de faire les deux : écrire une histoire de la papauté la journée et cuisiner la nuit. Ou l'inverse.

« Ses sablés étaient un délice. J'en ai mangé plusieurs au cours des jours qui ont suivi et puis, sans prévenir, alors que je dégustais le tout dernier, l'une de mes dents s'est cassée. Cela n'avait rien à voir avec le sablé, bien entendu. Je ne voudrais pas que Judith McClure pense que le sablé de son mari m'a cassé la dent ! Ce n'est absolument pas le cas ! C'est juste que cette dent était prête à lâcher. Il devait y avoir une petite fêlure et elle a choisi ce moment-là pour se casser pour de bon. Ce sont des choses qu'on ne prévoit pas. Elles surviennent à l'improviste, n'est-ce pas ?

Elle ne se soucia pas d'attendre la réponse :

— Je m'en suis rendu compte tout de suite. Quand j'ai touché l'endroit où cela s'était cassé, j'ai ressenti une douleur très aiguë, comme une décharge électrique. J'ai aussitôt téléphoné à mon dentiste, mais on était dimanche et je suis tombée sur un répondeur, qui me disait d'appeler un certain numéro. Le problème, c'est que la personne qui avait enregistré le message ne parlait pas distinctement – c'est le cas de beaucoup de gens de nos jours ! –, de sorte que je n'ai pas réussi à comprendre le numéro qu'elle donnait ! Que pouvais-je faire dans une telle situation ? Eh bien, je vais vous le dire : j'avais entendu parler d'un service d'urgences dentaires qui venait d'ouvrir à l'hôpital Western General. J'ai donc téléphoné là-bas pour demander si je pouvais venir me faire soigner. Et savez-vous ce qu'ils m'ont répondu ? Ils m'ont répondu que si j'étais déjà inscrite auprès d'un dentiste, je ne pourrais pas franchir le seuil de chez eux ! C'est mot pour mot ce qu'ils m'ont dit ! J'ai alors expliqué que je n'arrivais pas à comprendre le numéro d'urgence que donnait le répondeur de mon dentiste habituel, et que je ne pouvais pas non plus entrer en contact avec lui, mais la personne au bout du fil s'est contentée de me répéter la même chose : que je ne pouvais pas être soignée dans cette clinique d'urgence si j'étais inscrite ailleurs. C'est abracacabrant, non ? J'étais tombée, semblait-il, dans une sorte de vide. Une situation inextricable. C'est... comment appelle-t-on ça, déjà ? Un « catch 23 ».

— Catch 22, rectifia Todd dans un soupir.

— Ah non, je suis sûre que c'est 23, persista Betty. Le même numéro que le bus qui descend Morningside Road. Le bus 23.

Todd regarda sa montre. Il était 22 h 22. Non, 22 h 23.

59. *Le quadrille écossais*

— On va s'amuser un peu, chuchota Jim Smellie à Mungo Brown.

Il saisit le micro, le tint en l'air et annonça le début du bal.

— Mesdames et messieurs ! Mesdames et messieurs ! Jim Smellie pour vous servir, avec le Jim Smellie's Ceilidh Band ! Je vous demande à présent de bien vouloir vous lever et de choisir votre partenaire pour danser un branle écossais !

Mungo tira un beuglement de son accordéon, puis entama une musique entraînante. À la table, Todd s'était levé d'un bond. Il adressa un appel muet, quasi désespéré, à Sasha, qui se leva à son tour, coupant Ramsey au beau milieu d'une phrase. Bruce l'imita aussitôt et se tourna vers Lizzie.

— On danse ? proposa-t-il.

La jeune fille esquissa une moue méprisante.

— Je ne vois pas comment nous pourrions danser un branle, vu qu'il faut être huit. Quelqu'un a-t-il informé l'orchestre qu'il n'y a pas assez de monde pour ça ?

Bruce jeta un coup d'œil aux trois musiciens, qui se tenaient à présent immobiles, prêts à jouer. Cette situation est ridicule, pensa-t-il, mais si personne ne va leur parler, il va falloir que je m'en charge, moi.

Il traversa donc la piste de danse à grands pas et s'approcha de Jim Smellie, qui lui souriait, son violon sous le menton.

— Écoutez, déclara Bruce, nous ne pouvons pas danser un branle. Il faut être huit, et nous ne sommes que six.

— Six ? répéta Smellie, affectant la surprise. Vous êtes sûr ?

— Évidemment que je suis sûr ! rétorqua Bruce d'une voix où perçait l'exaspération. Il faudrait trouver autre chose. Que pensez-vous d'un Gay Gordons ?

Smellie se tourna vers Mungo.

— Quelque chose de gay ? lança-t-il. Ce monsieur voudrait quelque chose de gay !

Mungo haussa un sourcil.

— Oui, on doit bien avoir ça en magasin. Un Gay Gordons, ça vous dit ?

Bruce lança un regard furibond à Smellie.

— Ça ira, acquiesça-t-il.

L'orchestre se mit aussitôt à jouer et les danseurs se rassemblèrent sur la piste. Il n'y avait que trois couples, bien sûr, et la salle semblait vaste et désolée. Debout près de Lizzie, Bruce avait, comme il se devait, passé un bras autour du cou de la jeune fille. Avait-elle frémi de dégoût à l'instant où il l'avait touchée ? Il en avait la nette impression, ce qui lui parut fort impoli. Si elle n'avait pas été la fille de Todd, et si Todd n'avait pas été son patron, il lui aurait dit ses quatre vérités depuis long-temps. Non mais, pour qui se prenait-elle ?

— Qu'est-ce que tu mets sur tes cheveux ? interrogea-t-elle tout à coup. Ça sent une drôle d'odeur. On dirait du clou de girofle ou du poivre… enfin, un truc comme ça…

Bruce lui adressa un clin d'œil malicieux.

— Secret de garçon ! répondit-il. Mais je suis heureux que ça te plaise.

Ces mots la piquèrent au vif.

— Je n'ai jamais dit que…

Elle ne put achever. La danse avait commencé et la courte ligne de couples s'ébranlait à présent pour tourner autour du périmètre de la piste. L'heure n'était plus à la conversation, quoique Todd s'efforçât de chuchoter quelque chose à l'oreille de Sasha, qui tourna la tête vers lui et lui souffla une réponse.

Le Gay Gordons dura plus longtemps que de coutume ; ce fut du moins l'impression qu'en eurent les danseurs. Lorsque la musique cessa enfin, Smellie saisit le micro et annonça un quadrille. Sasha jeta un coup d'œil inquiet à Ramsey Dunbarton. Le Gay Gordons avait été énergique et le vieil homme semblait un peu essoufflé. Supporterait-il une deuxième danse ? se demanda-t-elle.

Elle se pencha vers Todd.

— Crois-tu que ce soit bien raisonnable ? murmura-t-elle. Il a l'air épuisé.

Todd haussa les épaules.

— Il doit connaître ses limites. Il me paraît encore en forme…

En dépit de leurs doutes, Ramsey Dunbarton avait déjà entrepris d'organiser le petit groupe pour la danse suivante. Todd et Bruce devaient se joindre à Betty d'un côté, tandis que lui-même partirait de l'autre en compagnie de Sasha et de Lizzie.

Médusé, Smellie regarda les deux trios se préparer, puis il fit signe à Mungo et se remit à jouer. Les groupes s'ébranlèrent en directions opposées pour danser tout autour de l'immense salle en une ronde qui parut interminable, avant de se rejoindre, de se saluer, puis d'esquisser ensemble les pas de rigueur. Mungo sourit et détourna les yeux. Depuis près de trente ans qu'il jouait dans cet orchestre, il n'avait jamais rien vu d'aussi comique.

— C'est cruel, articula-t-il en silence à l'intention de Smellie.

Celui-ci approuva d'un signe de tête accompagné d'un sourire narquois, sans perdre de vue les deux groupes qui repartaient, chacun de leur côté, décrire leur long cercle solitaire autour de la piste.

Lorsque le quadrille prit fin, chacun rejoignit sa place, tandis que l'orchestre entamait *The Northern Lights of Old Aberdeen*. Personne ne voulut danser davantage, malgré les exhortations de Jim Smellie, qui affirmait qu'il valait la peine d'essayer cette valse.

Todd consulta sa montre. Ils danseraient encore un peu – deux morceaux au maximum – puis on pourrait estimer en avoir fini avec cette soirée. L'honneur était sauf : le bal avait eu lieu et nul ne viendrait prétendre qu'ils n'avaient pas été capables de le mener à bien. La section sud du parti travailliste pouvait-elle se targuer du même exploit ? Non, pensa Todd avec une certaine satisfaction. De toute façon, ces gens-là ne savaient pas danser. Voilà ce qui arrivait quand on avait deux pieds gauches. Il interrompit le fil de sa réflexion : l'image était très drôle, il faudrait en faire part à Sasha. Et même à Bruce, qui aimait les bons mots, quoiqu'il possédât un sens de l'humour parfois insolite. Qu'importe, il l'apprécierait davantage, de toute façon, que ces épouvantables Dunbarton, avec leurs élucubrations interminables sur les dentistes, les dents cassées et les sablés du Dr McClure. Quelles inepties !

Se tournant vers Bruce, il remarqua que les efforts déployés durant la danse avaient eu un effet dévastateur sur sa coiffure ; ses cheveux étaient toujours *en brosse**, mais à un angle d'inclinaison réduit. Todd fixa le crâne de son employé. Avec la chaleur, la substance qu'il utilisait – quelle qu'elle fût – avait cessé de maintenir les mèches en place. La Brylcreem – cette bonne vieille Brylcreem que lui-même employait en dernière année de Watson, et qui servait aussi à graisser les chaînes de vélo au besoin – était un produit plus simple et plus viril. Elle était en outre associée à un slogan publicitaire très efficace, dont il se souvenait encore, en y réfléchissant un peu. Brylcreem – une petite goutte, c'est prodigieux / Brylcreem – vous donne un air si raffiné ! / Brylcreem – Rien que pour caresser vos cheveux / Les filles tomberont toutes à vos pieds.

Ce jeune homme restait tout de même un mystère, songea Todd. Au moment où il avait été surpris dans la buanderie, il manigançait quelque chose, c'était clair, car il n'avait rien à faire dans cette pièce. Toute cette histoire sentait le soufre.

60. *La tombola*

L'heure de la grande tombola du bal annuel de la section sud de l'Association des conservateurs d'Édimbourg avait sonné. Malgré les vaillants efforts du Jim Smellie's Ceilidh Band pour attirer les convives sur la piste, ceux-ci, épuisés par les deux quadrilles, avaient choisi d'en rester là. Jim Smellie et son orchestre avaient joué encore deux ou trois morceaux, puis, au terme d'une interprétation larmoyante de *Good Night Irene*, chanté par Mungo Brown d'une voix étonnamment nasillarde, ils avaient rangé leurs instruments et quitté les lieux.

Assis à leur table commune, les six participants au bal ressentaient plus que jamais la vacuité de cet espace immense, mais cela ne les empêchait pas de siroter avec plaisir les boissons généreusement offertes par Todd après la dernière danse.

— Nous avons passé une soirée formidable ! annonça Sasha en embrassant la table du regard, défiant les convives de la détromper.

Lizzie laissa échapper un juron que Bruce, assis près d'elle, fut seul à entendre.

— Parle pour toi ! ajouta-t-elle à mi-voix.

— C'est exactement ce qu'elle fait, lui glissa Bruce à l'oreille. Elle parle pour elle.

Lizzie demeura silencieuse, digérant cette semonce à peine déguisée. Elle avait toléré Bruce jusqu'à cet instant – ce qui lui avait coûté un effort non négligeable – mais elle n'était pas sûre de pouvoir continuer à le faire. Il y avait chez ce garçon quelque chose d'insupportable, une assurance extrêmement agaçante qui appelait la critique. Toutefois, qu'existait-il de plus difficile que de dénigrer un individu aussi suffisant ? Quels termes employer ? Était-il possible de formuler une réprobation apte à pénétrer la carapace d'autosatisfaction qui le recouvrait comme une couche de… une couche de… Non, il n'existait pas de comparaison possible, conclut-elle, avant de songer soudain au mot *crème*.

Elle se tourna vers lui.

— Tu sais, tu me fais penser à un chat qui a trouvé un bol de crème ! lança-t-elle.

Bruce soutint son regard.

— Merci, répondit-il.

Il se livra alors à un médiocre numéro d'imitation, simulant un ronronnement et frottant sa jambe gauche contre celle de la jeune fille, à la manière d'un félin affectueux.

Sasha se leva à cet instant, coupant court à toute réaction qu'aurait pu avoir Lizzie, et annonça que la remise des prix de la tombola allait débuter.

— Nous avons des lots fabuleux, affirma-t-elle. Et comme l'assemblée réunie ici ce soir est de taille modeste, il y en aura beaucoup pour chacun…

— Vous entendez ça ? s'exclama Ramsey Dunbarton en levant son verre de whisky. Beaucoup pour chacun : n'est-ce pas la philosophie du parti ?

— Parfaitement, acquiesça Sasha. À présent, afin d'éviter de vous ennuyer avec un tirage au sort, je me suis contentée de répartir les billets – totalement au hasard, bien sûr – dans six enveloppes. J'ai ensuite inscrit un nom sur chaque enveloppe. Moyennant la somme de 6 livres – une par billet – chacun d'entre nous recevra donc une enveloppe. Ensuite, il ne vous restera plus qu'à l'ouvrir et à m'annoncer vos numéros, afin que je vous révèle ce que vous remportez.

— Ça me paraît honnête, commenta Bruce, avant de remarquer que son voisin de table ne semblait pas partager cet avis.

Ramsey suspectait-il Sasha de tricherie ? se demanda le jeune homme. C'était inconcevable. Et pourtant, elle avait eu toute latitude pour décider quels tickets iraient dans quelles enveloppes et déterminer ainsi qui gagnerait quoi.

Non sans une certaine réticence, Ramsey tendit 12 livres, en échange desquelles il reçut deux enveloppes marquées *Ramsey* et *Betty*. Lizzie procéda ensuite à la même transaction en prenant soin de manifester son exaspération. Bruce, au contraire, offrit l'argent de bonne grâce et sourit en saisissant l'enveloppe des mains de Sasha.

— Très bien, déclara cette dernière. Betty, si vous le voulez bien, vous allez commencer. Énoncez à haute voix les numéros de vos billets. Je vous dirai ce que vous avez gagné.

Pendant tout le temps que son épouse procédait à l'organisation de la tombola, Todd s'était éclipsé. Il était à présent de retour, poussant un large chariot recouvert d'un voile. En un geste théâtral, il retira ce dernier et tous purent découvrir le fantastique amoncellement des lots – les couverts à poisson en argent Hamilton and Inches, la carafe de chez Jenners, les enveloppes contenant les bons pour une partie de golf, un dîner ou autre. Devant tous ces cadeaux offerts à leur vue, les convives comprirent aussitôt que cette tombola représenterait une aubaine remarquable pour les 6 livres réclamées.

Les couverts à poisson revinrent à Betty Dunbarton, qui les reçut avec force exclamations ravies.

— Hamilton and Inches, souligna Sasha d'un air entendu.

— Magnifique ! s'extasia Betty. Ramsey adore Hamilton and Inches.

Les autres prix qu'elle récolta ne lui arrachèrent pas les mêmes cris de joie, mais constituèrent malgré tout un butin intéressant. Ce fut ensuite au tour de Ramsey, qui découvrit le bon pour une partie de golf à Craiglockhart sans broncher, mais se montra fort satisfait des deux entrées gratuites au Lyceum Theatre, suivies d'un dîner (d'une valeur de 25 livres) au Lyceum Restaurant. Son dernier prix fut le tableau apporté par Bruce en guise de contribution à la tombola.

— Un paysage de l'ouest du pays, annonça Sasha en lui tendant le Peploe ?. Un prix magnifique, que nous devons à Bruce.

D'un hochement de tête, Ramsey et Betty remercièrent l'intéressé pour sa générosité. Puis ils posèrent le Peploe ? à côté des couverts à poisson et attendirent la suite du tirage. On vit ainsi Lizzie gagner le dîner au *Prestonfield Hotel* (« Leur cuisine est trop grasse », commenta-t-elle), un bocal de poivrons rouges confits de chez Valvona and Crolla (« J'ai horreur des poivrons ») et le dernier livre d'un célèbre auteur de romans policiers (« Ian quoi ? »). Quand ce fut le tour de Sasha, celle-ci remporta, bien sûr, le déjeuner au *Balmoral Hotel* en compagnie de Malcolm Rifkind et Lord James. Cela provoqua un grommellement envieux de la part de Ramsey Dunbarton, qui, de toute évidence, eût aimé se voir attribuer ce prix. Cela ne fit que confirmer Sasha dans sa conviction : oui, elle avait fait le bon choix. « Je ne pouvais pas leur imposer cet homme », expliqua-t-elle à Todd tard dans la soirée. « Tu les imagines, contraints d'écouter toutes ces histoires sur North Berwick et les dents cassées ? »

Chargés de cadeaux, les participants commencèrent à se séparer. Le taxi des Dunbarton vint les chercher pour leur faire parcourir la courte distance qui séparait l'hôtel de Morningside Drive et Bruce en appela un autre pour regagner Scotland Street. Tandis qu'il l'attendait, il se souvint soudain du slip. Il avait eu l'intention de l'enfiler au cours de la soirée, mais avait totalement occulté, entre-temps, le fait qu'il manquait un élément à sa tenue. Au souvenir de l'objet en question enfoui dans son sporran, il résolut que la façon la plus simple de le restituer consistait à le glisser dans la poche du manteau de son propriétaire, accroché au vestiaire du rez-de-chaussée.

Il prit donc congé du petit noyau de convives encore assis à table et gagna le vestiaire. Comme prévu, le manteau Crombie de Todd, avec son col de velours, était là. Bruce se dirigea vers lui d'un pas vif tout en sortant le slip de son sporran. Puis, fouillant d'un main fébrile dans les replis du vêtement, il introduisit l'objet du délit dans la poche droite.

— La soirée vous a plu ?

C'était Todd, debout sur le seuil.

— Ça, c'est mon manteau, reprit-il. Le vôtre est là-bas, non ?

Bruce éclata d'un rire nerveux.

— J'ai dû un peu trop forcer sur la boisson, s'esclaffa-t-il. Vous avez raison.

Il se dirigea vers son vêtement et le décrocha, puis se retourna vers Todd, qui le considérait d'un air soupçonneux et le regarda s'habiller sans le quitter des yeux. Le jeune homme trouva la situation fort déconcertante. Car, s'il avait coutume d'être observé, ce n'était jamais de cette façon. Les regards d'ordinaire braqués sur lui étaient admiratifs. Là, c'était différent.

61. Bertie entame sa thérapie

Pour Irene Pollock, mère du très talentueux Bertie, cinq ans, la décision de prendre conseil à l'Institut écossais des relations humaines représentait une réponse parfaitement adaptée à un ensemble de circonstances fort éprouvantes. La scène qu'avait faite le petit garçon au Floatarium – où, contre toute attente, il avait déclaré son opposition à l'italien et au saxophone – n'avait été que le premier symptôme d'une inquiétante attitude de rébellion. Il était difficile de mettre le doigt sur un incident ou un commentaire particuliers (autres que son inconcevable comportement au Floatarium, qui suivait de près l'épisode du graffiti), mais il ne faisait aucun doute qu'il se montrait moins coopératif que par le passé. Indice subtil de cette soudaine métamorphose, l'abandon des prénoms qu'il avait été encouragé à utiliser pour s'adresser à ses parents. « Irene » et « Stuart » lui étaient venus si naturellement dès le départ, et cela sonnait si juste ! Désormais, il n'avait plus que « Papa » et « Maman » à la bouche, des dénominations acceptables lorsque Irene ou Stuart les employaient, mais qui apparaissaient comme désespérément hiérarchiques – voire réactionnaires – venant de Bertie.

Et puis, il y avait eu ce changement d'attitude vis-à-vis de sa chambre (qu'Irene appelait son *espace*). Un après-midi, elle y avait découvert Bertie debout au milieu du tapis, posant un regard inconsolable sur les murs. Il n'avait rien dit tout d'abord, mais elle avait eu la nette impression qu'il réfléchissait à leur couleur – un rose apaisant – et qu'il pourrait même être en train de les imaginer d'une autre teinte.

— Tu as de la chance d'avoir un espace comme celui-ci, déclara Irene, devançant ses commentaires. Beaucoup de chance.

Bertie lui lança un bref coup d'œil chargé de ce qui pouvait ressembler à du reproche, puis se détourna.

— Les autres garçons ont des espaces différents, rétorqua-t-il. Ils ont des trains, et plein de choses.

— Les autres garçons n'ont pas la chance que tu as, contra Irene. Ils sont forcés d'entrer dans des moules, tu comprends ? On les oblige à jouer au football, par exemple. De vilaines choses comme ça. Tu comprends ce que je veux dire ? Nous, nous te donnons quelque chose de très différent, Bertie. Nous t'offrons le cadeau de la liberté. La liberté de refuser les rôles conventionnels associés aux sexes.

— Les trains sont libres, marmonna Bertie.

Irene lutta pour réprimer sa frustration. Ce ne fut pas facile, mais elle y parvint.

— Ah bon ? fit-elle d'une voix douce. En quoi les trains sont-ils libres, Bertie ? Pourquoi dis-tu cela ?

Bertie soupira.

— Les trains, ils sortent la nuit. Rappelle-toi le poème de Mr Auden, Maman, celui que tu m'as lu une fois. « *This is the night mail crossing the border / Bringing the cheque and the postal order*[1]. »

Irene hocha la tête. Pour Bertie, elle avait préféré W. H. Auden à A. A. Milne, certaine que les réflexions du premier se révéleraient infiniment plus enrichissantes que les absurdités juvéniles très middle-class du second sur le fait d'avoir monté la moitié des escaliers, par exemple, ou sur la relève de la garde à Buckingham.

— Je pourrais te lire encore du Auden, si tu en as envie, promit-elle. Il y a un très joli poème qui parle de…

— Des torrents, coupa Bertie. J'aimerais bien le poème sur les torrents, parce qu'il parle aussi de deux bébés-locomotives, tu te rappelles ? Il dit que le dieu de l'engouement fatal est tiré sur la pelouse par deux bébés-locomotives.

Irene contempla Bertie. D'où diantre pouvait bien lui venir cette obsession des trains ? Ni elle ni Stuart ne parlaient beaucoup de chemins de fer, ils n'en parlaient même jamais, et pourtant, leur fils ne semblait penser qu'à ça. Elle ferma un instant les yeux et se projeta dans

1. « C'est le wagon-poste de la nuit qui passe la frontière / Il apporte le chèque et le mandat postal. » (*N.d.T.*)

l'avenir, disons, dix ans plus tard, pour s'imaginer entrant en gare de Waverley. Là, sur le quai, un cahier à la main, vêtu d'un anorak bleu, se tenait Bertie, occupé à observer les trains en compagnie de plusieurs autres jeunes surdoués.

Elle quitta la chambre, ou plutôt l'espace, sans ajouter un mot. Si l'on ne trouvait pas de parade, ce repli de Bertie dans le rejet des convictions profondes de ses parents deviendrait une pilule bien amère à avaler. Cependant, on pouvait faire quelque chose : *elle* pouvait faire beaucoup. Entreprendre une thérapie, une solide thérapie kleinienne, permettrait à Bertie de traverser cette période périlleuse. Une thérapie s'attaquerait à la jalousie et autres problèmes d'ego qui généraient ce foisonnement de haine et de négativité. Ensuite, tout irait bien. Même si cela devait durer toute une année – et elle comprenait sans peine qu'une analyse pût représenter un processus très lent – il restait encore bien plus de temps qu'il n'en fallait pour démêler les tenants et les aboutissants du développement du Moi de Bertie avant son entrée à l'école Rudolf Steiner. Pour cela, deux éléments suffisaient : de l'amour et de la patience. L'amour d'une mère consciente qu'il serait très simple de tomber dans le piège de la sévérité et de la rigueur, et la patience de celle qui comprenait qu'un mauvais comportement découlait d'un désir frustré de ce qu'en réalité on *voulait* aimer. Bertie voulait aimer l'italien et le saxophone. Au fond de son cœur, il associait ces deux disciplines à cet objet fondamental d'affection, le sein maternel. Il reviendrait donc nécessairement à une relation plus gratifiante vis-à-vis de ces choses de l'esprit et de l'âme, une fois son conflit œdipien résolu.

En conséquence, Irene revêtit Bertie de sa plus jolie salopette OshKosh et se mit en route pour l'Institut, où le Dr Hugo Fairbairn les attendait pour leur rendez-vous. Ils avaient du temps devant eux, aussi firent-ils un détour par Abercrombie Place, afin d'admirer les jardins vus d'en haut.

— Regarde, Bertie ! s'exclama Irene en montrant du doigt un arbuste en fleur. Regarde ces jolies petites fleurs blanches !

Bertie suivit des yeux la direction indiquée, puis se détourna avec vivacité.

— Des mahonias, dit-il. Je déteste les mahonias. Je déteste les fleurs.

Irene retint son souffle. Il n'y avait aucun doute : cette visite chez le thérapeute arrivait à point nommé.

62. *Le sac à dos des culpabilités*

Le Dr Hugo Fairbairn n'avait aucun lien de parenté avec l'éminent psychanalyste Ronald Fairbairn, dont le fils haut en couleur, le défunt Nicholas Fairbairn, avait instillé tant de dynamisme dans le firmament écossais, avec ses remarques surprenantes et ses tonifiantes prises de position. Rares étaient ceux qui savaient encore qui était Fairbairn père, mais son nom occupait toujours une place importante dans l'histoire du mouvement psychanalytique, aux côtés de Winnicott, Ferenczi et, bien sûr, Melanie Klein. Pour Hugo Fairbairn, ce patronyme représentait donc un atout professionnel, car les gens supposaient souvent, à tort, un lien de parenté que le thérapeute était, pensaient-ils, trop modeste pour mettre en avant. Cela lui conférait une certaine autorité au sein du mouvement psychanalytique – un mouvement aux tendances dynastiques – et l'avait indubitablement aidé dans sa carrière. Grâce à ce nom, son accession à la notoriété avait été rapide. Il était apparu parmi les conférenciers du Tavistock Institute[1] et plusieurs articles de *La Revue analytique* faisaient

1. Célèbre hôpital psychiatrique. (*N.d.T.*)

référence à lui. Depuis sa parution, son étude de cas, rédigée d'une plume élégante et intitulée *En mille morceaux : dissolution du Moi d'un tyran de trois ans*, était devenue une sorte de classique. Un critique était même allé jusqu'à suggérer que Wee Fraser, le petit tyran de Fairbairn, pourrait bien accéder à la même immortalité que ce fameux patient dont Freud avait décrit l'analyse : le petit Hans, qui redoutait d'être mordu par les chevaux des cochers de Vienne. Si ce point de vue renfermait bien sûr une part d'exagération – aucun sujet n'acquerrait jamais l'importance de ceux sur lesquels le grand Freud s'était prononcé –, il n'en demeurait pas moins que le psychisme troublé de Wee Fraser recelait des aspects intéressants. Cet enfant ne présentait pas les terreurs névrotiques de Hans, et c'était d'ailleurs ce qui faisait son intérêt. Au lieu de craindre les morsures, le petit Wee Fraser les infligeait lui-même : il avait ainsi mordu beaucoup de monde, y compris un conseiller du parti démocrate libéral, qui avait sonné à la porte de ses parents, et le Dr Fairbairn lui-même, donnant ainsi lieu à cette ligne célèbre dans l'étude de cas : « Le jeune patient a tenté une incorporation orale de l'analyste. »

Irene avait bien sûr entendu parler du Dr Fairbairn. Elle avait même assisté à l'une de ses conférences sur Wee Fraser, donnée au Royal Scottish Museum. Elle avait donc toute confiance en lui et en sa capacité de sonder le malaise de Bertie, dont elle espérait en secret qu'il aurait un jour sa place dans la littérature psychanalytique. *Un garçon remarquablement doué et sa difficulté à s'adapter à une société médiocre*. Ce serait là un titre possible, et le contenu lui-même se révélerait d'un intérêt extrême. Il comporterait évidemment une description complète de Christabel Macfadzean et de son incapacité à comprendre Bertie (et les enfants en général). Cette piètre institutrice deviendrait le symbole de la pauvreté fondamentale de l'imagination petite-bourgeoise, elle représenterait tout ce qui n'allait pas à Édimbourg.

Elle s'accorda le luxe de ces pensées durant le reste du trajet, alors que Bertie marchait juste derrière elle, mains dans les poches, prenant encore soin, remarqua-t-elle, de bien poser les pieds au milieu des pavés.

— Mais où est-ce qu'on va, à la fin ? interrogea-t-il soudain d'une voix sourde.

— Nous allons en thérapie, répondit sa mère.

Elle ne cachait rien à l'enfant et cette fois-ci, il était plus que jamais nécessaire de fournir une explication sans détours.

— Et qu'est-ce qui se passe en thérapie ? interrogea Bertie, une note d'angoisse dans la voix. Est-ce que les autres garçons y vont aussi ? Il y en aura là-bas ?

— Bien sûr que les autres garçons vont en thérapie ! le rassura Irene. Tu n'en verras sans doute pas, mais ils y vont. Beaucoup de garçons vont en thérapie.

Bertie réfléchit.

— C'est parce que j'ai été exclu que je vais en thérapie ? demanda-t-il encore.

Irene fronça les sourcils.

— Cette histoire d'exclusion est ridicule, déclara-t-elle. Tu ne dois pas penser que tu as été exclu. Tu peux oublier cette histoire.

— Mais je n'ai pas été exclu ? s'enquit Bertie. Comme un train qu'on annule ? Est-ce qu'on m'a annulé ?

— Non, assena Irene, rongeant son frein devant ces références aux trains aussi persistantes qu'inquiétantes. Cette dame a tenté de t'exclure, c'est vrai, mais je t'ai retiré de l'école avant qu'elle ait pu le faire. On ne peut pas être exclu d'un établissement si on n'en fait pas partie.

Elle se tut. Ils étaient parvenus devant la grille de l'Institut ; il était temps d'entrer.

— Nous en reparlerons plus tard, promit-elle. Maintenant, nous allons rencontrer le Dr Fairbairn. Je suis sûre qu'il te plaira.

Il n'y avait effectivement rien de rébarbatif dans les manières du Dr Fairbairn lorsque tous deux furent introduits dans son cabinet. Le psychiatre portait une ample veste en velours côtelé et un pantalon gris anthracite légèrement froissé. Il les accueillit avec chaleur, se pencha pour serrer la main de Bertie et s'adressa courtoisement à Irene en l'appelant Mme Pollock.

D'avance, Irene savait qu'elle l'apprécierait. En règle générale, elle jugeait très vite les gens – il ne lui avait fallu que quelques minutes, par exemple, pour prendre la mesure de Christabel Macfadzean – et elle révisait rarement son opinion une fois celle-ci arrêtée. Pour elle, les individus se classaient dans deux catégories : fréquentables ou infréquentables. Hugo Fairbairn était à l'évidence « fréquentable » et elle aurait formé le même jugement si elle n'avait rien su ni de son itinéraire ni de ses écrits.

Le Dr Fairbairn désigna d'un geste quelques fauteuils disposés en demi-cercle, dans un coin de la pièce.

— Asseyons-nous, dit-il en souriant à Bertie. Nous allons bavarder un peu.

Chacun prit un siège et Irene jeta un coup d'œil au Dr Fairbairn. Malgré l'intérêt qu'elle portait à ce domaine, elle n'avait jamais consulté de psychothérapeute (les analyses étaient ruineuses, comme l'avait souligné Stuart : à peu près le coût d'un crédit-logement). Si elle avait pu se l'offrir, néanmoins, elle n'aurait pas hésité à se soumettre à une psychanalyse, non qu'elle eût des problèmes à résoudre – elle allait très bien – mais tout ce processus de découverte des forces qui poussent un individu devait avoir quelque chose de fascinant. Une série de ressentiments insoupçonnés devaient faire surface ; une compréhension nouvelle de la façon dont nos parents nous avaient élevé, un retour aux petits secrets de l'enfance ; une lumière jetée sur le mobilier de l'esprit.

Mais Bertie n'était pas là pour cela. Ses conflits intérieurs étaient frais et actuels, et non profondément enfouis dans une expérience passée. Comment le Dr Fairbairn s'y prendrait-il pour les élucider ? Ferait-il appel à la thérapie kleinienne par le jeu ?

— Alors, qu'est-ce qui ne va pas ? interrogea le psychiatre en se frottant les mains. On a fait des bêtises ?

Irene tressaillit. C'était là une approche fort directe, presque naïve dans sa franchise, mais cet homme devait savoir ce qu'il faisait. N'était-il pas l'auteur d'*En mille morceaux* ?

Bertie dévisagea le Dr Fairbairn. Pendant quelques instants, il ne fit rien, puis il grimaça soudain et s'arc-bouta en un mouvement de défense, comme pour parer une gifle.

Les yeux du Dr Fairbairn s'étrécirent. Il se tourna un bref instant vers Irene, qui regardait Bertie, les sourcils froncés.

— Tu n'es pas ici pour être puni, assura-t-il. Tu as cru que j'allais te frapper ?

— Oui, répondit Bertie. J'ai cru que vous alliez me frapper pour me punir d'avoir de mauvaises pensées.

Le Dr Fairbairn sourit.

— Non, Bertie. Jamais, je ne ferais cela. Les analystes ne frappent pas les gens.

— Même s'ils le méritent ? s'enquit Bertie.

— Même.

Contre toute attente, le Dr Fairbairn se tut soudain pour se plonger dans une réflexion.

Lorsque Wee Fraser l'avait mordu, il avait réagi en lui frappant violemment la main. Nul témoin n'avait assisté à cette scène et, bien sûr, il s'était gardé de la mentionner dans l'étude de cas. Néanmoins, il avait bel et bien frappé l'enfant et à présent, un sentiment de culpabilité revenait l'étreindre, telle une lourde charge qu'il porterait sur son dos. « Le sac à dos des culpabilités », songea-t-il.

63. *Irene converse avec le Dr Fairbairn*

— Quelque chose vous trouble, fit remarquer Irene en apercevant l'expression douloureuse sur le visage du psychiatre. Vous avez l'air presque tourmenté.

Le Dr Fairbairn se détourna de Bertie pour faire face à Irene.

— Vous êtes très observatrice, répondit-il. En effet, vous avez raison. Je viens de ressentir la morsure d'un regret. C'est passé maintenant, mais oui, cela a été très puissant.

— Les émotions s'affichent de façon si nette ! commenta Irene. Nos corps ne sont pas très doués pour la dissimulation. Ils sont bien trop sincères.

Le Dr Fairbairn sourit.

— Tout à fait. C'est d'ailleurs la grande idée que nous a transmise Wilhelm Reich, n'est-ce pas ? Reich avait parfois des points de vue un peu insolites, je le crains, mais il voyait juste lorsqu'il parlait de « cuirasse caractérielle ». Connaissez-vous sa théorie là-dessus ?

Irene acquiesça.

— C'est l'idée que nous nous fabriquons une carapace à travers nos postures et nos gestes, afin de protéger notre vrai Moi. Comme les acteurs japonais du théâtre nô, avec leurs masques.

— Précisément, approuva le Dr Fairbairn.

Durant un court instant, rien ne fut dit. Au cours de l'échange qu'avaient eu sa mère et le Dr Fairbairn, Bertie avait observé les adultes, mais il s'était désormais détourné vers la fenêtre et contemplait le ciel profond et vide. Un fin trait de fumée traversait l'immensité bleue, tracé par un avion à peine discernable. Comme il devait faire froid là-haut, songea Bertie, mais ils devaient avoir des pulls et des gants pour se protéger. Les avions, c'était bien, mais pas aussi bien que les trains. Il en avait pris un l'an dernier, pour partir en vacances au Portugal, et il se souvenait avec un grand plaisir du moment où il avait vu le sol se détacher et tomber à toute vitesse au-dessous de lui. Il avait vu des routes, des voitures petites comme des jouets, et aussi un train sur une voie ferrée.

— Vous aviez l'air angoissé, reprit Irene. Ce devait être un souvenir douloureux.

— Pas pour moi, répondit très vite le Dr Fairbairn. Enfin, la claque a surtout dû être douloureuse pour lui, je présume.

— Pour qui, lui ?

Le Dr Fairbairn secoua la tête.

— Je préfère ne pas en parler, soupira-t-il.

Irene se mit à rire.

— C'est pourtant ce que vous encouragez les gens à faire : parler.

Le Dr Fairbairn étendit les mains en un geste d'impuissance.

— Je l'ai déjà fait, par le passé, assura-t-il. Il est évident que j'ai dit tout cela à mon analyste.

— Et cela n'a pas fait cesser la souffrance ? s'étonna Irene d'une voix douce.

— Elle a disparu quelque temps, si, répondit le psychiatre. Mais par la suite, elle est revenue. La souffrance revient toujours, non ? Nous croyons l'avoir sous contrôle, et puis, tout à coup, elle reparaît.

— Je comprends ce que vous voulez dire, affirma Irene. Il y a longtemps, il m'est arrivé une chose qui continue de me faire souffrir jusqu'à présent. Je ressens véritablement une douleur physique lorsque j'y repense, aujourd'hui encore. Comme une constriction de la poitrine.

— Nous avons le pouvoir de laisser ces fantômes derrière nous, à condition de les aborder de la façon adéquate, assura le Dr Fairbairn. L'essentiel est de comprendre la chose elle-même. De voir ce qu'elle représente en réalité.

— C'est exactement ce que dit Auden dans ce merveilleux poème ! s'exclama Irene. Vous voyez duquel je parle ? Celui en mémoire de Freud, qu'il a écrit peu après la mort de celui-ci à Londres. « Capable d'approcher l'avenir en ami, sans toute une garde-robe de prétextes » – quelle merveilleuse image !

— Je connais ce poème, acquiesça le Dr Fairbairn.

— Moi aussi, intervint Bertie.

Le psychiatre, qui lui tournait le dos, fit brusquement volte-face pour le considérer avec intérêt.

— Tu as lu Auden, Bertie ?

— Oui, répondit Irene à la place de son fils. J'ai commencé à le lui faire découvrir quand il avait quatre ans. Il a très bien réagi. C'est le respect qu'a ce poète de la mesure qui le rend si accessible aux jeunes.

Le Dr Fairbairn parut sceptique, mais si la tentation de contredire Irene l'avait effleuré, il y résista toutefois.

— Bien sûr, Auden possède quelques idées très étranges, murmura-t-il, pensif. À propos de notre conversation de tout à l'heure – au sujet des maladies psychosomatiques –, Auden a été très loin, vous savez. Il pensait que certaines maladies étaient des punitions et que des parties spécifiques de notre corps se mettaient à dysfonctionner si nous faisions telle ou telle chose. Quand il a appris que Freud avait un cancer de la mâchoire, il en a ainsi conclu que ce devait être un menteur. N'est-ce pas bizarre ?

— Très, acquiesça Irene. Mais les gens croient toutes sortes de choses, n'est-ce pas ? L'empereur Justinien, par exemple, croyait que l'homosexualité provoquait des tremblements de terre. Peut-on apporter crédit à une telle idée ?

Le Dr Fairbairn fit alors une remarque extrêmement spirituelle (une plaisanterie sur l'empereur Justinien, d'un genre très apprécié à l'époque à Byzance, il n'y avait pas si longtemps) et Irene s'esclaffa.

— Épouvantablement drôle ! s'exclama-t-elle.

Le psychiatre inclina la tête avec modestie.

— Je suis convaincu qu'un soupçon de spiritualité peut être d'un grand secours pour l'esprit. L'humour est cathartique, vous ne croyez pas ?

— Moi, je connais une bonne blague, lança soudain Bertie.

— Tout à l'heure, répondit le Dr Fairbairn.

Déjà, Irene reprenait la conversation.

— J'ai souvent songé à entreprendre une formation d'analyste, confia-t-elle. Je m'intéresse beaucoup à Melanie Klein.

Son interlocuteur hocha la tête d'un air encourageant.

— Il ne faut pas renoncer à ce projet, conseilla-t-il. Nous avons un besoin criant de psychanalystes dans cette ville. Et pratiquement personne n'a jamais entendu parler de Klein.

Il s'interrompit un instant, puis reprit :

— C'est là un problème totalement arbitraire… je veux dire, le nombre d'analystes. Regardez Buenos Aires, par exemple : ils sont incroyablement nombreux là-bas – ce qui est très positif, bien sûr –, alors que chez nous, en Écosse, on nous compte presque sur les doigts de la main !

Irene demeura pensive.

— Cela ne doit pas être facile du tout pour les analystes en Argentine, fit-elle remarquer, avec la crise économique et tout ça. J'imagine que certains d'entre eux ont dû voir leurs économies fondre comme neige au soleil.

— C'est vrai, acquiesça le Dr Fairbairn. Cela a été très dur pour les analystes là-bas. D'abord, les généraux, Videla et ses comparses, ont interdit l'enseignement de la psychanalyse. Pendant des années, les gens ont dû s'entourer de discrétion. Freud dérange les généraux. Aucun militaire ne l'apprécie, d'ailleurs.

— Il n'y a rien de surprenant à cela, commenta Irene. Ceux qui portent l'uniforme n'aiment pas qu'on leur rappelle qu'au-dessous, ils sont très vulnérables. Les uniformes servent de protection à leur fragile ego. D'ailleurs, jamais je n'enverrais Bertie dans une école où l'uniforme est obligatoire, ajouta-t-elle avec fermeté. Il n'y a pas d'uniformes à l'école Steiner.

Comme un seul homme, les deux adultes se tournèrent vers Bertie, qui leur renvoya leur regard.

— Moi, je veux un uniforme, déclara-t-il. Les autres garçons portent un uniforme. Pourquoi pas moi ?

La question s'adressait à Irene, mais celle-ci ne répondit pas. En temps normal, bien sûr, elle aurait contré d'emblée cette récrimination ; là, elle regarda le Dr Fairbairn pour quêter un avis.

L'analyste sourit à l'enfant.

— Pourquoi veux-tu un uniforme, Bertie ? Tu te sentirais différent si tu en portais un ?

— Non, répliqua Bertie. Je me sentirais comme les autres, et c'est ça que je veux.

64. *Analyse postanalyse*

L'heure de Bertie avec le Dr Fairbairn avait passé très vite – c'était du moins le sentiment qu'en avait eu Irene. Le psychothérapeute, qui s'était montré à la hauteur de ce qu'elle attendait de l'auteur d'*En mille morceaux*, l'avait impressionnée. Et ils s'étaient découvert en outre beaucoup en commun : tous deux appréciaient Stockhausen (un goût qui n'était pas partagé par tous ; Irene avait d'ailleurs admis que Stockhausen nécessitait un effort), ils partageaient le même enthousiasme pour Auden et possédaient l'un comme l'autre une connaissance approfondie des travaux de Melanie Klein.

Constater tout cela avait réclamé un certain temps, bien sûr, de sorte qu'il n'en était pas resté beaucoup au Dr Fairbairn pour dire quoi que ce fût à Bertie, en dehors de leur premier échange, bref et quelque peu déconcertant, sur les craintes de l'enfant de recevoir une gifle.

Ce moment s'était révélé gênant pour Irene, qui redoutait de voir le psychanalyste conclure que Bertie se faisait souvent frapper par ses parents. Ç'eût été là, bien sûr, une terrible méprise. Ni Irene ni Stuart n'avait jamais levé la main sur Bertie ; ils ne l'avaient même pas fait lorsque, peu après l'incident du Floatarium, l'enfant avait délibérément mis le feu au journal que lisait Stuart, installé dans son fauteuil. Un incident terrible, mais l'un comme l'autre étaient parvenus à rester sereins, ce qui était, à n'en pas douter, l'attitude à adopter. Plutôt que de laisser Bertie penser que son acte les avait mis en colère, ils avaient feint une totale indifférence.

— Papa s'en fiche, avait lancé Irene avec insouciance. Ça ne le dérange pas du tout.

Bertie avait regardé son père, comme pour obtenir confirmation.

— C'est vrai, avait renchéri l'intéressé. De toute façon, je n'ai pas besoin de lire *The Guardian*. Je sais déjà ce que je vais y trouver.

Cette dernière remarque avait quelque peu ennuyé Irene, mais elle n'avait pas bronché. En son for intérieur, elle avait simplement espéré que Bertie n'irait pas en conclure que *The Guardian* était prévisible. Il serait dramatique qu'il nourrisse des idées de ce genre avant d'entrer à l'école Steiner, où on lisait *The Guardian* chaque matin devant tous les élèves réunis.

Avant de regagner Scotland Street avec Bertie, elle décida d'effectuer un court détour par Valvona and Crolla, afin de faire le plein de champignons *porcini*. Bertie adorait cette boutique, avec ses riches odeurs et ses fascinantes étagères. Elle pourrait ensuite discuter avec l'enfant autour d'un *latte*, qu'ils dégusteraient dans le café de l'établissement. On y rencontrait souvent des gens intéressants, avec lesquels on pouvait parler de sujets importants. Quelques semaines auparavant, elle s'était ainsi entretenue avec un célèbre critique gastronomique, qui lui avait appris sur l'huile d'olive une multitude de choses qu'elle ignorait jusqu'alors. Édimbourg était pleine de gens passionnants, pensait Irene. Encore fallait-il savoir où les trouver. Valvona and Crolla constituait un bon point de départ, car les gens intéressants aimaient manger des choses intéressantes. Il y avait aussi la librairie Ottakars, dans George Street, ainsi que *Glass and Thompson*, dans Dundas Street, où les gens intéressants allaient souvent boire un *latte*.

Elle se surprit à resonger au Dr Fairbairn, qui était indubitablement intéressant. Elle ne l'avait jamais croisé chez Valvona and Crolla, ce qui était surprenant, mais peut-être achetait-il son huile d'olive dans un delicatessen de Bruntsfield – c'était une possibilité –, ou encore au supermarché, quoique cela semblât peu probable. Nul ne pouvait imaginer découvrir, au détour d'un rayon d'une de ces grandes surfaces blafardes, l'auteur d'*En mille morceaux* penché sur le bac à surgelés.

Où habitait le Dr Fairbairn ? C'était une question à la fois cruciale et très difficile. Le meilleur quartier, pour une personne de sa qualité, serait la nouvelle ville, mais le côté huppé de Sciennes conviendrait également à un psychanalyste. En revanche, il ne pouvait vivre à Morningside (trop petite bourgeoisie) ni dans le Grange (trop haute bourgeoisie). Cela laissait peu d'autres possibilités, à moins, bien sûr, que le Dr Fairbairn n'ait choisi Portobello. Cela, Irene devait le concéder, restait une éventualité. Les individus les plus inattendus vivaient à Portobello, dont bon nombre de créatifs.

Par ailleurs, le Dr Fairbairn était-il marié, avec des enfants, peut-être ? C'était encore plus difficile à deviner que son lieu d'habitation. Elle avait jeté un coup d'œil à sa main gauche, qui ne portait pas d'alliance, mais cela ne signifiait rien de nos jours. N'existait-il pas des gens qui mettaient une alliance pour se moquer des conventions ou pour tromper leur monde ? Et puis, le Dr Fairbairn pouvait ne pas être marié, mais vivre en concubinage et peut-être même, qui sait, avoir des enfants de sa partenaire. Ou alors, il n'était pas intéressé.

Cette dernière question, bien sûr, était la plus difficile à élucider. Irene savait qu'il existait des personnes qui n'étaient pas intéressées du tout, comme d'autres ne s'intéressaient pas au tennis. Cela ne signifiait pas qu'elles en voulaient aux joueurs de tennis ou à ceux qui aimaient regarder les matches, mais simplement que cela *ne leur parlait pas.*

Ils marchèrent sans se presser jusqu'à Valvona and Crolla. Les sourcils froncés, Bertie se concentrait toujours pour éviter de poser les pieds sur les lignes entre les pavés, mais Irene ne lui prêtait aucune attention, absorbée qu'elle était par ses spéculations sur la vie privée du Dr Fairbairn. Il y avait, chez ce psychiatre, certains signes suggérant qu'il vivait sans épouse ni partenaire. Il était difficile de savoir de quoi il s'agissait exactement : un air un peu égaré, l'aspect de quelqu'un dont personne ne prenait soin. Ainsi reconnaissait-on parfois les hommes qui n'avaient pas de femme pour veiller sur eux. Les homosexuels, eux, étaient différents, pensa Irene : ils savaient très bien s'occuper d'eux-mêmes. Les autres, en revanche, tendaient à présenter une apparence vaguement débraillée, voire négligée, quand ils vivaient seuls.

Quoique... pensa-t-elle. Le jeune homme du dernier étage, ce Bruce, était tout sauf négligé. Il s'enduisait les cheveux d'une substance – du lubrifiant, peut-être ? – et sa mise était toujours étudiée. Les quelques fois où elle avait bavardé avec lui, il s'était montré d'une parfaite courtoisie. Un jour, il avait même laissé Bertie toucher sa coiffure *en brosse** lorsque l'enfant avait déclaré qu'il trouvait ça très beau. Bruce s'était penché pour dire à Bertie, tandis que ce dernier lui effleurait les cheveux avec précaution : « Toi aussi, tu pourras avoir la même coiffure un jour… si tu as de la chance ! »

Elle avait trouvé la remarque étrange, mais tous trois n'en avaient pas moins éclaté de rire. Par la suite, Bertie avait posé quelques questions sur Bruce, auxquelles Irene avait répondu de façon évasive. Les petits garçons avaient besoin de héros, comme l'affirmait Melanie Klein, et elle n'était pas sûre que ce jeune homme représentait un bon choix. Irene n'encourageait pas non plus l'admiration ouverte que manifestait l'enfant pour la Mercedes-Benz de la fameuse Mrs Macdonald. Lorsque Bertie avait lancé la suggestion de demander à cette voisine l'autorisation de faire un tour dans sa voiture, elle lui avait opposé un non sans équivoque.

— Nous avons notre propre voiture, avait-elle dit. Un véhicule bien plus sensé que ça, ajouterai-je.

— Mais on ne la prend jamais, avait gémi Bertie. Où est-elle ?

— Elle est garée, avait rétorqué Irene.

— Où ça ? Où est garée notre voiture ?

Irene l'ignorait. Stuart avait trouvé une place quelque part, plusieurs semaines plus tôt, mais elle ignorait où. Elle avait donc fourni une réponse très simple :

— Dehors.

Déjà, ils étaient parvenus à destination.

65. Rencontre chez Valvona and Crolla

Ils longèrent les étagères de Valvona and Crolla en contemplant les produits qui s'offraient à leur vue selon leur taille. Pour Irene, c'étaient les paquets de pâtes : non des pâtes dures, ordinaires, comme on en trouvait dans les supermarchés, vulgaires spaghettis et autres, mais des produits enrichis aux œufs, inconnus et compliqués, comme les tagliatelles ou maintes variétés rares. Elles coûtaient le double des pâtes vulgaires, pour une saveur qui n'avait rien de comparable. Les pâtes vulgaires avaient un goût de carton, estimait Irene. Jamais elle ne parviendrait à comprendre comment les gens pouvaient manger ça. Sans doute s'en contentaient-ils parce qu'ils ne connaissaient rien d'autre. Les gens ordinaires – comme les appelait Irene – vivaient dans les ténèbres. Par chance, ils commençaient néanmoins à adopter des habitudes un peu plus sophistiquées, apportées en partie par leurs voyages à l'étranger. Quoique l'Espagne ne fût pas d'une grande utilité en la matière, songeait Irene.

À son niveau, Bertie voyait quant à lui les conserves de poisson et de fruits de mer, boîtes de sardines portugaises et de poulpes siciliens. Les illustrations avaient de quoi intriguer. Sur les boîtes de sardines portugaises, un petit banc de poissons nageait gaiement juste sous la surface de la mer, tandis qu'au-dessus, en arrière-plan, apparaissait une côte sauvage composée de hautes falaises et de montagnes. Bertie était allé au Portugal et certaines régions de ce pays, il s'en souvenait, avaient exactement cet aspect-là. Là-bas, ils mangeaient tous les soirs des sardines, mais celles-ci avaient l'air nettement moins heureuses que celles des boîtes.

Une fois leurs achats effectués, ils s'installèrent au café et commandèrent le *latte*.

— Eh bien, Bertie, commença Irene avec entrain, comment as-tu trouvé le Dr Fairbairn ?

— Très gentil, répondit l'enfant après un court temps de réflexion. Il ne m'a pas tapé quand il m'a reproché d'avoir fait des bêtises.

Les yeux d'Irene s'élargirent.

— Mais il ne t'a pas reproché d'avoir fait des bêtises ! protesta-t-elle. Il t'a *demandé* si tu avais fait des bêtises, c'est tout. Et puis, je ne crois pas qu'il voulait vraiment dire cela.

— Alors pourquoi il l'a dit ? interrogea Bertie. Pourquoi est-ce qu'il a dit que j'avais fait des bêtises ?

Irene prit une grande inspiration. Cette conversation allait réclamer du doigté. Le Dr Fairbairn avait eu tort de parler de « bêtises », mais sans doute ne s'était-il pas encore rendu compte du niveau d'intelligence de Bertie. Les autres enfants de cet âge auraient pris la question comme une plaisanterie sans conséquence – une blague –, mais Bertie était trop sensible pour cela. N'avait-il pas pleuré en voyant un jour dans les journaux une photographie du Parlement inachevé ? Cette réaction dénotait une réelle sensibilité. « Comme c'est triste ! avait-il gémi. Ils construisent, ils construisent tout le temps, et ce n'est jamais fini. Est-ce qu'on ne pourrait pas les aider, maman ? »

Il faudrait qu'elle explique au Dr Fairbairn – avec le plus grand tact, bien sûr – que Bertie était sensible à la suggestion, contrairement à Wee Fraser, peut-être. D'après ce qu'on savait de lui, Wee Fraser n'avait pas été un enfant sensible et même quand, en fin d'analyse, son ego avait été reconstitué, il ne semblait pas avoir manifesté le moindre signe de sensibilité. Il avait cessé de mordre son entourage, bien sûr, ce qui équivalait à une approche de la vie plus sensée, mais sur les autres plans, les changements ne s'étaient sans doute pas révélés bien profonds.

— Bertie, commença-t-elle. Quand le Dr Fairbairn t'a demandé – je dis bien « t'a demandé » – si tu avais fait des bêtises, il faisait référence à la façon dont la plupart des gens auraient pu interpréter ton comportement. C'est très différent que de dire que tu as fait des bêtises. Le ton était ironique. S'il pensait vraiment que tu avais fait des bêtises, il n'aurait pas employé ces termes. Tu comprends, n'est-ce pas ?

Bertie ne répondit pas. Il avait fait des bêtises, estimait-il. Il avait écrit sur les murs de l'école maternelle. Ce ne pouvait être, fondamentalement, qu'une grosse bêtise. D'ailleurs, il avait agi sciemment. C'était bien là le problème. Et si l'on continuait à lui imposer d'apprendre l'italien et le saxophone, ainsi que cette multitude d'autres choses, il comptait bien leur montrer de quel bois il se chauffait. Il les punirait, de sorte qu'ils finiraient par arrêter. C'était ainsi que raisonnaient les adultes, les gens comme Mrs Klein, dont, au passage, il avait lu le livre. Pareil pour ce Dr Fairbairn, qui lui avait à peine adressé la parole et n'avait manifesté aucun intérêt pour sa blague : le seul moyen d'obliger ce dernier à lui accorder son attention serait un acte qui soit vraiment une grosse bêtise. Peut-être devrais-je le mordre, songea Bertie. Comme ça, il verrait que ça ne va pas et il leur dirait de laisser tomber l'italien et le saxophone. Peut-être irait-il même jusqu'à les convaincre de ne pas m'envoyer à l'école Steiner, mais plutôt à Watson, où il y a des uniformes, du rugby et des choses comme ça. Et aussi des sociétés secrètes, mais ça, ce doit être seulement une fois qu'on est sorti.

Irene regarda son fils. Il y avait là tant de promesses, un potentiel si extraordinaire ! Non, elle ne laisserait pas dérailler le projet qu'elle avait pour cet enfant. Elle s'interrompit à cette pensée : les métaphores ferroviaires n'étaient pas les bienvenues.

— Bertie, reprit-elle avec douceur. Je voudrais que tu saches que Stuart t'aime beaucoup. Il est tout à fait normal pour un garçon de se sentir un peu perdu par rapport à son père et aussi… eh bien, je suppose que l'on peut dire qu'il est naturel pour un garçon de se sentir menacé par son père. Le Dr Fairbairn t'aidera à surmonter cela. Il est là pour ça.

Bertie la dévisagea. Qu'est-ce qu'elle racontait ? Il aimait beaucoup son père et, quand il avait mis le feu au journal, cela n'avait rien à voir avec les sentiments qu'il éprouvait pour lui. Mais pourquoi ne le laissait-on pas tranquille ? Pourquoi le forçait-on à faire toutes ces choses ? Telles étaient les questions qui tourmentaient Bertie.

Irene but une gorgée de son *latte* et regarda autour d'elle. Le café était quasi désert et elle promena lentement les yeux sur les rares consommateurs présents. Elle découvrit d'abord une femme d'environ trente-cinq ans, blonde, dont les cheveux coiffés en arrière étaient retenus par un bandeau. Son expression, remarqua Irene, était celle qu'arborent les nantis blasés. Son mari devait être gérant de portefeuilles ou exercer une profession similaire. Sans doute avaient-ils deux enfants et la dame était-elle en train de tuer le temps avant d'aller les chercher à la sortie de l'école. Ces enfants lui ressemblaient trait pour trait, pensa Irene, et portaient eux aussi un bandeau (s'il s'agissait de filles). Elle sourit. Les gens étaient si prévisibles !

Son regard dériva vers la table suivante. Un jeune couple était penché sur la rubrique « Immobilier » du *Scotsman*. Irene observa leurs visages. Oui, ils étaient inquiets, estima-t-elle. Comme il devait être difficile pour eux de s'acharner ainsi à trouver un appartement sur ce marché restreint et hors de prix ! Et qu'achèteraient-ils, en fin de compte ? Un minuscule trois-pièces, vendu au prix d'une petite ferme en Australie. Irene n'avait aucune idée de ce que pouvait coûter une petite ferme en Australie, mais ce ne devait pas être bien cher. Elle avait lu quelque part que les gens finissaient parfois par céder celles-ci gratuitement pour s'en débarrasser. Jamais, au grand jamais, elle n'irait cultiver la terre en Australie, se dit-elle, frissonnant à cette seule pensée. Toute cette chaleur. Cette poussière. Et la sécheresse…

Elle tressaillit soudain. À la table suivante, un homme seul lisait le journal en tenant une petite tasse à espresso au creux de sa paume. Sur la table, devant lui, était posé un dossier débordant de documents, mais il ne prêtait attention qu'à sa lecture.

— Bertie, chuchota-t-elle. Tu vois ce monsieur, là-bas ? Celui qui lit le journal. Le reconnais-tu ? Son visage me dit quelque chose.

Bertie suivit la direction désignée.

— Oui, répondit-il aussitôt. J'ai vu sa photo dans le journal. Je sais qui c'est.

— Et qui est-ce ? s'enquit Irene.

Elle n'avait pas douté une seconde de la réponse de Bertie. C'était un enfant très observateur.

— C'est Mr Dalyell[1], dit Bertie.

66. *La question de Mr Dalyell*

Bien qu'il fût sa création, aux sens biologique et métaphorique du terme, Irene ne laissait pas de s'étonner devant les choses que Bertie savait et qu'il révélait, à l'occasion, avec un incroyable naturel. Le fait qu'il ait reconnu Tam Dalyell à partir d'une simple photographie aperçue un jour dans le journal en était un exemple type. Combien d'enfants de cinq ans, à Édimbourg ou ailleurs, auraient ainsi identifié ce redoutable homme politique ? Aucun, à n'en pas douter. Il se pouvait même que de nombreux adultes eussent été incapables de citer son nom, vu l'obsession contemporaine pour la célébrité superficielle. Les gens reconnaissaient au premier coup d'œil chanteurs de rock et actrices, catégories envers lesquelles Irene nourrissait le plus profond dégoût, mais il

1. Tam Dalyell : homme politique travailliste (né en 1932), député du Lothian Ouest pendant plus de vingt ans avant de devenir député de Linlithgow. (*N.d.T.*)

leur était quasi impossible d'identifier les personnalités qui accomplissaient des actions méritoires. Ainsi, tandis qu'ils étaient capables d'énumérer les noms de tous les comédiens et footballeurs en vogue (ou, du moins, ceux des plus beaux d'entre eux, comme Mr Grant ou Mr Beckham), on ne pouvait espérer d'eux qu'ils connussent, même de loin, les hommes et les femmes qui agissaient pour améliorer le monde. Mis à part Bertie, semblait-il : rien n'échappait à Bertie.

Irene contempla son fils avec fierté. Ces derniers jours, il lui était arrivé de douter de la pertinence du projet Bertie. Des pensées dangereusement séditieuses l'avaient traversée : peut-être eût-il été plus avisé de ne lui enseigner ni l'italien ni le saxophone. Elle s'était bel et bien interrogée à ce sujet, mais la réponse s'était très vite imposée : quel gâchis cela eût été ! Quel gâchis criminel ! Ainsi avait-elle surmonté ces tentations – des tentations de médiocrité et d'ordinaire – et persisté. Et voilà qu'à présent, tout à fait par hasard, arrivait la rétribution : son fils venait de reconnaître Mr Dalyell chez Valvona and Crolla.

— As-tu lu quelque chose sur lui, Bertie ? interrogeat-elle à voix basse, craignant que Tam Dalyell ne s'aperçoive qu'ils parlaient de lui.

Bertie, à qui l'on avait servi un *latte* saupoudré d'une généreuse dose de chocolat, but une gorgée de liquide, avant de s'attaquer à la mousse, qu'il aspira entre ses lèvres tendues.

— Ne fais pas tant de bruit ! s'indigna Irene sans réfléchir.

Elle regretta ces mots dès qu'ils eurent franchi ses lèvres. Les sons de ce genre étaient inévitables chez les enfants et il ne fallait pas les proscrire indûment. Les enfants que l'on empêchait de produire ces bruits, somme toute très humains, se défoulaient ensuite, à l'âge adulte, sur le monde qui les entourait. Irene avait lu cela quelque part et cette image l'avait impressionnée. L'oppression était la chasse gardée des anciens opprimés. Un enfant à qui l'on intimait l'ordre de se taire réduisait les autres au silence une fois devenu grand. C'était une réalité, et pourtant, il se révélait difficile de s'affranchir de ce réflexe de censure. Les enfants faisaient du bruit, ils sentaient mauvais, les garçons se montraient violents dans leur approche du monde, ils frappaient, bousculaient et cassaient tout, exactement comme les hommes ; il était si tentant de les refréner au moyen de règles strictes et de reproches…

— Je sais tout sur Mr Dalyell, affirma Bertie en léchant le résidu de chocolat sur ses lèvres. Il a posé une question célèbre[1].

Irene l'écouta sans grande attention. La politique écossaise ne comptait guère à ses yeux, même lorsqu'elle s'inscrivait dans le contexte général de la Grande-Bretagne. Certes, elle était née et avait grandi en Écosse, mais son horizon transcendait ce bagage culturel. Elle appartenait à ce secteur de la société qui, d'une certaine façon, ne se considérait pas comme localisé en un lieu particulier. Être attaché à un endroit, estimait-elle, c'était avoir l'esprit provincial et étriqué. Elle était au-dessus de cela.

Bertie jeta un nouveau coup d'œil à l'homme. Puis il sirota une autre gorgée de son *latte* et se tourna vers Irene.

— Ou alors, c'est Mr Harper, reprit-il.

— Ou alors ? répéta Irene, surprise.

— Oui, répondit Bertie, comme s'il expliquait une chose très simple à une personne qu'il jugeait inapte à saisir l'évidence. Mr Harper est le leader des écologistes. Mr Dalyell, lui, fait partie des rouges. Cet homme assis

---

1. La West Lothian Question a été soulevée par Tam Dalyell, opposant au projet de décentralisation pour l'Écosse. Il s'agissait de déterminer si les membres écossais du Parlement de Westminster, une fois la décentralisation opérée, ne voteraient plus que sur les problèmes liés à l'Écosse. (*N.d.A.*)

là-bas est soit Mr Dalyell, soit Mr Harper. C'est difficile à dire, Maman.

Irene observa le mystérieux politicien à la dérobée. Bertie avait raison : il pouvait très bien exister une forte ressemblance entre Tam Dalyell et Robin Harper et, si l'on demandait à un enfant de cinq ans ordinaire de dire lequel était qui, on ne devait pas espérer de réponse nette. Mais Bertie, bien sûr, n'avait rien d'un enfant ordinaire.

Elle en venait à présent à douter elle-même. Il était embarrassant, vraiment, de ne pas savoir si c'était à Mr Dalyell ou à Mr Harper que l'on avait affaire et, vraiment, n'était-il pas absurde de se retrouver dans une telle incertitude ? Robin Harper avait quelques années de moins que Mr Dalyell, qui était un vieux de la vieille, et l'on aurait pu croire qu'il serait simple de les distinguer sur cette base. Toutefois, Mr Dalyell ne faisait pas son âge et l'un comme l'autre présentaient une sorte de, comment dire, d'expression quelque peu énigmatique, comme s'ils connaissaient la réponse à une question importante, une réponse que nous-mêmes ignorions. Et tous deux, bien entendu, étaient des hommes de qualité, ce qui ne courait pas les rues.

Elle sourit. Le meilleur moyen d'en avoir le cœur net n'était-il pas de poser directement la question à l'intéressé ? Mais comment formuler celle-ci ? « Êtes-vous, oui ou non, Mr Dalyell ? » recelait des accents vaguement accusateurs, comme s'il y avait quelque chose de négatif à être Tam Dalyell. Ensuite, si l'on s'entendait répondre non, fallait-il poursuivre par : « Dans ce cas, êtes-vous Robin Harper ? » Cela risquait de donner l'impression qu'être Robin Harper était moins intéressant, ce qui, bien sûr, n'était pas le cas, du moins pour qui s'appelait Robin Harper. Robin Harper devait être très heureux d'être Robin Harper. En tout cas, vu de l'extérieur, il paraissait satisfait de son lot.

Bertie vint à la rescousse avec une solution de son cru.

— Je peux lui demander, Maman ? Je peux lui demander la réponse à sa question ? Si c'est Mr Dalyell, il nous la donnera.

Irene sourit.

— Bien sûr que tu peux, Bertie ! Va lui demander la réponse à cette fameuse question.

Bertie se leva aussitôt et se dirigea vers l'autre table, pour aller chuchoter quelque chose à l'oreille du politicien quelque peu surpris. Une brève conversation s'ensuivit, durant laquelle Bertie hocha la tête d'un air entendu.

— Alors ? le pressa Irene quand il fut de retour. Qui est-ce ?

— C'est Mr Dalyell, finalement, répondit Bertie. Et il m'a donné la réponse.

— Alors ?

Bertie regarda sa mère. Elle le forçait toujours à faire des choses qu'il n'avait pas envie de faire. À apprendre l'italien. À jouer du saxophone. Et voilà qu'à présent, elle voulait l'obliger à fournir la réponse à la West Lothian Question. Il convenait de la punir de nouveau.

— Je ne te le dirai pas, rétorqua-t-il. Mêle-toi de tes affaires.

67. *Le jeu avec l'électricité*

Ce soir-là, Pat rentra à l'appartement plus tard que de coutume. La galerie avait connu une animation inhabituelle et Matthew et elle avaient dû s'occuper de plusieurs clients exigeants. Lorsqu'ils avaient enfin fermé la boutique, Matthew l'avait invitée à prendre un verre au *Cumberland Bar*. Pat avait hésité : elle commençait à apprécier le jeune homme, mais estimait qu'il valait mieux maintenir entre eux des relations purement professionnelles. Elle n'entendait pas aller plus loin avec lui et ne voulait pas d'une situation équivoque. Si elle acceptait de boire un verre, il risquait d'y voir un encouragement et il deviendrait délicat pour elle de s'en sortir. Toutefois, Matthew avait-il vraiment manifesté des signes d'intérêt à son égard ? Peut-être, pensa-t-elle, mais il était difficile de mettre le doigt sur une raison précise de le penser.

Plus significative, en revanche, était sa hâte de rentrer à Scotland Street. Elle s'était aperçue que, à mesure que les heures s'écoulaient, elle pensait de plus en plus souvent à ce retour et au moment où elle reverrait Bruce. Quelques jours plus tôt, cette perspective eût provoqué chez elle une certaine irritation. Désormais, les choses avaient changé : elle avait envie de retrouver son colocataire et attendait avec impatience l'heure de regagner l'appartement. Même l'odeur de girofle du gel capillaire, qui signalait la présence masculine, lui plaisait à présent.

Elle évita de s'appesantir sur cette réflexion ; à vrai dire, elle avait du mal à s'avouer ce pouvoir d'attraction que Bruce exerçait sur elle. Je ne l'aime pas, se disait-elle. Je ne peux pas l'aimer. Il m'a déplu dès le départ. Il est imbu de lui-même. Il est persuadé que toutes les femmes ne rêvent que de tomber dans ses bras. Bref, il est... Qu'était-il, au juste, si l'on tentait de le résumer d'un adjectif ? Et pourquoi, au beau milieu de tous les défauts qu'elle lui trouvait, le mot « superbe » lui venait-il à l'esprit ?

Matthew ne manifesta aucune déception lorsqu'elle déclina sa proposition.

— Je vais au *Cumberland* de toute façon, dit-il. Accompagne-moi jusque là-bas. C'est sur ton chemin.

Ils descendirent Dundas Street côte à côte dans un silence amical. Quelques magasins étaient encore ouverts, d'autres avaient baissé leur rideau. Le silence ne gênait pas la jeune fille. Matthew faisait une compagnie agréable et bavarder n'apparaissait pas comme une nécessité. Il en eût été autrement avec Bruce, songea-t-elle. Elle ne pouvait s'imaginer demeurer silencieuse en sa présence, ce qui était sans doute mauvais signe. Il ne servait à rien de cultiver l'amitié d'une personne avec laquelle on éprouvait le besoin impérieux de meubler le silence. Et pourtant, et pourtant... l'amitié était une chose, mais Pat n'était-elle pas en train d'envisager un aspect totalement différent ? Je joue avec l'électricité, se dit-elle. Et qu'est-ce qui arrive quand on joue avec l'électricité ? On s'électrocute !

Parvenus à l'extrémité de Cumberland Street, ils se dirent au revoir et Matthew disparut dans le bar. Pat continua jusqu'à Drummond Place et s'engagea dans Scotland Street. Aussitôt, elle leva les yeux vers les fenêtres de l'appartement, espérant y découvrir de la lumière, mais l'obscurité régnait. Bruce n'était pas rentré. Elle eut un pincement au cœur.

Elle gravit l'escalier et passa devant la porte d'Irene et Stuart, avec son autocollant antinucléaire. De l'intérieur de l'appartement lui parvint le son du saxophone. Elle s'immobilisa et tendit l'oreille. Voilà plusieurs jours qu'elle n'entendait plus Bertie jouer, mais il avait visiblement repris, même si les notes qu'il produisait semblaient moins appuyées, moins énergiques qu'auparavant. Elle chercha à reconnaître le morceau : ce n'était plus *As Time Goes By*, mais cela restait familier malgré tout. *Play Misty for Me*, pensa-t-elle. La musique cessa soudain et Pat perçut des éclats de voix, un cri, peut-être. Oui, le petit garçon venait de s'écrier : « Non ! Non ! » Puis le silence s'installa, avant qu'une voix d'adulte ne s'élève – Irene, sans doute –, de nouveau suivie de : « Non ! Non ! »

Pat sourit. Elle se souvenait de la résistance qu'elle-même avait opposée aux leçons de piano et à la demi-heure de répétition quotidienne qu'on lui imposait lorsqu'elle était enfant. Tout ce travail avait payé, comme ses parents s'y attendaient, et elle était devenue une pianiste compétente. Cependant, combien de fois avait-elle eu envie de s'écrier « Non ! Non ! » elle aussi, pour protester contre les gammes et les arpèges ! Dans le cas de Bertie, ce devait être pire encore. Dominica lui avait raconté à quel point la mère du petit garçon était exigeante et Pat se sentait pleine de compassion pour cet enfant qui ployait sous la charge d'un lourd saxophone ténor presque aussi grand que lui.

Elle poursuivit son ascension et pénétra dans l'appartement. Comme prévu, elle ne décela aucun signe de Bruce. Elle alluma la lumière. Plusieurs lettres avaient été passées sous la porte. Elle les ramassa et lut les noms des destinataires. Il y en avait une pour elle, venant d'une amie partie vivre à Londres et qui avait toujours des problèmes de cœur. Toutes les autres étaient pour Bruce ; elle les déposa sur le guéridon de l'entrée.

La chambre de Bruce était ouverte, ce qui n'avait rien d'inhabituel. Le matin, le jeune homme quittait l'appartement avant elle, à la hâte parce qu'il avait tendance à se lever tard et à s'éterniser dans la salle de bains (devant le miroir, présumait Pat). Dans sa précipitation, il omettait de fermer sa porte et, si elle n'avait jamais pénétré dans sa chambre, Pat y avait plus d'une fois risqué un œil. Ce soir-là, elle décida de l'examiner de plus près.

Il était étrange d'entrer dans la chambre de Bruce sans y avoir été conviée. Elle s'arrêta sur le seuil et faillit renoncer, mais le délicieux aiguillon du risque la stimula ; elle alluma la lumière.

La pièce qui s'offrait à ses yeux était relativement simple, et mieux rangée que Pat ne s'y attendait. D'après son expérience, les garçons laissaient toujours leur intérieur se détériorer, au point que celui-ci finissait par ressembler à une porcherie. Ils empilaient leurs vêtements par terre, là où ils se déshabillaient, et les laissaient moisir. On voyait des livres éparpillés au sol, des tasses non lavées, des cassettes et de vieilles chaussures de sport à l'odeur âcre caractéristique. Pat ne trouva rien de tel dans la chambre de Bruce. Dans un angle, le lit était soigneusement recouvert d'une couette couleur miel. En face, sur un bureau collé contre le mur, trônait un ordinateur portable devant une rangée de livres bien nette et une boîte de trombones. Il y avait également une chaise, sur laquelle était posé un manteau, ainsi qu'une armoire. Un pot de gel à demi utilisé ; une faible odeur de girofle.

Pat demeura quelques instants immobile, à regarder autour d'elle. Après cette première vue d'ensemble, elle commença à noter les détails. Elle vit la photographie de l'équipe de rugby écossaise, le sac contenant des affaires de sport, le disque de la tournée des Red Hot Chili Peppers. Il ne s'agissait que de choses très ordinaires, mais qui, à sa grande surprise, l'émoustillèrent. Tout cela appartenait à Bruce et possédait ce surcroît de signification que revêtent les biens des personnes qui nous attirent. Tout ce qui est à elles prend une dimension particulière, pour la seule raison que c'est à elles. Ce sont des talismans, des rappels.

Elle éprouva un vide au creux de l'estomac, une sensation qu'elle connaissait pour l'avoir expérimentée à l'âge de seize ans, lorsqu'elle était tombée amoureuse d'un garçon du lycée. Cette période s'était révélée douloureuse et elle en était ressortie le cœur brisé. Et voilà qu'à présent, elle ressentait quelque chose d'identique, similaire aux effets d'une drogue puissante qui annihilerait toute volonté, réduirait les défenses à néant. Elle voulait l'avoir auprès d'elle. Elle voulait Bruce. L'électricité. L'électricité.

Elle s'allongea sur le lit et fixa le plafond. Le matelas était confortable, contrairement au sien, trop mou. Elle ferma les yeux. La faible odeur de girofle lui chatouilla de nouveau les narines, qui venait sans doute de l'oreiller imprégné de gel capillaire. Elle prit une profonde inspiration. Girofle. Zanzibar. Et l'électricité.

68. Boucle d'or*

*Boucle d'or**, comme Bruce l'eût sans doute appelée, dormait sur le lit, dans la petite maison, lorsque, ouvrant soudain les yeux, elle découvrit les trois ours penchés sur elle. « Qui est couché dans mon lit ? » fit une grosse voix d'ours.

— Et qui est couché dans mon lit ? s'exclama un Bruce médusé.

Pat ouvrit les yeux et aperçut non pas le plafond, dernière vision qu'elle avait eue avant de s'endormir, mais le visage de son colocataire. Elle les referma aussitôt. Pourtant, c'était bien la réalité : elle s'était allongée sur ce lit sans autorisation et il l'y avait découverte. Il affichait une expression vaguement interrogatrice, remarqua-t-elle, mais non une complète surprise : Bruce était le genre de personne, en déduisit-elle, qui s'imaginait que les femmes pouvaient prendre plaisir à se coucher dans son lit et considérer cela comme un privilège, une aubaine.

Elle se redressa d'un bond et posa les pieds par terre.

— Je suis désolée, dit-elle. Je suis entrée ici et je me suis étendue sur ton lit. J'ai dû m'endormir.

Il se mit à rire. Cela ne le dérangeait pas.

— Mais qu'est-ce que tu fichais là ?

Pat baissa les yeux. Elle se voyait mal lui raconter qu'elle était venue parce qu'elle avait envie de mieux connaître le cadre dans lequel il vivait, de s'imprégner de lui. Elle trouva une autre explication.

— Je voulais voir à quoi ressemblait ta chambre. Si elle était très différente de la mienne.

Bruce haussa les sourcils.

— Et alors ?…

— Je sais que cela peut paraître bizarre, reprit Pat. Et je suis désolée. Je ne suis pas curieuse d'habitude, pas du tout.

— Bien sûr, acquiesça Bruce en ôtant sa veste pour la poser sur une chaise. Eh bien, mets-toi à l'aise. Ne te gêne pas pour moi. Fais comme chez toi.

L'espace d'un instant, Pat crut qu'il allait se déshabiller entièrement, car il s'était éloigné en déboutonnant sa chemise. Il se contenta toutefois d'ôter celle-ci et d'en tirer une propre de l'armoire. Cela se passa si vite que la jeune fille n'eut pas le temps de se lever et de quitter la pièce. Il procédait avec des gestes naturels, mais elle se demanda si, en réalité, il ne s'agissait pas d'une savante mise en scène qui lui était destinée.

Elle lui jeta un coup d'œil très rapide, redoutant qu'il ne surprenne son regard, et remarqua la peau lisse et bronzée, presque olive, et le jeu des muscles qui se dessinaient au-dessous. Chacun des mouvements du jeune homme dégageait une confiance absolue, une parfaite aisance au sein de l'espace qu'il occupait, comme c'était le cas pour toute créature de beauté. L'image du *David* de Michel-Ange lui vint soudain à l'esprit et elle se souvint du choc qu'elle avait eu lorsque, en voyage de classe à Florence, elle était entrée dans la galerie où s'élevait la statue et n'avait pas osé regarder, tout en regardant quand même. « Souvenez-vous, mesdemoiselles, avait déclaré le professeur, souvenez-vous bien que c'est d'art qu'il s'agit ! »

Que voulait-il dire par là ? s'était-elle demandé. Que, dans la vraie vie, les jeunes gens ne seraient pas ainsi, qu'ils n'auraient pas cet air noble, ce corps de marbre, cette assurance ? Ou que l'art pouvait autoriser les regards féminins sur la virilité, mais que, dans la réalité, il ne convenait pas de faire preuve d'une telle audace ? C'était ce souvenir qui lui revenait à présent, tandis que Bruce, torse nu, marchait vers la fenêtre et se plongeait dans la contemplation de la rue. Il demeura là un moment, immobile, puis déplia la chemise propre et l'enfila. La déception envahit la jeune fille : elle eût aimé que ce spectacle s'éternisât.

— Je sors ce soir, lança-t-il avec désinvolture. Sinon, je nous aurais volontiers préparé le dîner, mais je sors.

Il se retourna vers elle et lui lança un sourire qu'elle jugea empreint de pitié. Était-ce à cause de cette lubie d'adolescente qu'elle avait eue de venir explorer sa chambre et de s'allonger sur le lit ? Ou parce qu'il comprenait la déception qu'il lui infligeait en partant passer la soirée ailleurs ?

— J'ai rencontré une fille assez intéressante, reprit-il. Elle est américaine. Je l'emmène dîner.

Pat ne répondit pas.

— Elle s'appelle Sally, compléta Bruce.

Tout en parlant, il était venu se poster devant le miroir, près de l'armoire, et se frottait le menton.

— Faut-il que je me rase pour Sally ? Qu'en penses-tu ?

— Comme tu veux, dit Pat.

— Il y a des filles qui aiment les gars mal rasés, insista Bruce d'un ton détaché en observant son reflet de plus près. Qu'est-ce que tu en penses ?

Pat se leva et gagna la porte.

— Moi, j'aime bien les deux, déclara-t-elle, luttant pour empêcher sa voix de trembler.

Bruce s'arracha au miroir et la regarda quitter la chambre.

— Désolé, murmura-t-il, juste assez fort pour qu'elle puisse l'entendre. Si je n'avais pas prévu cette sortie…

Elle s'éloigna à grands pas, bouleversée par ce qu'elle venait de vivre et par sa propre réaction. Ne sachant que faire, elle gagna la cuisine et alluma la lumière. Elle allait manger quelque chose, peut-être, ou mettre la bouilloire en marche. En tout cas, il fallait s'occuper, afin d'extraire cette scène de son esprit. Tout, lui semblait-il, tout avait changé. En quittant l'appartement, le matin, elle était quelqu'un d'autre, une femme maîtresse d'elle-même, alors qu'à présent, elle venait de tomber en esclavage. C'était aussi déroutant qu'inattendu. Et contraire à sa volonté.

Elle perçut la présence de Bruce dans le couloir, derrière elle. Elle l'entendit ouvrir la porte de la salle de bains et la refermer, écouta le bruit de ses pas sur les lattes de pin, le son de la radio qu'il allumait. Elle se sentait à la fois agitée et perdue. C'était très bien qu'il s'en aille ; ainsi, elle cesserait de penser à lui. Non, ce n'était pas bien, parce qu'elle désirait le garder auprès d'elle. Non, je ne veux pas de lui, se disait-elle. Je ne veux pas de ça. Je ne veux pas.

Sur une impulsion, elle quitta la cuisine et se dirigea vers l'entrée pour sortir la planche à repasser du placard. Elle avait quelques vêtements à repasser et, même si elle n'aimait pas cette tâche, cela lui occuperait l'esprit et l'empêcherait de trop réfléchir.

Elle pressa l'interrupteur à l'intérieur du placard. Outre la planche, celui-ci contenait le tableau, bien sûr, le Peploe ? dont elle avait la charge. Seulement, celui-ci ne s'y trouvait pas et elle tressaillit à cette constatation.

— Un problème ?

Bruce était derrière elle. L'odeur du gel capillaire qu'il venait d'appliquer signalait sa proximité.

— On m'avait confié quelque chose et je l'avais mis là, articula-t-elle d'une voix faible. Un tableau…

Bruce se mit à rire.

— Ah, ça ? Désolé, mais je m'en suis débarrassé. Je ne savais pas que c'était à toi. Je croyais…

Il s'interrompit net, sur la défensive : la jeune femme s'était retournée et posait sur lui des yeux effarés.

— Pas la peine de me regarder comme ça, reprit-il. Si tu laisses des trucs traîner dans ce placard, c'est logique. C'est la règle, dans cet appartement. Depuis toujours.

69. *Le retour à la poussière*
de la beauté humaine

Domenica ouvrit la porte de son appartement pour trouver une voisine en pleine détresse sur le seuil. Sans un mot, elle la fit entrer.

— Je pense que je n'ai pas besoin de vous poser la question, déclara-t-elle en conduisant Pat dans son bureau. C'est lui, n'est-ce pas ? C'est Bruce ?

Pat hocha la tête. Elle avait retenu ses larmes pendant que Bruce lui expliquait le sort qu'il avait réservé au tableau, mais elles déferlaient à présent en un flot cathartique. Le jeune homme ne s'était même pas excusé.

— Comment je pouvais imaginer ? avait-il dit. Il y a tellement de trucs là-dedans…

— Tu ne peux pas le récupérer ? Tu dois bien savoir où il est !

Il avait haussé les épaules.

— C'est un couple de vieux qui l'a gagné. Ramsey quelque chose, et son moulin à paroles de femme. Je ne les connais pas du tout. Désolé.

— Tu pourrais te renseigner ! avait hurlé Pat, outragée. Ce serait la moindre des choses !

Bruce avait battu en retraite en secouant l'index.

— Coléreuse ! Coléreuse !

Ce n'était pas la première fois qu'il la traitait ainsi. Cela s'était déjà produit après l'incident du gel capillaire. L'effet avait été le même : une immense colère avait envahi Pat. Toutefois, celle-ci n'avait rien ajouté. Elle se sentait trop faible, trop à fleur de peau pour faire quoi que ce fût. L'échange s'était néanmoins achevé sur une vague promesse de Bruce de demander à Todd le numéro de téléphone des Dunbarton. Quelques minutes plus tard, la jeune fille avait entendu la porte de l'appartement se refermer : il était sorti. Elle s'était assise sur son lit, la tête entre les mains. Comment annoncer la nouvelle à Matthew ? Elle allait perdre son emploi. Elle pourrait en trouver un autre, bien sûr, mais entre-temps, il lui faudrait endurer l'ignominie d'un licenciement.

Elle se sentit mieux après avoir exposé la situation à Domenica.

— Ce n'est pas la fin du monde, commenta cette dernière lorsque Pat se tut. Vous devriez pouvoir le récupérer. Après tout, les gens qui l'ont gagné n'ont aucun droit dessus. Bruce n'avait pas à le donner, ce qui signifie qu'ils ne peuvent prétendre à un quelconque droit de propriété. C'est aussi simple que cela.

Ces paroles encouragèrent Pat sans vraiment la convaincre.

— Vous en êtes sûre ?

— Certaine, assura Domenica. En réalité, Bruce vous a dérobé ce tableau. C'est un objet volé. Et un objet volé reste un objet volé.

Pat s'essuya les yeux.

— Je me sens bête, dit-elle. Venir ici vous ennuyer avec mes histoires !

Domenica posa une main sur le bras de la jeune fille.

— Ne vous en faites pas. Je suis heureuse de pouvoir vous aider. Et puis, cela arrive à tout le monde de se sentir démuni et d'avoir envie de pleurer de temps en temps.

Elle s'interrompit.

— Mais bien sûr, reprit-elle, il y a autre chose, n'est-ce pas ?

Pat releva les yeux. Domenica savait, c'était clair, mais la jeune fille n'était pas sûre de souhaiter se confier.

Domenica sourit.

— Vous l'avez dans la peau, c'est ça ?

Pat se contenta de fixer le sol sans répondre. Elle pensait à sa colère, à l'irritation que lui inspirait Bruce. Puis, soudain, l'image du jeune homme torse nu devant la fenêtre lui revint à l'esprit. Elle releva la tête. Domenica l'observait.

— Je me doutais que cela risquait d'arriver, déclara cette dernière. Que cela arriverait malgré tout. Si l'on met deux personnes ensemble et que l'une d'elles est un jeune homme comme celui-là, eh bien...

— Je ne l'aime pas, affirma Pat. Si vous saviez comment il parle...

— Oh, je sais comment est Bruce ! Vous oubliez que je suis sa voisine depuis un certain temps déjà. Je sais parfaitement quel genre de garçon il est.

— Mais alors, pourquoi est-ce que ce... Pourquoi est-ce que c'est arrivé ?

— C'est arrivé pour une simple et bonne raison, soupira Domenica. Tout être humain est sensible à la beauté. C'est une question d'esthétique.

— Alors, je ressens cela pour Bruce parce qu'il est...

Il lui fut impossible d'aller jusqu'au bout, mais le mot était là, dans l'air, entre elles.

— Précisément, répondit Domenica. Et cela n'a rien d'une nouveauté, n'est-ce pas ? On ne peut réagir autrement à la beauté, qu'elle concerne une personne ou un objet. La beauté nous intoxique, nous voulons la côtoyer, la posséder. Cela ne devrait pas nous surprendre quand cela se produit, mais il n'empêche que nous tombons souvent des nues...

« C'est vieux comme le monde, poursuivit-elle. Nous réagissons à la beauté en dépit de toutes les prétentions intellectuelles que nous pouvons avoir. Même si nous savons très bien que son appel est un chant de sirènes, cela ne nous empêche pas d'être saisis, paralysés, et de nous sentir désarmés devant elle. Face à un beau visage, n'importe qui interrompt sa route, qu'il le veuille ou non.

Pat écoutait en silence. Domenica disait vrai, bien sûr. Si Bruce n'avait pas eu un tel physique, elle lui aurait manifesté soit de l'indifférence, soit une hostilité active. Il en avait assez fait pour susciter son dégoût, sinon son inimitié, avec ses airs condescendants et ses déclarations péremptoires, et sans cette réaction esthétique, comme l'appelait Domenica, jamais il ne l'eût affectée à ce point.

Toutefois, c'était arrivé et, en cet instant encore, elle continuait de chérir cet étrange moment d'intimité partagée dans la chambre, lorsqu'il avait retiré sa chemise et qu'elle l'avait contemplé.

— Alors, reprit Domenica, vous voulez un conseil ? Ou juste de la compassion ? Choisissez !

Pat réfléchit. Elle ne s'attendait pas à une telle alternative. En venant voir Domenica, elle avait pensé que celle-ci lui prêterait une oreille amicale et se contenterait de proférer quelques remarques d'ordre général. Au lieu de cela, la voisine avait fourni ce qui apparaissait comme un diagnostic complet et proposait à présent davantage encore.

— Un conseil, je suppose...

Elle perçut dans ses propres mots une réticence qu'elle n'avait pas souhaité manifester, mais Domenica ne parut pas s'en formaliser.

— Bon, fit celle-ci. Il me semble que vous vous trouvez devant un choix très clair. Vous pouvez quitter tout de suite l'appartement et tout faire pour ne plus jamais revoir ce garçon. Ce serait propre et rapide et, j'imagine, assez douloureux. Vous pouvez aussi continuer à vivre là et vous autoriser à ressentir ce que vous ressentez, mais selon vos propres termes.

— Et qu'est-ce que cela signifierait... « selon mes propres termes » ?

Domenica se mit à rire.

— En profiter, expliqua-t-elle. Vous laisser aller à vos émotions, mais sans oublier qu'au bout du compte, ce garçon n'est pas pour vous et que vous devrez vous débarrasser de lui. Sous cet aspect-là, d'ailleurs, cette solution pourrait se révéler hautement satisfaisante.

— C'est-à-dire ?

— Vous aurez peut-être la satisfaction supplémentaire de lui donner une leçon. Il a sans doute déjà joué avec l'affection de nombreuses jeunes femmes – c'est le genre de garçon qui ne s'en prive pas. Donnez-lui une leçon. Aidez-le à atteindre une maturité morale.

— Mais si j'éprouve encore des sentiments pour lui ?

— Ce ne sera pas le cas, assura Domenica. Croyez-moi, il n'y a rien de plus fragile que la beauté humaine. Rencontrez-la, savourez-la, de toutes les façons possibles. Ensuite, regardez-la retourner à la poussière.

Immobile, Pat considérait son interlocutrice.

— Quoi qu'il en soit, reprit celle-ci en se levant, je dois aller écouter une conférence à la Portrait Gallery. Je vous suggère de m'accompagner. Cela vous changera les idées pendant une heure ou deux. En plus, il y a un cocktail juste après. Je suis sûre que l'on vous laissera entrer. Qu'en pensez-vous ?

Pat réfléchit un court instant. Elle n'avait aucune envie de retourner dans l'appartement froid et vide. Elle accepta donc et les deux femmes sortirent ensemble, dans Scotland Street et dans la nuit.

70. Une soirée avec Bruce

Bruce ne ressentait aucune culpabilité après l'incident du tableau manquant ; en revanche, l'agacement l'avait envahi. Il n'avait rien à se reprocher, estimait-il, parce qu'il avait eu toutes les raisons de croire le tableau abandonné. De toute façon, cette peinture ne valait pas un clou. Pat avait hurlé quelque chose au sujet d'un certain Peploe qui en serait l'auteur, ce dont Bruce doutait, quoiqu'il ne connût pas ce nom-là, à moins, bien sûr, qu'il ne s'agît d'un vague artiste du dimanche. Bruce s'estimait apte à voir si une œuvre possédait ou non de la valeur, et celle-ci, à l'évidence, ne coûtait même pas le prix de son encadrement, lui-même assez faible au demeurant. En bref, toute une histoire pour pas grand-chose ! Des tableaux comme celui-ci, on pouvait en trouver n'importe quel jour de la semaine dans n'importe quelle boutique de charité, paysages inutiles des Trossachs ou de St Andrews. Des œuvres dénuées d'intérêt. Toutefois, puisque la jeune fille semblait à ce point bouleversée, il pourrait peut-être – mais ce n'était qu'une éventualité – lui en racheter un dans l'un de ces magasins et le lui offrir en compensation. Mais pourquoi se donnerait-il cette peine ? Il n'avait rien fait de mal ; en définitive, la réaction de Pat était typiquement féminine. Les filles se mettent dans tous leurs états pour des choses insignifiantes, il l'avait constaté bien des fois, et il n'avait pas de temps à perdre avec ça.

Ce qui compliquait encore les choses, pensa-t-il, c'était que cette petite idiote à demi hystérique était tombée amoureuse de lui. La trouver allongée sur le lit avait confirmé les soupçons qu'il nourrissait depuis quelque temps déjà. Sa grande expérience en la matière lui permettait de savoir tout de suite quand une femme en pinçait pour lui. Cela se voyait à la façon qu'elle avait de vous regarder, avec des yeux qui refusaient de se fixer quelque part. Cela provenait de la chimie des corps, présumait-il. Les phéromones avaient pour effet d'humidifier le regard des femmes. C'était curieux, certes, mais il l'avait remarqué en de multiples occasions, quand les filles l'observaient.

Bruce ne ferait rien pour l'encourager. Avoir une histoire avec elle lui compliquerait trop la vie. Elle se montrerait possessive, il n'en doutait pas, et l'entraverait dans ses allées et venues. Il deviendrait difficile, par exemple, de faire monter d'autres filles à l'appartement, parce qu'elle serait toujours là et estimerait avoir un droit de priorité sur lui. Non, il faudrait jouer trop serré.

Bien sûr, à l'occasion, il pourrait offrir à Pat quelques instants d'excitation, comme il l'avait fait tout à l'heure en enlevant sa chemise. Elle en avait profité – il avait senti son regard sur lui – et il ne doutait pas de l'intérêt qu'elle lui avait manifesté à ce moment-là. Toutefois, il n'irait jamais plus loin. Elle pourrait admirer tout son saoul, mais ne serait pas autorisée à toucher.

Quant à Sally, cette nouvelle fille, c'était une autre affaire. Bruce l'avait rencontrée au *Cumberland Bar*, où elle était venue avec des amis à lui, et elle l'avait intéressé d'emblée. Un seul coup d'œil lui avait suffi pour reconnaître qu'elle était son type : grande, mince, vêtements décontractés, mais d'une élégance sûre. Il s'était aussitôt approché pour se présenter. Elle l'avait examiné de la tête aux pieds d'un regard appréciateur et lui avait souri. Il n'en espérait pas davantage, bien sûr.

— Yo[1] ! lui avait-il lancé.

— Ya ! avait-elle fait en guise de réponse.

Ces mots courts, mais puissants, avaient scellé leur entente. Ils avaient ensuite bavardé avec enthousiasme. Sally était américaine, elle se trouvait à Édimbourg pour un an (juste ce qu'il faut, avait pensé Bruce) et préparait un Master d'économie.

— Cool ! avait répondu Bruce, et elle avait hoché la tête.

— Ouais, cool !

À la fin de la soirée, ils avaient convenu de se retrouver le lendemain soir, de sorte que Bruce se tenait à présent au bar du *Cumberland* et guettait son arrivée. Il avait aperçu deux ou trois têtes connues, mais n'avait pas été tenté d'engager la conversation. Il était parvenu à sortir Pat de son esprit et songeait à présent à un sujet plus important : sa carrière. Il commençait à se lasser de l'expertise immobilière ; Raeburn Todd, son patron, et la firme Macaulay Holmes Richardson Black avaient perdu de leur prestige à ses yeux. Cette désillusion était née récemment et elle avait fait peu à peu son chemin, jusqu'à atteindre son point culminant avec le bal des conservateurs. Cette déprimante soirée avait donné à Bruce une vision de ce qu'il risquait de devenir s'il ne chan-

---

1. « Salut ! » (*N.d.T.*)

geait pas de cap : Todd en était l'incarnation. C'est un signal d'alarme, pensait le jeune homme. Si je reste où je suis, je finirai par parler comme lui, par me comporter comme lui. Je deviendrai un deuxième Todd, avec une femme comme Sasha et une maison dans les Braids. Non, ce n'était pas possible ; il devait exister une autre perspective.

La prise de conscience était une chose, la découverte du moyen d'éviter le piège en était une autre. Bruce avait déjà envisagé diverses possibilités, qu'il avait toutes rejetées. Beaucoup de ses amis étaient comptables ou avocats – le *Cumberland Bar* en regorgeait. Cependant, se qualifier dans l'une ou l'autre de ces professions prendrait trop de temps, et en comptabilité, les examens se révélaient une source de stress notoire. Bruce avait donc écarté ces deux options sans hésitation. Que restait-il ? La finance, mais il s'agissait d'un univers sans pitié, où régnait la concurrence et dominé par des gens dotés d'une solide formation en mathématiques. Bruce n'était pas très doué pour les chiffres, il le reconnaissait volontiers, aussi aurait-il plutôt intérêt à chercher le moyen d'exploiter ses talents en communication. Il regarda autour de lui et aussitôt, l'idée lui sauta à l'esprit : le vin. Il connaissait quelques personnes qui travaillaient dans ce domaine et, à y bien réfléchir, toutes lui ressemblaient un peu. Si ces gens-là avaient pu le faire, pourquoi pas lui ? Bruce Anderson, MV, murmura-t-il. Spécialiste des bordeaux et des vins de Californie. Il jeta un coup d'œil au miroir placé derrière le bar et se sourit. Maîtrise en vins. Ce titre serait bien plus impressionnant que celui d'expert en immobilier.

Il souriait toujours lorsque Sally fit son entrée dans le bar.

— Tu es superbe ! la complimenta-t-il.

— Toi aussi.

— *Gracias.*

En temps normal, il aurait dit *merci**, mais il s'était souvenu que la jeune fille était américaine. Or les Américains parlaient davantage l'espagnol que le français.

Il lui offrit un verre – un ballon de margaret river chardonnay – et ils discutèrent avec entrain, perchés sur les tabourets du bar. Une demi-heure plus tard, Bruce consulta sa montre.

— Tu n'as pas envie de manger quelque chose ? demanda-t-il.

Sally l'apprécia du regard.

— Si, répondit-elle. Toi.

Bruce se mit à rire.

— Cool !

71. À la Scottish National Portrait Gallery

Tandis qu'au *Cumberland Bar* Bruce et Sally s'engageaient dans leur auto-évaluation culinaire, Domenica et Pat montaient l'escalier de la Scottish National Portrait Gallery de Queen Street.

— Quel bâtiment impressionnant ! observa Domenica. Un magnifique mélange de gothique et d'art italien. C'est l'un des deux musées que je préfère au monde. Le second est le Metropolitan Museum de New York. Connaissez-vous New York ?

Pat répondit par la négative.

— Dans ce cas, poursuivit Domenica, il faut y aller à la première occasion. C'est une ville passionnante. Et le Metropolitan Museum est une véritable boîte à merveilles, avec de fascinantes collections offertes par de riches New-Yorkais qui passent leur vie à acquérir des œuvres d'art pour en faire don ensuite.

— Peut-être se sentent-ils coupables ? suggéra Pat.

Domenica n'était pas de cet avis.

— Les gens très riches ne font pas dans la culpabilité. C'est comme cela qu'on dit aujourd'hui, n'est-ce pas ?

Le président Bush lui-même a expliqué qu'il ne *faisait* pas dans la nuance. Vous ne trouvez pas ça formidable ? Le verbe « faire » devient très utile de nos jours. Moi-même, je commence à faire dans le « faire ».

Parvenues en haut des marches, elles gagnèrent une salle où étaient disposées plusieurs rangées de chaises en vue de la conférence. Il y avait déjà du monde, de sorte que les deux femmes durent s'asseoir à l'arrière. Domenica salua une ou deux connaissances d'un signe de main, puis elle s'adressa à Pat à voix basse.

— Nous avons là un phénomène intéressant, souffla-t-elle. Ce public est même *très* intéressant. Certaines des personnes présentes autour de vous brûlent de voir un jour leur portrait accroché dans ce musée. Elles viennent ici chaque fois que l'on y organise quelque chose. Elles assistent à toutes les conférences, sans exception, et elles font des dons importants, tout cela dans l'espoir d'accéder à l'immortalité. Ce qui est triste, c'est que cela ne marche jamais. Les pauvres ! Ces gens-là ne présentent pas un intérêt suffisant. Ils sont fascinants à leurs propres yeux, et peut-être aussi pour leur entourage immédiat, mais ils n'intéressent pas le public.

Domenica eut un sourire mauvais.

— Il y a quelques années, un incident très gênant s'est produit. Quelqu'un – dont je me dois de taire le nom – a fait peindre son portrait par un grand artiste et l'a offert au musée. Ce don a placé la direction dans un embarras terrible. Le tableau aurait pu se perdre, cela eût été une solution comme une autre, à mon avis. Seulement, un musée ne perd pas les tableaux – ce n'est pas sa vocation. On a donc dû expliquer au monsieur en question que sa personne n'intéressait pas suffisamment le public. Cela a été dramatique, parce que lui était convaincu du contraire !

« Voyez-vous, il existe des individus qui présentent un certain intérêt, mais assez faible, du moins tant qu'ils sont en vie. Il en sera autrement après leur disparition, mais le musée peut difficilement leur expliquer que la meilleure chose à faire pour eux est de mourir. Cela ne se dit pas. Nous traitons un peu nos poètes de la même façon, d'ailleurs. Nous nous montrons formidablement bienveillants envers eux une fois qu'ils ont quitté ce monde ! Remarquez, certains ne sont pas commodes, il faut l'avouer. MacDiarmid, par exemple, pouvait semer la pagaille autour de lui après une bouteille de Glenfiddich. Il est devenu beaucoup plus inoffensif *post-mortem*.

« À propos, je puis vous raconter l'anecdote la plus remarquable concernant MacDiarmid, poursuivit-elle. D'autant que j'ai personnellement assisté à la scène : j'ai tout vu. Connaissez-vous la bibliothèque Signet, près de St Giles ? Oui ? Eh bien, je suis allée y faire des recherches un jour, il y a plusieurs années. On m'avait autorisée à consulter certains ouvrages passionnants datant des tout débuts de l'anthropologie. J'étais assise dans un coin, absorbée dans ma lecture, et je n'avais pas remarqué que l'on avait installé des tables pour un dîner. Tout à coup, les invités ont commencé à arriver, des messieurs en tenue de soirée. Je me suis dit que rien ne m'empêchait de rester là où je me trouvais – j'étais à l'abri des regards – pour voir de quel genre de dîner il s'agissait. Vous savez comment sont les hommes : ils aiment former des comités purement masculins, qui s'inscrivent dans leurs rituels de socialisation. C'est tragique, en vérité, mais c'est comme ça, que voulez-vous ! Bref, il est apparu qu'un hôte terriblement important était attendu à cette réunion-là : le duc d'Édimbourg en personne ! Il est arrivé, effroyablement élégant dans sa tenue de soirée. Présent lui aussi, MacDiarmid, en kilt, contestataire et querelleur comme à son habitude, savourait déjà son whisky. De mon coin, je ne perdais pas une miette des conversations. Je me prenais pour une anthropologue en train d'observer un rituel, ce que j'étais bel et bien, je présume. Peu après le début du dîner, le duc s'est levé pour prononcer un discours et MacDiarmid, je regrette de devoir le dire, a commencé à le chahuter. Il était républicain, vous comprenez. Et savez-vous ce qui s'est produit alors ? Eh bien, un juge très bien bâti, Lord quelque chose, a soulevé le poète et l'a emporté hors de la salle. C'était très amusant. Le poète donnait des coups de pied dans tous les sens, mais en vain. Quant à moi, je contemplais la scène en me disant qu'il devait être possible de la considérer comme une sorte de métaphore. Seulement, je n'ai toujours pas trouvé ce qu'elle pouvait bien illustrer !

— Cet incident a vraiment eu lieu ?

Le visage de Domenica se ferma.

— Ma chère, déclara-t-elle, sachez que je n'invente jamais. Mais chut ! Voici notre conférencier, l'excellent James Holloway. Écoutons-le. Il est très doué.

Pat s'étant laissé distraire par le long monologue de Domenica, il lui fallut plusieurs minutes pour parvenir à se concentrer sur les propos de James Holloway. Comme l'avait prédit Domenica, la conférence se révéla passionnante et le temps passa vite. Après une salve d'applaudissements enthousiastes, le public se retira dans une autre pièce, où l'attendaient vin et canapés.

Domenica paraissait dans son élément. Elle répondit aux salutations de plusieurs personnes, puis attira Pat vers une fenêtre. Là se tenait un homme au teint jaunâtre et à l'allure ascétique.

— Angus, lança-t-elle à l'inconnu, cette jeune femme est ma voisine, ce qui en fait aussi la vôtre. Enfin, presque.

Elle se tourna vers Pat.

— Et ce monsieur, ma chère, est Angus Lordie, qui habite Drummond Place, juste au coin de notre rue. Vous avez dû le voir promener son chien dans les jardins de Drummond Place. C'est un chien épouvantable que vous avez, Angus. Il sent horriblement mauvais.

Angus décocha un chaleureux sourire à Pat.

— Domenica est jalouse, vous comprenez. Elle aimerait que ce soit elle que je promène dans les jardins de

Drummond Place. Seulement, je lui préfère Cyril, mon chien. Une compagnie bien plus paisible.

Pat dévisagea son interlocuteur, fascinée. Il avait trois dents en or, dont une incisive. Jamais encore, elle n'avait vu cela.

Domenica suivit le regard de la jeune fille.

— Oui, acquiesça-t-elle sans discrétion. Extraordinaire, n'est-ce pas ? Et savez-vous que son chien aussi a une dent en or ?

— Et alors ? rétorqua Angus en souriant de toutes ses dents.

72. *La difficile mission d'Angus Lordie*

Après quelques minutes d'une brillante conversation, Domenica fut sollicitée par un autre invité. Elle laissa donc Pat en compagnie d'Angus Lordie, qui la détaillait avec un intérêt évident.

— Pardonnez-moi d'être aussi direct, déclara-t-il, mais je n'ai pas le choix : il me faut vous demander qui vous êtes exactement et ce que vous faites dans la vie. Cela va beaucoup plus vite de poser ce genre de questions dès le départ, plutôt que de chercher à en découvrir peu à peu les réponses, par une série d'interrogations indirectes. Vous n'êtes pas d'accord avec moi ?

Pat répondit que si. Elle avait remarqué que beaucoup de gens arrachaient à leurs interlocuteurs les renseignements qu'ils brûlaient d'obtenir en faisant mine de s'enquérir de tout autre chose. Pourquoi demander à quelqu'un s'il avait été très occupé ces derniers temps quand, en réalité, on souhaitait savoir quelle profession il exerçait ? Mais elle, que devait-elle répondre à cet interrogatoire sans détour ? Il semblait si ridicule, si immature, d'expliquer qu'elle était en *deuxième* année sabbatique ! En outre, révéler qu'elle travaillait dans une galerie d'art revenait à peu près à avouer qu'elle était toujours à la charge de ses parents. Néanmoins, la sincérité présentait de nombreux avantages : « On peut toujours dire la vérité au moment où on se retrouve le dos au mur », avait dit un jour Bruce.

— Je travaille dans une galerie, révéla-t-elle avec toute l'assurance dont elle était capable, et je suis en deuxième année sabbatique.

Angus ne parut aucunement surpris par l'un ou l'autre de ces aveux.

— Comme c'est intéressant ! s'exclama-t-il. Je suis moi-même peintre. Je peins des portraits. Moi aussi, j'ai fait mon temps dans les galeries.

Pat l'écouta avec beaucoup d'attention. Il avait une voix chaude et aristocratique, plus profonde que l'on n'aurait pu attendre d'un homme aussi maigre. Il possédait en outre une qualité qu'elle trouvait fascinante : un accent de sincérité, comme s'il ressentait avec une intensité particulière chaque mot qu'il prononçait.

Elle l'interrogea sur son travail. Ne peignait-il que des portraits, ou faisait-il aussi autre chose ?

— Seulement des portraits, répondit-il, et son incisive en or étincelait tandis qu'il parlait. J'ai l'impression d'avoir oublié comment on s'y prend pour peindre les objets. Alors je me contente de portraits. Mais je peux faire n'importe qui.

— Et comment choisissez-vous vos sujets ?

Angus Lordie sourit.

— Je ne choisis pas. Ce n'est pas comme ça que cela se passe. Ce sont les gens qui me choisissent. Ils veulent que je peigne leurs enfants, ou leur femme ou leur mari, ou encore des notables. Quant à moi, je fais de mon mieux pour rendre mes sujets impressionnants, ou, au pire, vaguement présentables. J'essaie de discerner la personnalité de mes modèles et je vois ensuite si je parviens à la reproduire sur la toile.

— Et quels sont vos modèles préférés ?

Angus Lordie but une gorgée de vin avant de répondre.

— Ce que je peux vous dire, c'est ce que je n'aime pas beaucoup faire, répliqua-t-il : les hommes politiques. Ils se prennent trop au sérieux et se montrent terriblement arrogants pour la plupart. Il y a des exceptions, bien sûr. J'aimerais bien peindre John Swinney, parce qu'il me paraît plutôt bienveillant. David Steel aussi m'est sympathique. Hélas, personne ne m'a jamais sollicité pour faire leur portrait. Mais au fait, pourquoi ne me demandez-vous pas qui j'ai horreur de peindre par-dessus tout ?

— Eh bien ? s'exécuta Pat. De qui s'agit-il ?

— Des présidents des Églises presbytériennes, les sinistres Églises Wee Free[1], rétorqua Angus Lordie en frissonnant. Ce ne sont pas mes modèles favoris. Oh, que non !

— Pourquoi ? s'étonna la jeune fille. Qu'est-ce qui vous déplaît chez eux ?

Son interlocuteur leva les yeux au ciel.

— Ces Églises-là ont une vision très... comment dirais-je ? Une vision très étriquée du monde. La religion peut être pleine de joie et de convictions profondes, mais ces personnages-là...

Il frémit encore, avant de poursuivre :

— Il existait un mot formidable en afrikaans pour décrire le point de vue des rigides idéologues de l'Église néerlandaise réformée : *verkrampte*. C'est un mot qui dit tout : hargneux, revêche, fermé sur soi... Autant de termes que l'on croirait inventés pour parler de ces gens-là. Vêtements sombres. Sourcils froncés. Attitude désapprobatrice.

— Mais alors, pourquoi les peignez-vous ? s'enquit Pat.

— À vrai dire, ce n'est pas dans mes habitudes, expliqua Angus Lordie. Il se trouve que je viens de terminer mon premier portrait de ce genre. J'adorerais peindre un visage de bouddha rempli de sérénité ou un *monsignor*

---

1. En écossais, *wee* signifie « tout petit », ou « un tout petit peu ». Wee Free Church veut donc dire Église un tout petit peu libre. (*N.d.T.*)

catholique plein de panache, amateur des plaisirs de la table, mais non. La direction – celle de la Portrait Gallery – prépare une exposition consacrée aux personnalités religieuses. Cela s'appellera *Figures de la foi*, ou quelque chose comme ça. Et je n'ai pas été gâté par le tirage au sort : je suis tombé sur l'Église presbytérienne réformée Wee Free (discontinue).

— Quel nom ! s'esclaffa Pat.

— Oui, soupira Angus Lordie. Ces libres presbytériens ne cessent de se prendre le bec et de se scinder en groupes et sous-groupes. En réalité, la branche « discontinue » est très différente du courant principal des libres presbytériens, qui sont des gens charmants. Elle n'a plus rien de commun avec eux, ni avec les autres branches plus connues. Mais elle compte environ deux cents membres, ce qui n'est pas si mal, même s'il est censé s'agir d'une Église universelle.

Pat sourit. Cette conversation lui plaisait. Elle trouvait chez Angus Lordie quelque chose de séduisant, un côté vaguement anarchiste qui le rendait drôle.

— On m'a donc sollicité, poursuivit-il, pour faire le portrait du révérend Hector MacNichol, qui est le président de l'assemblée générale de cette branche particulière de l'Église libre presbytérienne. J'ai accepté, bien sûr, et lorsqu'il s'est présenté dans mon atelier pour la première séance de pose, je me suis aperçu qu'il incarnait, dans son physique même, l'ensemble des théories de son Église, qui pose un œil très sombre sur tout ce qui, de près ou de loin, peut paraître attrayant ou amusant. Il était là, minuscule et grincheux – vraiment tout petit, en fait –, contemplant le monde d'un regard franchement désapprobateur. Il a tout de suite repéré une bouteille de whisky ouverte dans mon atelier et il a marmonné quelques mots que je n'ai pas saisis, sans doute au sujet du péché et de l'alcool, ou peut-être sur les ferries qui fonctionnent le dimanche, je ne sais pas au juste.

— Cela n'a pas dû être facile pour vous de le peindre, commenta Pat.

Angus Lordie secoua la tête.

— Pas facile du tout. Je l'ai fait asseoir à la place du modèle et il m'a aussitôt déclaré, d'une voix très sévère, très « West Highland » : « Mr Lordie, que les choses soient bien claires entre nous : je ne saurais tolérer, quelles que soient les circonstances, que le moindre travail soit réalisé sur ce portrait le dimanche. Vous m'avez compris ? »

« Cela m'a étonné, mais j'ai fait un gros effort pour conserver mon détachement professionnel. Je suis au regret de devoir affirmer que toute cette affaire était destinée – ou prédestinée, comme diraient les libres presbytériens – à très mal tourner.

— Et ce fut le cas ? s'enquit Pat.

— Cela a été spectaculaire, assura Angus Lordie.

73. *Une fatwa de l'Église presbytérienne libre*

En observant sa nouvelle amie de vingt ans, Angus Lordie, membre du Musée d'art moderne d'Édimbourg et ancien président du Club des artistes écossais, savourait le plaisir de bavarder avec une femme jeune dans une salle qui ne comptait, par ailleurs, que des personnes d'un certain âge. Il aimait les jeunes femmes et s'estimait heureux de vivre dans une ville qui en comptait de si nombreux spécimens, tous plus délicieux les uns que les autres, même si aucune d'entre elles ne venait jamais lui faire la conversation.

— Mon petit, dit-il à Pat en lui effleurant le poignet d'un geste affectueux, c'est si gentil, si attentionné de votre part d'écouter un vieil académicien comme moi – tout juste cinquante ans, je me dois de le préciser...

— C'est que votre histoire m'intéresse ! s'exclama Pat. Ce président que vous décrivez a l'air épouvantable. Et vous étiez obligé de le peindre !

— C'est vrai, acquiesça Angus Lordie. Mais, voyez-vous, dès que j'ai commencé, j'ai eu l'impression d'être possédé. C'était comme si j'étais saisi d'une énergie qui m'était extérieure. Je n'ai pas eu la moindre difficulté à débuter. J'avais déjà le portrait en tête avant même de me mettre au travail.

« J'avais préparé une très grande toile, voyez-vous, parce que j'aime les dimensions généreuses. Mais là, en regardant ce petit bonhomme hargneux assis devant moi dans sa soutane noire, et qui m'observait d'un air de désapprobation menaçante, j'ai commencé, malgré moi, à esquisser un portrait minuscule, un portrait qui tenait dans un carré de huit centimètres de côté, au centre de l'immense toile. Il me semblait que cela s'imposait. J'avais affaire à un homme que je considérais comme étriqué, aussi me paraissait-il approprié de peindre de lui un tout petit portrait.

« Nous eûmes plusieurs séances de pose. Je ne le laissais pas regarder ce que je faisais, bien évidemment, aussi n'avait-il aucune idée de l'image qui émergeait peu à peu sur la toile : une image qui se proposait d'exprimer la mentalité malsaine et étriquée du sujet. À mes yeux, le portrait était très ressemblant. J'avais mis l'esprit de cet homme à bouillir et il en était ressorti l'équivalent d'une demi-petite cuillère de soufre.

Pat écoutait, fascinée. Elle imaginait sans peine ce qui avait dû se produire ensuite : le révérend MacNichol avait vu le tableau. Elle ne se trompait pas, comme le lui précisa Angus Lordie.

— Cela se passa au cours de la troisième séance de pose, expliqua-t-il. Je suis sorti de l'atelier pour répondre au téléphone et MacNichol en a profité pour prendre la liberté de se lever et de jeter un coup d'œil à la toile. Quand je suis revenu, il était debout, écumant de rage. Il a secoué son index sous mon nez en hurlant : « Comment osez-vous insulter ainsi un membre du clergé ? Vous êtes odieux, vous êtes un monstre ! »

« J'ai tenté de le calmer, mais il n'a rien voulu entendre. Il a pris son chapeau – un feutre souple bien trop grand pour un homme aussi minuscule –, l'a enfoncé sur ses oreilles et a quitté l'atelier d'un pas très digne. Au moment de franchir le seuil, il s'est retourné et m'a lancé : "Vous le regretterez, Mr Lordie ! Vous allez comprendre ce que c'est que de s'attirer le courroux des Frères discontinus !" Puis il est parti et je me suis assis, sous le choc, pour réfléchir à ma situation.

« Ce qui s'est produit, on me l'a rapporté plus tard, c'est qu'il a prononcé une sorte de fatwa libre presbytérienne à mon encontre. J'ai été très choqué. Je me demandais ce qu'ils allaient tenter contre moi au juste. Me passer par le fil de l'épée ? Mettre le feu à mon atelier et me faire brûler avec ? Et je n'ai toujours pas la moindre idée des implications d'une fatwa, vu que cet incident remonte à quelques jours à peine.

Pat garda le silence. De nombreuses personnes peinent à trouver des mots de réconfort à adresser à quelqu'un qui vient d'être frappé d'une fatwa, et Pat en faisait partie. Dans cette sorte de circonstance, toute parole semblait inadéquate, toute question supplémentaire dénuée de tact. Certes, l'on pouvait tenter un « Est-ce une fatwa provisoire, ou permanente ? », mais Pat, pour sa part, se contenta de secouer la tête d'un air incrédule – non pour l'histoire elle-même, bien sûr, mais devant la mentalité des individus qui prononçaient des fatwas.

Angus Lordie poussa un soupir.

— Enfin ! fit-il. Il ne faut pas se plaindre… L'art du portrait comporte ses risques, et je suppose qu'une fatwa proférée par un groupe dissident de l'Église presbytérienne en est un. Non que l'on doive s'attendre à vivre un tel événement tous les jours… Mais revenons à des sujets plus réjouissants : aimeriez-vous visiter mon atelier ? Je suis juste à l'angle de Scotland Street, sur le même trottoir que celui où habitait Sydney – Sydney Goodsir Smith[1], bien sûr. Et aussi Nigel McIsaac. Nigel était un merveilleux artiste ; il peignait de très beaux paysages baignés de lumière... Et je continue à croiser Mary McIsaac au square, de temps à autre.

Son regard dévia vers le centre de la salle, où un garçon circulait avec une bouteille de vin pour remplir les verres.

— Je n'ai aucun talent pour attirer l'œil des jeunes gens dans les cocktails, reprit-il d'un ton détaché. C'est un vrai handicap ! Peut-être pourriez-vous le faire pour moi ?

Pat se retourna et capta aussitôt l'attention du serveur, qui s'approcha et remplit le verre d'Angus Lordie. Pat, d'un naturel plutôt sobre, en demanda un demi.

Angus Lordie la considéra de nouveau. Pat trouva son regard très intense et elle eut l'impression qu'il la jaugeait, mais elle ne se sentit pas menacée pour autant. Pourquoi ? Parce que c'était un artiste qui évaluait un modèle potentiel, et non un débauché sur le retour qui louchait sur une fille ?

— Oui, dit-il, reprenant la conversation interrompue. Sydney était l'un des phares de cette ville, l'un de nos grands makars[2]. Vais-je vous paraître impoli si je vous dis que je suis sûr que vous n'avez rien lu de lui ? Non ? Eh bien, vous avez bien du plaisir en perspective. C'était un grand homme. Un très grand homme. Il adorait boire, vous comprenez, comme tous nos poètes. D'ailleurs, si le Conseil des artistes écossais avait la moindre parcelle d'imagination, il instaurerait un système de distribution gratuite de whisky pour les poètes, un peu comme la pension de la Liste civile, à laquelle

1. Importante figure du renouveau de la poésie en Écosse. Sydney Goodsir Smith (1915-1975) a choisi d'écrire ses poèmes en langue écossaise. (N.d.T.)

2. Nom donné à un groupe de poètes ou bardes créé au XVe siècle, et qui écrivaient en écossais. Dans l'Écosse moderne, le makar est le poète national écossais, désigné par le Parlement écossais. (N.d.T.)

Grieve[1] avait droit. Chaque poète recevrait quelques bouteilles par mois, à condition d'avoir produit et publié un travail acceptable, bien sûr ! Quel geste ce serait !

« Sydney affectionnait les soirées qui ne s'achevaient qu'au petit matin. Avec des discussions. De l'amitié. Des idées magnifiques qu'il lançait comme cela. Des mots merveilleux qu'il inventait. Et savez-vous qu'il avait coutume de porter un toast terriblement amusant ? Il disait : "Mort aux Français !" Il était formidablement drôle…

Pat fronça les sourcils.

— Mais pourquoi disait-il cela ?

Angus Lordie la considéra d'un air de profond étonnement.

— Mais, mon petit, il ne le pensait pas ! Grands dieux ! Croyez-vous qu'une seule des personnes ici présentes (d'un geste, il embrassa la salle, ainsi que toute la partie de la ville qui s'étendait au nord de Queen Street), croyez-vous qu'un seul d'entre nous pense vraiment ce qu'il dit ? Mon petit !

— Moi, si, assura Pat.

— Quoi ? Vous pensez tout ce que vous dites ? s'exclama Angus Lordie. Mon enfant, comme vous êtes innocente !

Il marqua un temps d'arrêt, avant d'ajouter :

— Cela vous ennuirait de poser pour moi… dans mon atelier ? Cela vous ennuirait ?

74. *Une robe de chambre d'homme*

Domenica et Pat quittèrent la réception de la Scottish National Portrait Gallery peu avant neuf heures. Malgré la faim qui la tenaillait, Pat déclina l'invitation de sa voi-

---

1. Christopher Murasy Grieve, poète écossais plus connu sous le nom de Hugh MacDiarmid. (*N.d.A.*)

sine à partager une omelette aux champignons. Elle aimait beaucoup Domenica et appréciait sa compagnie, mais en acceptant de dîner avec elle, elle ne se coucherait pas avant onze heures, car Domenica était bavarde. Elle avait une conversation variée et amusante, mais Pat se sentait émotionnellement épuisée et n'avait qu'un désir : se mettre au lit avec un sandwich, un verre de lait et un téléphone. Cela faisait longtemps qu'elle n'avait pas parlé à son père et elle savait qu'une petite conversation lui ferait du bien, comme toujours.

Elle prit congé de Domenica sur le palier.

— J'espère que vous allez mieux, lui dit celle-ci. Et n'oubliez pas mon conseil : quoi que vous fassiez, ne laissez pas ce garçon vous bouleverser. Soyez vigilante.

Pat lui sourit.

— D'accord, assura-t-elle. Je vous le promets.

— Parfait.

Sur ce mot, Domenica se pencha vers elle et lui planta un baiser sur la joue. Ses lèvres parurent sèches sur la peau de la jeune fille, qui sentit aussi une légère odeur de parfum de luxe. L'espace d'un instant, Pat demeura interloquée ; elle ne s'attendait pas à une telle intimité – si tant est que l'on pût parler d'intimité. De nos jours, tout le monde s'embrassait ainsi. Un tel baiser ne signifiait rien.

Une fois passé ce moment de flottement, elle remercia son amie pour la soirée.

— Vous avez été très gentille avec moi, lui dit-elle.

— Pas du tout, rétorqua Domenica en glissant sa clé dans la serrure. J'ai été une voisine, rien de plus. Et puis, vous êtes une jeune fille adorable.

La porte de Domenica se referma et Pat rentra chez elle. Le couloir était plongé dans l'obscurité. Elle tendait la main vers l'interrupteur lorsqu'elle arrêta son geste : un rai de lumière filtrait sous la porte de Bruce. Il est donc rentré, songea-t-elle. Finalement, sa soirée n'a pas été une grande réussite...

267

Cette pensée lui fit plaisir. Elle avait envie qu'il soit là, puisque, dans un sens, cela signifiait qu'il était avec elle. Et c'était précisément ce qu'elle souhaitait : elle le souhaitait en dépit de tous les signaux d'alarme que lui lançait la partie rationnelle de son esprit.

Elle demeura un moment immobile dans l'obscurité, se demandant que faire. Bruce et elle s'étaient séparés en assez mauvais termes ce soir-là. Le refus du jeune homme de s'excuser l'avait rendue furieuse et elle était sortie de la cuisine en claquant la porte. À présent, elle ressentait le besoin de se réconcilier avec lui. Elle lui dirait qu'elle ne lui en voulait pas et lui demanderait simplement de trouver le numéro de téléphone du couple qui avait remporté le tableau. Peut-être ne serait-il pas facile de récupérer ce dernier, et dans ce cas, l'aide de Bruce deviendrait nécessaire, mais entre-temps, elle se chargerait de tout.

Elle décida donc de frapper à sa porte. Peut-être lui proposerait-il de boire un café ensemble, ou de… De quoi ai-je envie, au juste ? s'interrogea-t-elle.

Debout devant la porte, elle frappa deux petits coups. Le silence plana quelques instants, puis la voix hésitante de Bruce s'éleva :

— Pat ?

Il y avait, dans le ton employé, dans la façon de répondre, un accent qui indiqua d'emblée à la jeune fille qu'il n'était pas seul dans la chambre. À cette pensée, l'embarras la saisit, accompagné d'une jalousie aiguë.

Horrifiée, elle recula alors, puis courut vers sa propre chambre, où elle s'enferma. Elle crut entendre la porte de Bruce s'ouvrir, mais sans en avoir la certitude. De toute façon, elle n'avait qu'un désir : ne plus rien percevoir en provenance de ce côté-là de l'appartement. Elle se jeta sur le lit, se couvrant les yeux de ses mains.

Elle resta étendue là une demi-heure, sans rien faire, les paupières closes. Elle se sentait comme paralysée par la douleur et le seul effort de soulever le téléphone et de composer le numéro de ses parents lui semblait démesuré. Elle finit toutefois par y parvenir et entendit son père à l'autre bout du fil.

— Tu vas bien ?

Il lui fallut un bon moment pour répondre.

— Oui. Ça va. Enfin, à peu près.

— Tu n'as pas l'air convaincue.

Elle se reprit, désireuse de paraître plus vaillante.

— J'ai perdu quelque chose au travail. Une chose qui m'avait été confiée.

— Dis-le-lui, répondit simplement son père.

Il avait le don de diagnostiquer les problèmes avant même qu'ils aient été exposés.

— Parles-en à ton patron. Confesse-lui la vérité.

— C'est ce que je comptais faire, assura Pat. Mais cela ne résoudra rien.

Son père marqua une pause avant de répondre :

— Il n'existe rien – je dis bien : rien – qui ne paraisse pas moins grave une fois confessé ou partagé. Essaie, tu verras. Explique demain à ton patron ce qui s'est passé. Dis la vérité, et tu t'apercevras que la terre continue de tourner. Essaie.

Elle parla encore quelques minutes à son père avant de raccrocher et se sentit mieux ensuite. Elle se leva alors et se dirigea vers la salle de bains. Elle n'avait guère envie de quitter sa chambre et il lui fallait traverser le couloir pour aller faire sa toilette. La seule idée de croiser Bruce lui était insupportable, mais elle se dit qu'il y avait peu de chances qu'il sorte de sa chambre.

Elle se rendit donc à la salle de bains. La lumière filtrait toujours sous la porte de son colocataire. « Au moins, songea-t-elle, ils ne sont pas dans le noir. » Pourtant, aucun son ne lui parvenait. « Qu'est-ce que cela signifie ? » s'interrogea-t-elle.

Parvenue dans la salle de bains, elle se posta devant le miroir pour se brosser les dents. Puis elle se nettoya le visage, avant de s'asperger à l'eau froide.

— Hallo !

Elle fit volte-face. Une grande jeune fille aux cheveux blonds méchés se tenait à la porte. Elle portait la robe de chambre de Bruce et ses cheveux étaient en désordre.

Pat la dévisagea.

— Qu'est-ce que tu veux ? lança-t-elle.

Cette brutalité n'avait pas été dans son intention, mais ce fut ainsi que la question surgit.

La nouvelle venue parut surprise.

— Rien, répondit-elle. Du moins, rien que tu puisses me donner…

Elle tourna les talons et disparut. Pat fixa le miroir. Au moins, elle avait vu son visage, ce qui lui permettrait de répondre à la question que se pose toute personne jalouse : Est-elle / il plus séduisant(e) que moi ?

Dans le cas présent, pensa-t-elle, la réponse était oui. Et il y avait aussi autre chose, un aspect supplémentaire pour lequel elle se trouvait surclassée, sans aucune chance d'avoir un jour le dessus : jamais, elle ne serait capable de porter une robe de chambre d'homme à la manière de cette fille, c'est-à-dire sans la moindre pudeur.

75. *Nouvelles d'une perte*

La tentation de remettre à plus tard le moment d'annoncer à Matthew que le Peploe ? ne se trouvait plus en sa possession était très forte, mais Pat y résista avec fermeté. Lorsque le jeune homme pénétra dans la galerie le lendemain matin, vingt minutes après elle, il eut tout juste le temps d'accrocher sa veste au porte-manteau.

Il écouta ses aveux avec attention, sans l'interrompre ni laisser filtrer la moindre émotion. Quand elle se tut, Pat baissa d'abord la tête, craignant d'affronter son regard. Elle s'y résigna cependant, pour s'apercevoir que la colère qu'elle attendait ne s'y trouvait pas.

— Ce n'est pas ta faute, commenta Matthew avec calme. Tu ne pouvais pas imaginer qu'il ferait une chose aussi inconsidérée.

Il s'interrompit, secouant la tête avec perplexité.

— Je me demande vraiment comment ce type a pu se figurer que le tableau n'appartenait à personne ! Il a bien fallu que quelqu'un l'ait mis à cet endroit !

— Il se figure beaucoup de choses, répondit Pat. Il est du genre sûr de lui.

Tout en parlant, elle se demanda soudain où se trouvait Bruce et ce qu'il faisait en cet instant. C'était la première fois qu'elle se posait une telle question.

— Il me semble que je le connais, reprit Matthew. Il fréquente le *Cumberland*, non ? Grand, avec des cheveux comme ça...

Pat hocha la tête. Bruce était grand, et ses cheveux étaient bel et bien comme ça. Mais pourquoi sentait-elle sa propre respiration s'accélérer dès qu'elle pensait à lui ?

Matthew prit place derrière son bureau et considéra la jeune fille.

— Nous allons le récupérer, assura-t-il. Comme tu viens de le dire, nous en sommes toujours propriétaires, n'est-ce pas ?

— C'est ce qu'a affirmé ma voisine, expliqua Pat. J'espère qu'elle a raison.

— Je suis sûr que oui. La seule chose à faire, c'est trouver le nom des gens qui l'ont gagné et leur demander de nous le restituer.

Pat attendit qu'il ajoute quelque chose, des critiques envers elle, peut-être, mais en vain. Il se mit à lui parler d'une série de tableaux qu'un individu leur avait apportés la veille en vue de les vendre, et auxquels ils comptaient jeter un coup d'œil dans la matinée. Ni l'un ni l'autre ne se faisaient d'illusions sur la valeur de ces œuvres. En revanche, ils entendaient passer quelques heures à rechercher dans les livres les noms de leurs auteurs. Certains, bien sûr, ne figureraient nulle part : ils auraient sombré dans l'obscurité la plus totale.

— Pourquoi est-ce que les gens tiennent tant à peindre ? interrogea Matthew, tandis qu'ils examinaient une étude de boutre arabe de la fin du XIXe.

— C'est leur façon de réagir au monde, murmura Pat en tentant de déchiffrer la signature apposée sous l'embarcation. Ils cherchent à capturer un peu de ce qu'ils voient. C'est comme prendre une photo. Pourquoi les gens prennent-ils des photos ?

Matthew avait une réponse toute prête.

— Parce qu'ils ne sont pas capables de regarder ce qu'ils ont sous les yeux et d'y penser plus de deux secondes. C'est une preuve de distraction. Ils voient, ils prennent la photo et ils passent à autre chose. Ils ne regardent pas vraiment.

Pat l'observa et remarqua que les poils de son poignet étaient aplatis contre sa peau. Elle vit aussi qu'il avait un sourcil plus court que l'autre, comme s'il l'avait rasé. Et elle nota également ses yeux, qu'elle n'avait encore jamais regardés, et les petits points gris qui ponctuaient son iris. Quant à Matthew, il s'aperçut pour sa part que Pat avait des oreilles minuscules, avec deux piercings dans l'une d'elles. Pendant un moment, personne ne parla. Chacun éprouvait de la sympathie pour son compagnon, tandis que la même conclusion – de façon tout à fait remarquable – leur venait à l'esprit : voici une personne – un « autre » – qui est très importante à ses propres yeux, et très faible, et ordinaire, et humaine, comme nous le sommes tous.

Ils travaillèrent côte à côte, examinant les tableaux avec attention. Puis Matthew se leva, s'étira et annonça :

— Il n'y a rien. Rien du tout.

Pat dut reconnaître qu'il disait vrai.

272

— Je ne vois pas comment nous pourrions vendre ça plus de… 40, 50 livres.

— Exactement, répliqua Matthew. Nous allons lui dire merci, mais non.

Il jeta un coup d'œil à sa montre. Il était trop tôt pour le café, mais il avait envie de sortir. La galerie l'oppressait tout à coup. Cette sensation passerait s'il allait retrouver ses amis chez Big Lou.

Tandis qu'il traversait la chaussée en direction du café, Pat saisit le téléphone et composa le numéro du bureau de Bruce, que celui-ci lui avait donné avec réticence lorsqu'il avait enfin accepté de lui procurer le moyen de contacter les Dunbarton. Elle écouta avec angoisse la sonnerie résonner, et quand la voix de Bruce grommela un vague « Anderson », elle faillit raccrocher. Toutefois, elle parvint à se maîtriser et demanda à son interlocuteur s'il avait obtenu le renseignement recherché.

— Oui, répondit-il. Voici le numéro.

Il marqua un temps d'arrêt.

— Je ne sais pas si ça va leur faire particulièrement plaisir, ajouta-t-il.

— Pourquoi ? protesta Pat. Ils vont bien comprendre qu'il y a eu erreur.

— Oui, s'empressa de rétorquer Bruce. Erreur de ta part.

Pat ne releva pas.

— On verra bien, dit-elle.

Bruce se mit à rire.

— D'accord, on verra. Tu as autre chose à me demander ?

Pat fut sur le point de répondre par la négative, mais, pour des raisons qui lui échappèrent, et avant qu'elle ait pu se raviser, elle lança :

— Cette fille, là… Sally… Elle te plaît ?

Le silence plana à l'autre bout du fil et Pat se sentit submergée d'embarras. C'était une question ridicule, une question qu'elle n'avait pas le droit de poser, et Bruce aurait très bien pu lui rétorquer qu'elle devait se mêler de ses affaires. Il ne le fit pas cependant, préférant interroger :

— Qu'est-ce que tu en penses ?

— Tu veux dire... qu'est-ce que je pense d'elle ?

À cette question, elle aurait pu répondre par une remarque sur la façon dont cette fille portait la robe de chambre masculine et sur le côté exhibitionniste que cela impliquait, mais elle s'entendit ajouter plutôt :

— Ou qu'est-ce que je pense que tu penses d'elle ?

— C'est ça, répondit Bruce. À ton avis, est-ce qu'elle me plaît ?

— Tu la détestes, répliqua Pat. Tu ne peux pas la supporter.

Bruce émit un sifflement dans le combiné.

— Eh bien, tu as tout faux, Patsy. Tout faux. Je veux l'épouser.

76. Réminiscences

Ni Ronnie ni Pete n'étaient encore arrivés quand Matthew entra dans le café ce matin-là. Le jeune homme s'approcha du comptoir. Occupée à mettre de l'ordre dans le réfrigérateur, Big Lou l'accueillit avec chaleur. Il n'y avait personne dans le café – Matthew était son premier client – et elle était heureuse d'avoir quelqu'un à qui parler.

Elle lui prépara un café et le lui apporta, avant de s'asseoir en face de lui dans le box.

— Les deux autres sont en retard, commença-t-elle. Remarque, cela ne me dérange pas. Ils n'ont jamais rien d'intéressant à dire... pas comme toi.

— Le problème, c'est qu'aujourd'hui, j'ai une mauvaise nouvelle, soupira Matthew d'un air sombre. Mon Peploe ?...

— Ce n'est pas un Peploe ? coupa Big Lou. Vous l'avez montré à quelqu'un ?

— C'est peut-être un Peploe, répliqua Matthew, mais il n'est plus là.

Big Lou retint son souffle. Il ne lui fallut guère de temps pour élaborer sa théorie : Pete n'avait pas perdu une miette de la conversation, le jour où ils avaient décidé de cacher le tableau dans l'appartement de Scotland Street, et il était allé le dérober là-bas. Elle était sûre qu'il était de mèche avec l'inconnu, celui qu'il avait appelé John et avait ensuite nié connaître. En ce qui la concernait, elle n'était pas femme à se laisser berner si facilement.

— Dès qu'il entre ici, je lui tords le cou ! s'indigna-t-elle. C'est ton homme, pas de doute. C'est Pete qui a pris le tableau ou, en tout cas, il est mêlé au vol.

— Non, répondit Matthew, ce n'est pas lui. C'est quelqu'un de la section sud de l'Association des conservateurs d'Édimbourg.

Interloquée, Big Lou chercha à comprendre la signification de cette étonnante affirmation, mais son compagnon lui épargna cette peine en lui relatant l'histoire de la tombola.

— Dans ce cas, ce n'est pas très grave, affirma-t-elle. Au moins, tu sais où il est… et tu en es toujours propriétaire.

Matthew hocha la tête. Personne ne semblait douter que le tableau serait récupéré et peut-être les gens avaient-ils raison. C'était une chance qu'il soit tombé entre les mains du parti conservateur, car ses membres avaient le sens de l'honneur et étaient intègres. Il se demanda ce qui serait survenu si la toile avait atterri dans une fête du parti socialiste écossais. Sans doute l'aurait-on découpée en petits morceaux et distribuée à tous les participants. Cette idée le fit sourire.

— Crois-tu que le grand art ne puisse naître que s'il y a un surplus de richesses ? demanda-t-il à Big Lou.

Celle-ci fronça les sourcils.

— Il faut du temps pour créer, répondit-elle. Si l'on est occupé à survivre, il n'en reste pas beaucoup pour se soucier d'art. Regarde Proust.

— Proust ?

— Oui. Marcel Proust a écrit un roman effroyablement long. Douze volumes, c'est ça ? En tout cas, il y en a douze dans le stock que j'ai récupéré de Canonmills. Si Proust avait dû travailler pour gagner sa croûte, il n'aurait jamais pu écrire *À la recherche du temps perdu*. Et, quand on y réfléchit, il n'aurait pas trouvé tous ces personnages dont il parle si ces gens-là avaient été obligés d'exercer un vrai métier.

Matthew la considéra, perplexe. Il n'avait jamais lu Proust. Il en connaissait toutefois une citation, à laquelle il avait parfois recours. Proust, avait-il lu quelque part, avait affirmé que les bateaux à vapeur insultaient la dignité de la distance. Matthew mentionnait parfois cette réflexion et se délectait ensuite du malaise visible de ses interlocuteurs. Un jour, il l'avait même lancée à son père, alors que celui-ci s'intéressait d'un peu trop près à l'un de ses échecs commerciaux – l'agence de voyages. Cela avait coupé court aux critiques. Proust s'était révélé fort utile en cette circonstance.

— Crois-tu que je devrais lire Proust, Lou ? interrogea-t-il.

— Ouais, répondit-elle. Si tu as du temps. Moi, j'en suis au volume cinq et j'aime bien. Combray me fait penser à Arbroath.

Matthew hocha la tête. De quoi parlait Proust ? Il décida de poser la question tout de suite : mieux valait le faire en l'absence de Pete et Ronnie.

— Oh, de plein de trucs ! assura Big Lou. En fait, il ne se passe pas grand-chose chez Proust, ou plutôt, ça prend beaucoup de temps pour arriver. Marcel écrit surtout sur des trucs qui lui en rappellent d'autres. Par exemple, quand il mange une madeleine, le goût lui fait remonter plein de souvenirs de Combray.

Matthew avala une gorgée de café. Cela lui évoquait-il des souvenirs ? Il ferma les yeux et en but une deuxième. Oui ! Oui ! Voilà qu'il se trouvait transporté dans une période de grand bonheur, quand il avait douze ans et allait chez son grand-père, dans le quartier de Morningside. Ils avaient une maison derrière le palais royal, très grande, avec un jardin. On l'avait démolie depuis longtemps pour laisser place à des immeubles aux noms ridicules, comme le Manoir du Châtelain, construits par un promoteur anglais (un imbécile qui ignorait qu'il n'existait ni châtelains ni manoirs en Écosse). Toutefois, ce n'était pas à ces bâtiments modernes qu'il pensait à présent, mais à cette maison, cette imposante bâtisse victorienne pleine de coins et de recoins, avec ses tourelles, ses volets et ses hauts plafonds.

Son grand-père était assis avec lui dans le petit salon, qui donnait sur la pelouse et sentait les capucines, et le café, et le papier humide des livres posés sur le chariot de lecture. Et Matthew écoutait le vieil homme qui essayait de parler. Une grave attaque cérébrale l'avait affecté et privé de beaucoup de mots, mais il était tout de même parvenu à chuchoter au garçon, avec une pénible lenteur, ponctuant chaque terme d'un long silence : « Ne fais jamais confiance à quelqu'un qui vient de Glasgow. »

Matthew avait regardé son grand-père, puis il avait souri, incrédule, avant de demander pourquoi il fallait se méfier des gens de Glasgow. Cette question avait suscité chez le vieil homme un regard étonné, suivi d'une nouvelle recherche de mots.

— Je ne sais plus, avait-il fini par articuler, désappointé par la perte de ce précieux savoir. Je ne sais plus…

Ensuite, Matthew avait bu par petites gorgées le café de son grand-père – un café froid et très fort, dont le goût ressemblait un peu à celui que Big Lou venait de lui servir.

— Je viens d'avoir un instant proustien, confia le jeune homme, revenant à la réalité.

— Cela arrive tout le temps, assura Big Lou. On a tous des instants proustiens. Seulement, on ne le sait pas tant qu'on n'a pas lu Proust.

77. *Au fin fond de Morningside*

Assise à son bureau de la galerie, Pat demeurait paralysée sous l'effet des paroles de Bruce. Cette fille, pensait-elle, il la connaissait à peine. Il l'avait rencontrée la veille de l'incident du placard et cela en disait long sur la rapidité avec laquelle elle avait autorisé leur relation à progresser. Quelle traînée !

Et puis, que pouvait-il bien lui trouver ? Elle était jolie, certes, mais les filles comme elle, voire plus belles, ne manquaient pas. Il suffirait à Bruce d'entrer au *Cumberland Bar* et d'y rester une vingtaine de minutes pour être assailli – oui, assailli ! – par des femmes désireuses de tisser avec lui des liens très étroits. Le seul attrait physique ne suffisait donc pas à expliquer les projets de mariage de Bruce.

Était-ce sa nationalité américaine ? Ce détail impressionnait certaines personnes, qui estimaient que les Américains formaient une nation à part, supérieure aux autres. À l'époque où ils dominaient le monde, c'étaient les Britanniques qui jouissaient de cette aura.

Peut-être n'était-il pas surprenant de voir les Américains se considérer à présent comme un peuple exceptionnel, puisqu'ils incarnaient le grand pouvoir impérial actuel : une race particulière, touchée par la grandeur. Et il existait sans doute des gens comme Bruce pour accorder crédit à cette estimation et considérer comme un privilège, voire un immense honneur, de se trouver associé à un ou une Américain(e).

Pat songeait à tout cela et son désespoir croissait de seconde en seconde. Je le déteste ! se disait-elle. Il n'est rien pour moi. Puis elle le revoyait en pensée et sentait son cœur bondir dans sa poitrine. Je veux être auprès de lui. Je veux ce garçon !

Je suis malade, conclut-elle. Il est arrivé quelque chose à mon cerveau. Souffrir de l'une de ces maladies mentales dont lui avait parlé son père psychiatre devait ressembler à cela.

— Les gens atteints de maladies psychotiques s'en rendent souvent compte, dans une certaine mesure, lui avait-il expliqué. Ils savent qu'il leur arrive quelque chose d'anormal, même si leurs hallucinations sont puissantes et très crédibles à l'instant où ils en font l'expérience.

Peut-être était-elle la proie d'un mal de ce type : elle avait été submergée par une puissante hallucination qui lui faisait croire Bruce désirable. Et tout en sachant cette croyance destructrice, elle ne parvenait pas à la chasser : cette idée exerçait toujours son pouvoir sur elle. Sans doute les drogués éprouvaient-ils la même sensation vis-à-vis de la substance dont ils étaient dépendants : ils savaient le produit nocif, mais ne pouvaient résister à la tentation. De même, s'ils s'apercevaient que leur drogue leur était inaccessible, ils devaient ressentir quelque chose de similaire à ce qui étreignait Pat en ce moment : un vide, une panique qui s'était emparée d'elle.

Le retour de Matthew lui procura une diversion bienvenue.

— J'ai appelé Mr Dunbarton ! lança-t-elle.

Matthew posa sur elle un regard rempli d'espoir.

— Alors ?

— Il a été très gentil…

Ramsey Dunbarton avait paru ravi de recevoir son appel, croyant au départ qu'elle appartenait à la direction du parti conservateur et venait s'enquérir du succès de la soirée.

— Ce fut très satisfaisant dans l'ensemble, avait-il déclaré. C'est gentil à vous de me poser la question. La participation était modeste, certes, mais cela n'a pas semblé refroidir les ardeurs des personnes présentes. Nous avions d'ailleurs certains des benjamins de notre section. Un charmant garçon, avec... avec des cheveux... Et la fille de Todd, celle qui est allée étudier à Glasgow, mais qui est maintenant de retour à Édimbourg. Ma femme l'a croisée plusieurs fois sur les courts de tennis de Colinton. Vous savez, ceux qui se trouvent un peu en retrait de Colinton Road, juste après le garage Mercedes. Non, attendez, ne serait-ce pas plutôt... juste avant ? J'ai toujours beaucoup de mal à me repérer dans cette portion de Colinton Road. J'imagine que tout dépend si l'on arrive de la ville ou si l'on vient par l'autre côté, vous savez, par la route qui monte vers Redford et l'école de Merchiston Castle.

« C'est amusant que vous mentionniez Merchiston, car j'y étais, voyez-vous, il y a fort longtemps. Nous en avons gardé des souvenirs formidables, même si, mon Dieu, c'était assez spartiate en ce temps-là, laissez-moi vous le dire ! Cela avait des allures de camp de prisonniers, mais ça ne nous gênait pas outre mesure. Je n'ai rien contre les douches communes, et il y avait même des garçons qui les appréciaient. Pourquoi pas, après tout ? Seulement, l'école a beaucoup changé depuis. Aujourd'hui, les installations sont nettement plus confortables, même si l'enseignement lui-même reste excellent. J'espère néanmoins que l'on ne gâte pas trop les élèves...

« Mon filleul, Charlie Maclean, est allé là-bas lui aussi, ainsi que ses deux frères. Charlie y a passé des années splendides, et au terme de sa scolarité, l'école a emmené tous les grands dans un camp de vacances en

Islande. Il y a eu un certain nombre de disputes là-bas, et le maître qui avait la charge des jeunes, une sorte d'adjudant ou de sergent-major, est entré dans une fureur terrible. Enfin, pour faire court, il se trouve qu'il y a eu une mutinerie, et que Charlie en était le meneur. Alors, le maître lui a dit : "Maclean, vous êtes viré !", ce à quoi Charlie a répondu : "J'ai déjà quitté l'école : vous ne pouvez pas me virer !" Sur quoi, ce personnage a hurlé : "Dans ce cas, il vous sera interdit d'adhérer à l'Association des anciens de Merchiston !" Quelle rigolade !

À ce stade, Pat était parvenue à l'interrompre et à lui exposer le véritable motif de son appel. Ramsey Dunbarton l'avait écoutée, puis était parti d'un grand éclat de rire.

— Je vous l'aurais rendu avec grand plaisir, avait-il affirmé. Malheureusement, nous l'avons déjà donné. Je suis navré. Il est parti au magasin d'œuvres caritatives pas plus tard que ce matin. Betty connaît les dames qui tiennent cette boutique ; elles sont toujours à la recherche de ce genre d'objets. Mais si vous y allez, vous ne manquerez pas de le voir et je suis persuadé qu'on vous laissera le reprendre. C'est le magasin de Morningside Road, pas très loin du Churchhill Theatre. Vous voyez où c'est ? J'ai joué Gilbert et Sullivan là-bas. *Les Gondoliers*. Connaissez-vous *Les Gondoliers* ? J'étais le duc de Plaza-Toro. J'ai d'ailleurs eu une chance effroyable d'obtenir le rôle, parce qu'il y avait cette année-là un excellent baryton qui le voulait aussi. Mais j'ai rencontré le directeur juste devant la librairie Edinburgh Bookshop et…

78. Des marches qui ont une âme

Au moment où Matthew revenait à la galerie après son café du matin, Domenica Macdonald garait sa Mercedez-Benz crème au bas de Scotland Street. Trois paires d'yeux la regardaient effectuer sa manœuvre : celles des chauffeurs de taxi qui avalaient un déjeuner frugal dans leur voiture, avant de partir pour leur prochaine course. L'un d'eux la connaissait pour avoir plusieurs fois échangé quelques mots avec elle dans la rue. Il sourit au souvenir d'une remarque pleine d'esprit qu'elle avait un jour lancée, avec humour et intelligence, quelque chose sur les pigeons et les conseillers municipaux. Il se rappelait que c'était très drôle, même s'il ne parvenait pas à se souvenir de la chute. Ni du début de l'histoire, d'ailleurs. Quel effet cela ferait-il d'être marié à une femme aussi intelligente ? se demanda-t-il. Pourrait-il l'emmener, par exemple, au bal annuel des chauffeurs de taxi, au *Royal Scot Hotel* de Glasgow Road ? Non, sans doute. Au bal des chauffeurs de taxi, les hommes parlaient golf et les femmes évoquaient les avantages des locations meublées de Tenerife. Cette dame-là n'aurait pas envie de discuter de ce genre de sujet, c'était clair. Il existait, dans la vie, deux catégories d'individus : ceux qui avaient quelque chose à dire sur Tenerife, et les autres.

Domenica immobilisa son véhicule et coupa le contact. Elle était allée se promener dans Holyrood Park – pour faire faire un peu d'exercice à la voiture, comme elle disait – et avait réfléchi tout en roulant. Que serait cette ville, s'était-elle interrogée, sans sa beauté ? Que serait-elle si elle ressemblait, par exemple – bon, il fallait bien le dire –, à *Glasgow* ? Sa population serait-elle identique à celle qui y vivait à présent – c'est-à-dire composée de personnes de goût (il n'existait nulle autre expression pour les définir, on n'avait pas le choix) ou ressemble-rait-elle à celle de Glasgow – c'est-à-dire composée d'individus qui... Elle s'interrompit. Non, c'étaient là des réflexions que l'on ne pouvait s'autoriser. Les attitudes de ce type – cette condescendance vis-à-vis de Glasgow – étaient dépassées. Du temps de sa jeunesse, l'on avait encore le droit de penser ces choses-là de Glasgow, de faire la grimace (métaphoriquement, bien sûr), mais désormais, semblait-il, plus personne ne nourrissait ces idées-là.

Édimbourg n'avait guère de traits communs avec Glasgow, certes, mais on ne considérait plus comme nécessaire de souligner leurs différences, même si, ça et là, il arrivait que nous parviennent, très faiblement, de vagues échos de cette coutume d'antan. Sa tante, par exemple, pur produit d'Édimbourg, conservait chez elle une carte de l'Écosse qu'elle avait elle-même dessinée du temps de son enfance et sur laquelle Glasgow ne figurait pas. La ville en était absente. On y voyait Dundee, on y voyait Aberdeen, mais à l'endroit où aurait dû se trouver Glasgow, il n'y avait que le vide. Et cette carte avait été annotée par le professeur de géographie, qui l'avait approuvée à l'encre rouge et avait écrit en marge : « Cette carte est vraiment excellente : bravo ! »

Pourquoi, s'interrogeait Domenica, Édimbourg est-elle si belle ? Cette question lui était venue au moment où elle prenait le virage de la route haute, contournait les éboulis volcaniques d'Arthur's Seat et découvrait la vieille ville, qui s'étendait au-dessous d'elle : le dôme de l'Old College, avec son éphèbe doré porteur de flambeau, le fouillis familier des toits de la vieille ville, les flèches effilées des multiples clochers… Une telle beauté, illuminée en cet instant précis par des rais de lumière qui perçaient les nuages, une beauté de l'ordre de celle que l'on trouvait à Sienne ou à Florence, une telle beauté provoquait une envolée de l'esprit, un suffoquement de l'âme.

Être citoyenne d'une telle cité est un privilège, pensa Domenica. La beauté de la nouvelle ville avait été créée par des individus qui croyaient à l'incarnation physique, dans la pierre, le verre ou l'ardoise, de l'ordre et de la raison, et cela avait trouvé son expression dans la régularité architecturale. Et cependant, le simple respect des proportions ne suffisait pas à l'expliquer : au cinéma, par exemple, chez les acteurs masculins, les traits réguliers – front haut, menton à fossette, sourcils symétriques – avaient quelque chose de repoussant – c'était, en tout cas, l'avis de Domenica. Les mâles parfaits de Hollywood lui donnaient la nausée. Et elle pouvait en dire autant de leurs équivalents féminins, à qui manquait en outre la partie intellectuelle. Malgré la perfection de leurs visages, ces gens-là étaient *hideux*, parce qu'ils ne possédaient généralement aucune profondeur. Si elle n'était pas sous-tendue par une certaine valeur métaphysique, la beauté de l'âme ou de la personnalité, la régularité devenait plus décevante – voire rebutante – qu'une franche absence de symétrie, qu'un désordre typiquement humain. Elle était plus décevante, pour la bonne raison qu'elle promettait des choses qui n'existaient pas. Elle aurait dû inclure l'âme, mais non : elle était creuse, factice. Ainsi, avec ses yeux larmoyants et son visage creusé de rides, Mère Teresa de Calcutta était-elle infiniment plus belle que... Que qui ? Que les icônes actuelles de la beauté féminine ? Que cette femme qui se faisait appeler Madonna ? Bien sûr que Mère Teresa était plus belle, et de loin. Seule une culture prônant un sens des valeurs inversé pouvait penser le contraire. Et cela, songeait Domenica avec tristesse, est précisément le genre de culture que nous sommes devenus.

Mais que dire de cette jeune fille, Pat, sa nouvelle voisine, que Domenica commençait à bien connaître ? Elle possédait des traits harmonieux, un visage que l'on pouvait tout juste qualifier d'assez joli, et pourtant, elle était beaucoup plus belle que certaines filles plus séduisantes au premier abord. C'est que Pat avait du caractère, la profondeur d'une personnalité morale dont les filles à la beauté plus franche étaient presque toutes dépourvues. Et Bruce ? Domenica l'avait elle-même qualifié de « beau » au cours de sa récente conversation avec Pat, mais était-ce la stricte vérité ? Derrière ses traits de dieu grec, ce garçon possédait-il quelque chose de vraiment consistant ? C'était difficile à dire. Il n'était pas creux, il était irritant. Donc, il avait au moins quelque chose.

Domenica sortit de sa voiture et remonta le trottoir en direction du numéro 44. Il était temps d'abandonner ces réflexions sur la beauté, décida-t-elle, car elle devait réfléchir au déjeuner. Il y avait de la mozzarella au réfrigérateur, ce qui irait très bien avec des tomates. Toutefois, restait-il du basilic ? Non, sans doute, mais après tout, ce n'était pas essentiel. Il existait des gens qui passaient toute leur existence sans basilic. Certains n'en avaient même jamais entendu parler. Domenica sourit à cette pensée, qu'elle trouva absurde et estima digne de la plume de Barbara Pym.

Elle poussa la porte cochère et entreprit de gravir les marches de pierre. Certaines étaient très usées en leur milieu, ce qui rendait l'escalier irrégulier. Cela importait peu, bien sûr, puisque ces marches restaient belles malgré tout. Et pourquoi les trouvait-on belles ?

Parce qu'elles avaient du caractère. Ces marches avaient une âme. Encore du Barbara Pym. Il faudrait faire attention.

79. Rencontre dans l'escalier

Domenica venait de parvenir à l'étage de Stuart et Irene lorsque la porte de leur appartement s'ouvrit sur Irene, qui sortait avec Bertie. Les deux femmes eurent un mouvement de surprise, bien qu'il n'y eût aucune raison réelle de s'étonner. Les portes donnaient sur l'escalier, que les habitants de l'immeuble employaient plusieurs fois par jour, aussi était-il inévitable qu'elles s'ouvrent parfois au moment précis où quelqu'un passait devant. Toutefois, pour une raison étrange, un tel phénomène se produisait rarement et Domenica jouissait soudain d'un point de vue sur un intérieur qu'il ne lui avait pas encore été donné d'apercevoir. Jamais Irene ne l'avait invitée à entrer, parce qu'elle ne l'aimait guère, tout comme son mari et elle-même n'avaient jamais été conviés à une sherry party chez Domenica. Les quelques contacts qui s'étaient établis entre les deux femmes l'avaient été soit dehors, dans la rue, soit au pied des marches. Elles s'étaient contentées de brefs échanges courtois, s'appliquant l'une comme l'autre à masquer la profondeur de leur antipathie mutuelle.

Pendant quelques instants, toutes deux restèrent sans voix, bouche entrouverte. Irene se tenait sur le seuil de son appartement, Bertie à ses côtés, tandis que Domenica avait un pied sur le coin du paillasson, juste devant elle.

Ce fut cette dernière qui brisa le silence.

— C'est une journée idéale pour une promenade. Je reviens justement de Holyrood Park et la ville est superbe.

Tout en parlant, elle profita de l'occasion pour jeter un coup d'œil dans l'appartement. Elle remarqua un bocal d'herbe de papyrus sur la table de l'entrée – curieux, pensa-t-elle – et un immense poster encadré de Fernand Léger sur le mur. Plus curieux encore. Pourquoi Fernand Léger ?

Recouvrant ses esprits, Irene remarqua le regard de Domenica et fit un pas de côté pour lui obstruer la vue. Quel toupet ! songea-t-elle. On reconnaissait bien là l'arrogance de cette femme ! De quel droit examinait-elle ainsi le vestibule ? Et dans quel but ? En vue d'un jugement socio-économique, sans doute. Une manie à laquelle ne résistaient pas les Édimbourgeois dans son genre. Et puis, comment osait-elle sillonner la ville au volant de sa voiture, cet énorme engin de fabrication allemande, dévoreur d'essence et destiné à en mettre plein la vue ?

— Je suppose que vous y êtes allée à pied, s'empressa de répondre Irene. On ne prend pas sa voiture pour se rendre à Holyrood Park en cette saison, n'est-ce pas ?

Ce n'était qu'une salve pour ouvrir les hostilités ; après une première attaque comme celle-là, une guerre totale avait toutes les chances d'éclater.

— Oh, détrompez-vous ! répliqua Domenica d'un ton léger. J'étais en voiture. Au volant de ma Mercedes. C'était formidable ! Tu as déjà vu ma belle voiture, n'est-ce pas, Bertie ? Celle couleur crème ? Cela te ferait plaisir de faire un tour à bord, un de ces jours ?

Les yeux de l'enfant brillèrent.

— Oh oui, Mrs Macdonald, j'aimerais bien ! s'écria-t-il.

Irene eut un haut-le-corps.

— Je regrette, Bertie, intervint-elle, mais on ne fait pas comme cela des tours dans les voitures des gens !

Elle baissa la voix pour poursuivre, ce qui n'empêcha pas Domenica de distinguer ses paroles.

— Et puis, tu sais, il ne faut pas dire Mrs Macdonald, mais Miss Macdonald.

Domenica se fendit d'un sourire glacial.

— En fait, dit-elle, cela ne me dérange pas que Bertie m'appelle Mrs Macdonald. Pas du tout. Car j'ai été mariée, voyez-vous, il y a de cela un certain temps. Pour être précis néanmoins, il faudrait plutôt m'appeler Mrs Varghese. J'ai repris mon nom de jeune fille, même si je ne suis pas, à proprement parler, une vraie jeune fille.

Irene affecta un intérêt poli.

— Mrs Varghese ? Quel nom exotique !

— Oui, répondit Domenica. Peut-être devrais-je le reprendre… Vous ne connaissez sans doute pas l'Inde, mais ce patronyme provient du sud du pays, du Kerala, très exactement.

Elle se tourna alors vers le petit garçon.

— Et pourquoi ne sommes-nous pas en classe aujourd'hui, Bertie ? Ce sont les vacances ?

— J'ai été renvoyé, expliqua Bertie. Je n'ai pas le droit d'y retourner.

Domenica haussa un sourcil. Elle considéra Irene qui, après avoir foudroyé son fils du regard, s'apprêta à prendre la parole. Domenica ne lui en laissa pas le temps.

— Renvoyé ? répéta-t-elle.

C'était délicieux. Le cher petit Mozartino expulsé de son école !

— Tu as fait des bêtises, alors ?

— Oui, répondit l'enfant. J'ai écrit sur les murs.

— Oh, mon Dieu ! s'exclama Domenica. Je suis navrée d'entendre cela ! Mais je suis sûre que tu regrettes.

Irene, désormais très agitée, allait intervenir. Cette fois, ce fut Bertie qui l'en empêcha.

— Et maintenant, je suis en psychothérapie, annonça-t-il. C'est là qu'on va, justement. On va voir le Dr Fairbairn. Il me fait raconter mes rêves. Il me pose plein de questions.

— En psychothérapie ! répéta encore Domenica, incrédule.

— Ça suffit maintenant, Bertie ! lança Irene, ajoutant, à l'intention de sa voisine : Ce n'est pas bien méchant. Nous avons rencontré quelques petites difficultés avec une enseignante de l'école maternelle qui avait l'esprit un peu étriqué. Disons qu'elle manquait d'imagination. Si bien qu'à présent, nous offrons à Bertie une phase de développement personnel.

— Une psychothérapie, reprit l'enfant, les yeux au sol. Et j'ai fait brûler le *Guardian* de papa…

Il marqua un léger temps d'arrêt, releva la tête vers Domenica et précisa :

— … pendant qu'il était en train de le lire !

— Le *Guardian* ! s'exclama Domenica. Combien de fois ai-je été tentée de faire la même chose ! Croyez-vous que j'aie moi aussi besoin d'une psychothérapie ?

— Nous devons vraiment y aller maintenant, déclara Irene en poussant son fils vers l'escalier. Il faut nous excuser, Mrs Macdonald, mais nous allons à pied au rendez-vous de Bertie. Nous ne roulons jamais en ville, voyez-vous.

— Je crois que notre voiture est perdue, commenta Bertie. Papa l'a garée quelque part un jour où il avait trop bu et il a oublié où il l'a mise.

— Bertie ! s'indigna Irene en lui saisissant le bras. Il ne faut pas dire des choses comme ça ! Vilain garçon, va ! Je suis désolée, poursuivit-elle en se tournant vers Domenica. Il dit n'importe quoi. Je ne sais pas ce qui lui prend. Jamais Stuart ne conduirait en état d'ébriété. Bertie a beaucoup d'imagination !

— Eh bien alors, où est-ce qu'elle est ? interrogea le garçon. Où est-ce qu'elle est, notre voiture, Maman ? Dis-le-moi !

Domenica posa sur l'intéressée un regard poli, comme si elle attendait une réponse.

— Elle est garée, assura Irene. Elle est garée quelque part, dans un endroit sûr. Nous n'en avons pas souvent besoin, puisqu'il se trouve que nous possédons le sens de nos responsabilités vis-à-vis de l'environnement. Certaines personnes... certaines personnes peuvent se comporter différemment, c'est leur choix, mais pas nous. Ce n'est pas plus compliqué que cela.

— Bien sûr, fit remarquer Domenica, si vous l'avez perdue, elle doit se trouver à la fourrière. C'est là-bas que l'on emporte les véhicules irresponsables.

— Notre voiture n'est pas irresponsable ! s'écria Irene, outrée. C'est une petite voiture.

— Facile à perdre, donc.

— Elle n'est pas perdue ! rétorqua Irene en détachant chaque syllabe. À présent, on y va, Bertie. Il ne faut pas faire attendre le Dr Fairbairn.

— Je m'en fiche pas mal, de faire attendre le Dr Fairbairn, répliqua Bertie en passant devant la voisine, poussé par sa mère. C'est toi qui as envie de le voir, Maman. C'est toi qui aimes bien t'asseoir dans son bureau et bavarder avec lui. Je le sais. Tu l'aimes, hein ? Tu l'aimes même plus que Papa. C'est pas vrai, Maman ? C'est pas vrai que tu l'aimes plus que Papa ?

80. Indécision masculine, doutes existentiels, hommes nouveaux, etc.

Matthew appela un taxi pendant que Pat écrivait sur une feuille de papier que la galerie serait fermée pendant une heure.

— Cela ne nous prendra pas plus de temps, affirma le jeune homme. On file à Morningside Road, on rachète le tableau et on revient.

— On le rachète ? s'étonna Pat. N'est-il pas toujours à nous ?

Matthew considéra le plafond.

— Il est peut-être à nous techniquement, mais il sera plus simple de payer la somme qu'ils en demandent. Ce ne sera pas bien cher, de toute façon.

Pat n'en était pas si sûre. Les choses ne se passeraient peut-être pas aussi simplement que l'imaginait son compagnon. Elle avait entendu dire que les boutiques de charité se montraient plus rusées qu'on ne le croyait et que l'époque où l'on pouvait y faire des affaires, y dénicher des objets d'art ignorés ou de premières éditions rares, était révolue.

— Parfois, ces magasins font expertiser ce qui leur paraît intéressant, souligna-t-elle. Les livres, par exemple. Ils font examiner tout ce qui semble pouvoir avoir de la valeur, pour le cas où. Les premières éditions, tu vois… Il en existe de très précieuses et les responsables de ces magasins le savent.

Matthew sourit.

— Mais pas les dames de Morningside, affirma-t-il. Cette boutique doit être truffée de dames de Morningside. Tu verras, elles ne connaissent rien à l'art.

Comme toi, pensa Pat, qui se garda toutefois de le dire à haute voix. Et elle n'était pas aussi convaincue que lui en ce qui concernait les dames de Morningside, qui avaient, à en croire sa propre expérience, l'esprit plus fin qu'on ne l'imaginait. En outre, Peploe était exactement le genre de peintre dont ces dames devaient avoir entendu parler. Peploe et Cadell. Si elles n'appréciaient certainement pas Hockney (« Il peint des sujets très peu convenables », devaient-elles estimer), il y avait fort à parier, en revanche, qu'elles adoraient Peploe (« Quelles ravissantes collines ! Et quelles couleurs superbes ont ces fleurs ! Ce rouge si rouge ! ») et Cadell (« On portait de si beaux chapeaux à l'époque ! Regardez-moi ces plumes ! »).

Se retrouvant avec un Peploe ? entre les mains, elles avaient très bien pu décider de le mettre de côté en vue d'une expertise. Dans ce cas, il deviendrait impossible de le récupérer. Il faudrait prendre un avocat et aller peut-être jusqu'au procès. La procédure s'éterniserait et Pat se demandait si Matthew aurait les tripes pour tenir jusqu'au jugement. Enfin, même s'il s'acharnait, l'on pourrait très bien découvrir, au bout du compte, que le tableau n'était pas un Peploe ; ils auraient alors gaspillé beaucoup de temps et d'argent pour rien. Non que Matthew eût grand-chose à faire de son temps, bien sûr. Sa journée, à ce qu'elle en voyait, se résumait à boire du café, à lire le journal et à accomplir une ou deux tâches insignifiantes qu'il pourrait faire en dix minutes s'il y mettait toute sa concentration.

À quoi cela ressemblerait-il d'être Matthew ? Cette question intéressait Pat, qui se demandait souvent comment ce serait d'être quelqu'un d'autre, même si elle doutait de bien savoir ce que c'était que d'être elle-même. Il s'agissait là, bien sûr, d'une chose un peu floue quand on avait vingt ans, un âge où l'on ignore encore qui l'on est. Être Matthew devait avoir des côtés assez ennuyeux. Le garçon semblait ne croire en rien, ne posséder aucune ambition réelle. Jamais il n'éprouvait non plus de déception ni de sentiment de perte : son existence était *plate*…

Matthew ne paraissait pas non plus avoir de femme dans sa vie. D'après ce que savait Pat, il passait ses soirées en compagnie d'un groupe d'amis qu'elle avait un jour aperçu au *Cumberland* et qui se composait de deux filles à peine plus âgées qu'elle et de trois garçons. Matthew les appelait « la bande » et apparemment, ils ne se quittaient pas. La bande allait dîner ; la bande allait au cinéma ; la bande partait parfois faire la fête à Glasgow le week-end (« Une fille de la bande vient de là-bas, tu comprends », avait-il expliqué à Pat). Ainsi se déroulait l'existence de Matthew, d'après ce que la jeune fille avait pu en reconstituer.

Le taxi arriva et ils se mirent en route pour Morningside Road.

— Le Saint Carrefour ! lança Matthew au moment où ils traversaient la fameuse intersection aux quatre églises.

— Oui, acquiesça Pat. Le Saint Carrefour.

Elle en resta là, ne voyant guère ce qu'elle pouvait ajouter.

Puis ils passèrent devant le Churchhill Theatre, scène du triomphe de Ramsey Dunbarton dans *Les Gondoliers*, dans le rôle du duc de Plaza-Toro, bien des années plus tôt.

— Le Churchhill Theatre, commenta Matthew.

Cette fois-ci, Pat ne dit rien. Il n'y avait aucun intérêt à nier l'évidence, et fort peu à la confirmer. Bien sûr, si elle avait ignoré qu'il s'agissait du Churchhill Theatre, elle aurait pu exprimer de la surprise, ou encore un certain intérêt. Toutefois, Pat savait.

Le taxi gravit la colline et ils découvrirent Morningside Road qui descendait à pic devant eux. Au bout de la rue, au-delà des maisons bien alignées, l'on apercevait les collines de Pentland couronnées de nuages bas. Une image qui rappelait que la ville possédait son arrière-pays, fait de collines douces et de champs fertiles, de vieux villages miniers, de lochs et de ruisseaux. Pat tourna la tête et s'aperçut que Matthew fixait ses mains. Elle comprit qu'il était anxieux.

— Ne t'inquiète pas, dit-elle. On va le récupérer, ton tableau.

Il la regarda et lui sourit faiblement.

— Je suis un raté, murmura-t-il. Un vrai. Dès que je touche à quelque chose, cela tourne mal. Et maintenant, ce truc... Une seule peinture présente un intérêt dans la galerie et il faut qu'elle se retrouve dans une boutique de bonnes œuvres de Morningside ! J'imagine bien la réaction de mon père s'il apprenait ça : il se tordrait de rire...

Pat lui prit la main.

— Non, tu n'es pas un raté, assura-t-elle. Tu es quelqu'un de gentil, d'attentionné, tu es...

Le chauffeur de taxi les observait. Il avait entendu les paroles de Matthew et il assistait à présent aux tentatives de Pat pour le réconforter. À ses yeux, cette scène ne présentait rien d'exceptionnel. Par les temps qui couraient, les hommes étaient en piteux état ; enfin, presque tous. C'étaient les femmes qui les avaient déstabilisés, leur avaient ôté leurs certitudes, avaient miné leur confiance en eux. Et maintenant qu'ils s'effondraient, elles s'efforçaient de ramasser les morceaux. Le problème, c'est qu'il était trop tard. Le mal était fait.

Le chauffeur de taxi soupira. Rien de tout cela ne le concernait, bien sûr. Lui, il allait à son club de golf deux ou trois fois par semaine et là, il se sentait en sécurité, car on n'y croisait aucune femme. C'était un refuge. Moi, je ne suis pas un homme nouveau, se dit-il, contrairement à cette mauviette qui est à l'arrière. Grands dieux, mais regardez-le ! Regardez cette femmelette !

81. *Les dames de Morningside*

— Regarde, chuchota Matthew, debout devant la vitrine. Les voilà. Voilà les dames de Morningside.

Pat jeta un coup d'œil par la large baie vitrée. Il y avait trois femmes dans la boutique : l'une se tenait derrière le comptoir, la deuxième mettait de l'ordre dans une penderie et la dernière disposait des livres sur une étagère.

Puis la jeune fille examina le contenu de la vitrine : un chien en porcelaine[1], privé de son jumeau, et donc solitaire ; un bougeoir indien en cuivre, en forme de cobra dressé, plusieurs objets en fausse porcelaine de Wemyss, un calendrier *Oor Wullie* de 1972, et enfin, un tableau, mais pas le Peploe ?. Pourtant, le thème de la peinture présentait une étrange similitude avec celui de la toile qu'ils recherchaient : un rivage, avec des collines en second plan. Pat poussa Matthew du coude.

— Regarde ça, souffla-t-elle en désignant le tableau.

— Ce n'est pas le nôtre, répondit sombrement le jeune homme.

— Je sais, mais il lui ressemble drôlement.

— Tout le monde peint Mull vu de Iona. Des paysages comme celui-ci, il y en a des centaines. À Édimbourg, presque toutes les maisons en possèdent un.

— Et à Mull ? s'enquit Pat.

— À Mull, ils ont des tableaux d'Édimbourg, répliqua Matthew. Ce qui est assez touchant, d'ailleurs.

1. Wally dug : objet de décoration typique d'Édimbourg. Ces chiens vont toujours par deux et sont identiques. (*N.d.T.*)

294

Ils demeurèrent encore un petit moment à l'extérieur, puis le jeune homme fit signe qu'il était temps d'entrer. Quand il poussa la porte, une clochette retentit dans le fond du magasin et les trois femmes se retournèrent d'un seul mouvement pour les regarder. Celle qui s'occupait des livres abandonna sa tâche et vint à leur rencontre.

— Cherchez-vous quelque chose en particulier ? interrogea-t-elle d'un ton aimable. Nous venons juste de recevoir un lot de vêtements et il y a de très jolies choses. Si cela vous intéresse, vous pouvez avoir la primeur…

Pat se tourna vers les vêtements suspendus. Qui pourrait porter des trucs pareils ? songea-t-elle, tandis que son œil était attiré par une veste de daim à franges marron. Quant à Matthew, qui regardait dans la même direction et venait de remarquer une cravate rouge sang, il fut parcouru d'un frisson involontaire.

La femme remarqua leur réaction.

— Bien sûr, s'empressa-t-elle de commenter, ils ne sont pas du goût de tout le monde, mais les étudiants et les gens comme ça trouvent souvent des choses qui leur plaisent.

Pat fut prompte à la rassurer.

— Oh, bien sûr ! s'exclama-t-elle. J'ai une amie qui ne s'habille que dans des magasins comme le vôtre. Elle ne jure que par eux.

La femme hocha la tête.

— Et toutes nos recettes sont dédiées à une bonne cause. Chaque penny que nous gagnons dans cette boutique est bien employé, vous pouvez en être sûrs.

Matthew s'éclaircit la voix.

— Nous cherchons un tableau, commença-t-il. Nous nous demandions…

— Ah, nous en avons plusieurs en ce moment, l'interrompit la dame avec vivacité. Nous pouvons certainement vous en trouver un.

— En fait, c'est un tableau bien particulier, précisa Matthew. Vous comprenez, il s'agit d'une histoire un peu compliquée. Un tableau qui m'appartenait a été donné par inadvertance à la section sud de l'Association des conservateurs d'Édimbourg. Ensuite, malheureusement...

Son interlocutrice fronça les sourcils.

— Mais comment peut-on donner un tableau aux conservateurs par inadvertance ? coupa-t-elle. Soit on sait qu'on est en train de donner un tableau aux de l'Association des conservateurs, soit on ne le donne pas.

Matthew se mit à rire.

— Bien sûr. Mais vous comprenez, dans notre cas, le tableau a été donné par une personne qui n'avait pas le droit de le faire. Cette personne l'a volé, en réalité... enfin, volé par inadvertance.

La dame pinça les lèvres et jeta un coup d'œil à Pat, comme pour obtenir confirmation que le jeune homme avec qui elle venait d'entrer dans le magasin ne tournait pas très rond.

Pat réagit aussitôt.

— Ce que tente d'expliquer mon ami, c'est que quelqu'un a pris le tableau en croyant qu'il n'appartenait à personne et l'a offert comme prix de tombola au bal des conservateurs, qui était organisé au *Braid Hills Hotel*.

La mention du *Braid Hills Hotel* parut rassurer son interlocutrice. L'établissement représentait un point de repère familier dans la carte du monde des dames de Morningside : tel un mot de passe prononcé en préambule à une sorte d'obscur test social, ce nom traduisait une respectabilité, un socle commun.

— Le *Braid Hills Hotel* ? répéta-t-elle. Je vois... Bien, c'est tout à fait clair. Mais quel rapport cela a-t-il avec nous ?

Pat lui répéta l'essentiel de la conversation qu'elle avait eue avec Ramsey Dunbarton. À la mention de ce dernier nom, la femme sourit. Tout s'éclairait.

— Mais bien sûr ! s'exclama-t-elle. Ramsey est venu lui-même ce matin. Quel homme adorable ! Savez-vous qu'il a joué un jour le duc de Plaza-Toro dans *Les Gondoliers* ? Et…

— Et ? lança Matthew.

— Et il a également eu des rôles dans plusieurs autres opérettes. À une certaine époque, il…

— Vous a-t-il apporté un tableau ? l'interrompit Pat.

La femme sourit.

— Oui, et…

Elle se tut soudain, posant un regard hésitant sur Matthew.

— Et nous l'avons vendu presque aussitôt, enchaîna-t-elle. Je l'ai mis en vitrine et quelques minutes plus tard à peine, quelqu'un est entré et nous l'a acheté. J'ai servi moi-même ce monsieur. Dès qu'il est entré, il est venu vers moi et m'a demandé : « Ce tableau, dans la vitrine… combien coûte-t-il ? » Je lui ai donné le prix, il a payé et l'a emporté. Je suis absolument navrée… Vraiment ! Mais, vous comprenez, je ne pouvais pas savoir que ce tableau vous appartenait. J'ai pensé que Ramsay Dunbarton était parfaitement en droit de nous le donner à vendre. Et bien entendu, *nemo dat quod non habet*[1]. Peut-être que si vous lui expliquez le problème, il…

Pat jeta un coup d'œil à Matthew, qui avait émis un gémissement rauque.

— Et vous ne sauriez pas qui l'a acheté, par hasard ?

La réponse allait de soi, bien sûr, mais la jeune fille se devait de poser la question. Peut-être l'acheteur avait-il laissé un chèque, ce qui leur permettrait de connaître son nom et son adresse. Il pouvait aussi avoir prononcé des paroles susceptibles de les aider à l'identifier. On ne savait jamais.

La femme fronça les sourcils.

1. « Nul ne peut donner ce qu'il ne possède pas. » (*N.d.T.*)

— Je ne le connais pas à proprement parler, répondit-elle. Mais j'ai eu l'impression que son visage ne m'était pas inconnu, si vous voyez ce que je veux dire. Il me semblait l'avoir déjà vu quelque part.

— Dans la boutique ? s'enquit Pat. Peut-être les autres dames le connaissent-elles ?

La vendeuse se tourna vers sa première collègue qui, postée derrière le comptoir, additionnait les chiffres d'une colonne.

— Priscilla ? Ce tableau que nous avons vendu ce matin à cet homme qui ne manquait pas d'allure… Celui qui ne s'était pas encore tout à fait rasé… Vous voyez de qui je veux parler ?

Priscilla releva les yeux de sa tâche. C'était une dame d'un certain âge, vêtue d'une veste de tweed et portant une double rangée de perles autour du cou. Elle avait l'air distrait d'une personne un peu perdue. Lorsqu'elle prit la parole, ce fut avec l'accent typique de Morningside.

— Oh, mon Dieu ! dit-elle. J'ai son nom sur le bout de la langue ! C'est ce monsieur charmant qui écrit des histoires dont le personnage est un certain Mr Rebus. C'est lui. Mais comment s'appelle-t-il, déjà ? Oh là là, ma mémoire est une véritable passoire en ce moment !

Matthew avait tressailli.

— Ian Rankin ? s'enquit-il.

— C'est cela, acquiesça Priscilla. Personnellement, je ne lis pas ses livres – ils sont un peu trop *noirs** à mon goût –, mais je suppose que les personnes plus courageuses que moi les apprécient. Toutefois, *de gustibus non disputandum est*[1], il ne faut pas l'oublier, et croyez-moi, je ne l'oublie pas ! Comment pourrait-on survivre, de nos jours, sans se répéter encore et encore cet adage ? Dites-le-moi…

1. « Des goûts et des couleurs, on ne discute pas. » (*N.d.T.*)

82. *En allant chez Mr Rankin*

Ian Rankin ! Cette révélation prit Pat et Matthew au dépourvu, mais au moins, ils savaient à présent où était le tableau et à qui s'adresser pour tenter de le récupérer. Une fois le nom de l'acheteur établi, la troisième dame de la boutique fut en mesure de leur fournir son adresse – il n'habitait pas très loin – et ils se préparèrent à prendre congé. Pat, toutefois, hésita.

— Ce tableau, s'enquit-elle en désignant la vitrine. Cela ne vous ennuie pas si j'y jette un coup d'œil ?

Priscilla s'empressa d'aller extraire l'objet de la vitrine et le lui tendit.

— Il est ici depuis un bon moment, commenta-t-elle en caressant les perles de son collier. Il nous a été apporté avec une série d'objets provenant d'une maison de Craiglea Drive. Quelqu'un a vidé la cave et nous a offert tout son contenu. Je l'aime bien, pas vous ? Ce doit être Mull, n'est-ce pas ? À moins que ce ne soit Iona ? Il est si difficile de faire la différence !

Pat prit le tableau et le tint à hauteur de ses yeux. Le cadre doré, très orné, était ébréché en plusieurs points et un gros morceau de bois manquait dans un angle, en bas à droite. Les couleurs étaient vives et la composition avait quelque chose de décidé et d'assez habile. La jeune fille chercha la signature : il n'y en avait pas, tout comme il n'y avait rien non plus sur l'envers de la toile.

— Combien en demandez-vous ?

Priscilla lui sourit.

— Oh, pas grand-chose ! 10 livres, cela vous conviendrait-il ? Avez-vous de quoi vous l'offrir ? Nous pouvons peut-être faire un tout petit effort...

Pat fouilla dans la poche de son jean et en tira un billet de 20 livres, qu'elle tendit à son interlocutrice.

— Oh ! s'exclama la dame. 20 livres ? Allons-nous pouvoir rendre la monnaie sur 20 livres ? Je ne sais pas. Qu'y a-t-il dans notre fonds de caisse, Dotty ?

— Ne vous faites pas de souci pour la monnaie, déclara Pat. Considérez-la comme un don.

— Dieu vous bénisse, ma chère enfant ! s'exclama Priscilla, rayonnante de gratitude. Eh bien, laissez-moi vous l'emballer. Et songez au plaisir que vous aurez en le regardant. Allez-vous l'accrocher dans votre chambre à coucher ?

Elle s'interrompit net pour décocher un regard en biais à Matthew. Se pouvait-il que… On ne savait jamais, par les temps qui couraient…

Ils prirent le tableau emballé et quittèrent la boutique.

— Qu'est-ce qui t'a pris d'acheter cette croûte ? s'enquit Matthew quand ils furent sortis. C'est le genre de truc que tout le monde jette ! Des tableaux comme ça, on cherche à s'en débarrasser, pas à en acheter !

Pat ne répondit pas. Elle était satisfaite de son acquisition et imaginait déjà où elle le suspendrait dans sa chambre. Il y avait, dans ce paysage, quelque chose de paisible et de résolu à la fois qui lui plaisait énormément. Cette toile n'était sans doute rien de plus qu'un bar-bouillage d'amateur, mais elle était agréable, et apaisante, et elle l'aimait bien.

Ils traversèrent la route à Churchill et gagnèrent une petite rue qui menait à l'adresse indiquée.

— Qu'allons-nous lui dire ? interrogea Matthew. Et à ton avis, comment va-t-il réagir ?

— Nous lui expliquerons exactement ce qui s'est passé, répondit la jeune fille. Comme nous l'avons fait avec ces dames. Et ensuite, nous lui demanderons s'il veut bien nous le rendre.

— Et il nous dira que non, enchaîna Matthew d'un ton de profond abattement. S'il l'a acheté aussi vite, c'est parce qu'il a dû s'apercevoir que c'était un Peploe ?. Un type comme lui n'est pas du genre à entrer dans un magasin de charité sur un coup de tête pour s'offrir un vieux tableau. Il est bien trop cool pour ça.

— Mais qu'est-ce qui te fait penser qu'il s'y connaît en art ? rétorqua Pat. Ce n'est pas plutôt à la musique qu'il s'intéresse ? Est-ce qu'il ne parle pas sans arrêt de hi-fi et de groupes de rock ?

Matthew haussa les épaules.

— Je n'en sais rien. C'est juste que j'ai de nouveau le blues. Toute cette histoire me donne le blues. Peut-être que nous ferions mieux de laisser tomber…

— Non, rétorqua Pat. On ne peut pas. C'est un tableau qui vaut 40 000 livres. En tout cas, peut-être. As-tu les moyens de cracher sur 40 000 livres ?

— Oui, affirma Matthew. En fait, je n'ai pas besoin de faire de profits dans la galerie, tu sais. Je n'ai jamais fait de profits de ma vie. De toute façon, mon père est plein aux as.

Pat garda le silence, pensive. Elle savait que son compagnon n'avait que faire des lois de l'économie, mais il ne s'était encore jamais montré aussi franc avec elle sur ce point.

Il cessa soudain d'avancer et fixa Pat d'un regard étrange. Pour la deuxième fois, elle remarqua les mouchetures dans ses iris.

— Cela te surprend ? interrogea-t-il. Tu as une mauvaise opinion de moi parce que j'ai de l'argent ?

Elle secoua la tête.

— Non, pourquoi ? Des gens qui ont de l'argent, ce n'est pas ce qui manque dans cette ville ! Et ça ne change rien. L'argent, c'est l'argent, c'est tout !

Matthew se mit à rire.

— Non, ce n'est pas tout ! L'argent change tout. Je sais bien ce que les gens pensent de moi. Je sais qu'ils me trouvent inutile et disent que je ne serais jamais allé nulle part s'il n'y avait pas toujours eu mon père pour me procurer du travail. C'est ce qu'il a fait, tu sais. Chaque poste que j'ai eu, c'est lui qui me l'a acheté. Jamais je n'ai obtenu un emploi, un seul, sur mon mérite. Alors, je ne suis pas un raté ?

Pat tendit la main pour lui toucher l'épaule, mais il recula, les yeux rivés au sol. Elle se sentait très mal à l'aise. Comme l'affirmait son père, l'apitoiement sur soi-même était le moins séduisant des états.

— Très bien, déclara-t-elle. Tu es un raté. Si c'est comme ça que tu te vois, d'accord.

Elle s'interrompit. Son compagnon avait relevé les yeux, stupéfait. L'avait-elle peiné ? Peut-être, pensa-t-elle, mais cela ne pourrait que lui faire du bien.

Ils se remirent en marche, s'engageant dans une autre ruelle qui conduisait à Colinton Road. Un chat détala devant eux, sorti de sous une voiture garée, pour s'engouf-frer dans un jardin.

— Dis-moi, commença Matthew. Est-ce que tu es amou-reuse de ce type avec qui tu partages ton appartement ? Ce Bruce ? Tu l'aimes ?

Pat s'efforça de dissimuler sa surprise.

— Pourquoi me demandes-tu ça ? riposta-t-elle d'une voix neutre.

Cela n'intéressait pas Matthew, et rien ne l'obligeait à répondre à cette question.

— Parce que si tu n'es pas amoureuse de lui, je me demandais si…

Matthew s'arrêta. Ils étaient parvenus au coin de Colinton Road et sa voix s'était noyée dans le vrombissement d'une voiture qui passait.

Pat réfléchit à toute vitesse.

— Oui, répondit-elle. Je suis amoureuse de lui.

C'était une réponse franche et, dans ces circonstances, expéditive.

83. Mais c'est bien sûr !

Il était installé dans un bain à remous, au centre de son jardin entouré de murs, et de minces volutes de vapeur s'élevaient tout autour de lui. Un livre de poche était perché sur le bord de la baignoire, un marque-page rouge en son milieu.

— Je trouve que c'est le lieu idéal pour réfléchir, expliqua-t-il. Et ensuite, on se sent en pleine forme !

Matthew eut un sourire crispé.

— J'espère que cela ne vous ennuie pas qu'on vienne vous importuner comme ça, déclara-t-il. Nous pouvons repasser plus tard, si vous préférez.

Ian Rankin secoua la tête.

— Pas du tout. Il n'y a pas de problème. Tant que cela ne vous ennuie pas que je reste dans l'eau…

Le silence plana quelques instants, puis Pat prit la parole.

— Vous avez acheté un tableau ce matin.

L'étonnement marqua les traits de Ian Rankin.

— En effet… Laissez-moi deviner… Laissez-moi deviner… Vous en avez entendu parler et vous voulez me le racheter ? Vous êtes des négociants, c'est ça ?

— Eh bien, oui, d'une certaine façon… répondit Matthew. Mais…

Ian Rankin fit clapoter l'eau de sa main.

— Il n'est pas à vendre, malheureusement. Il me plaît bien. Désolé.

Matthew échangea un regard abattu avec Pat. Les choses se passaient exactement comme il s'y attendait. Ian Rankin avait compris que le tableau valait une fortune et il se cramponnait à son bien. Pouvait-on l'en blâmer ?

Pat fit un pas en avant et se pencha sur le bord de la baignoire.

— Mr Rankin, il y a une histoire derrière ce tableau. C'est ma faute s'il s'est retrouvé dans ce magasin. On m'en avait confié la garde et mon colocataire l'a pris par erreur pour l'offrir comme lot de tombola. Ensuite…

Ian Rankin l'arrêta.

— Alors il vous appartient toujours ?

— À moi, oui, intervint Matthew. J'ai une galerie d'art. Elle devait le conserver pour moi.

— Et qu'a-t-il de si particulier ? s'enquit Ian Rankin. L'artiste est connu ?

Matthew regarda Pat. Pendant quelques instants, elle crut qu'il allait parler, mais il n'en fit rien. Ainsi, la décision me revient, songea-t-elle. Faut-il lui dire ce que je pense ou garder le silence ? Elle ferma les yeux ; les remous du bain faisaient de plus en plus de bruit et une mouette riait quelque part. Un enfant se mit à crier dans un jardin voisin. Soudain, sans raison et de façon inattendue, l'image de Bruce s'imposa à son esprit. Il la regardait en souriant, savourant son malaise. Mens ! lui intimait-il. Ne fais pas l'idiote, mens !

— Je crois qu'il est possible qu'il soit de Samuel Peploe, déclara-t-elle. Cela ressemble beaucoup à ce qu'il peint. Nous n'avons pas encore pris l'avis de spécialistes, mais c'est ce que nous pensons.

Les coins de la bouche de Matthew s'affaissèrent. Elle vient de saborder toutes nos chances de le récupérer, se dit-il. C'est fini.

Ian Rankin haussa les sourcils.

— Peploe ?

— Oui, confirma Pat.

— Auquel cas, reprit Ian Rankin, il a de la valeur. Laquelle, à votre avis ? Comme il est assez petit, je dirais… 40 000 ? Et s'il était plus grand… 80 ?

— Exactement, acquiesça Pat.

Ian Rankin se tourna vers Matthew.

— Vous êtes d'accord avec cette estimation ?

— Oui, répondit l'intéressé d'un air sombre. Quoique je n'y connaisse pas grand-chose…

— Mais le négociant, c'est vous, non ?

— Oui. Seulement, il y a négociants et négociants. Je fais partie de la seconde catégorie.

— Il va falloir que je réfléchisse, déclara Ian Rankin. Laissez-moi quelques instants.

Sur ces mots, il prit une profonde inspiration et disparut sous la surface de l'eau. Des bulles se formèrent autour de sa tête et les turbulences redoublèrent.

Pat regarda Matthew.

— J'étais obligée de lui dire. Je n'ai pas pu mentir. Je n'y arrive pas.

— Je sais. Je n'aurais pas voulu que tu mentes.

Il fut tenté d'ajouter quelque chose, mais demeura silencieux. Il aurait voulu lui dire que c'était précisément cette franchise qui lui plaisait chez elle, et même, ce pourquoi il l'admirait. Il aurait avoué qu'il éprouvait pour elle quelque chose de fort, qu'il en était venu à apprécier sa compagnie, sa présence, mais il en fut incapable, parce qu'elle en aimait un autre – ce que, justement, il avait redouté – et qu'il savait qu'elle ne souhaitait pas entendre un tel discours de sa bouche.

Ian Rankin semblait s'éterniser sous l'eau. Quand, enfin, sa tête émergea, ses cheveux noirs plaqués contre son front, ses yeux vifs pétillaient.

— Il est dans la cuisine, dit-il. Mais, bien sûr, vous pouvez le récupérer. Allez à l'intérieur, je vous rejoins tout de suite. Je vais vous le donner.

Matthew se confondit en remerciements, mais l'écrivain balaya ses paroles d'un geste, comme gêné, et ils repartirent vers la maison.

— Je n'aurais jamais imaginé qu'il ferait ça, chuchota le jeune homme. Surtout après ce que tu lui as dit.

— C'est quelqu'un de bien, répondit Pat. Ça se voit.

Matthew reconnut qu'elle disait vrai. Néanmoins, cela l'intéressait de comprendre comment « quelqu'un de bien » pouvait écrire le genre de romans qu'on lisait sous sa plume : des histoires de meurtres, de détresse, de souffrance, bref, toute la noire pathologie de l'âme humaine. Qu'y avait-il derrière tout cela ? Quant à ses lecteurs, qui étaient-ils ? L'année précédente, de retour d'un voyage en Italie, Matthew attendait son avion pour Édimbourg à l'aéroport de Rome et faisait la queue avec un groupe de jeunes gens. En observant leurs vêtements, leur coupe de cheveux et leur attitude, il avait conclu – comme leur conversation le lui avait confirmé peu après – qu'il s'agissait de prêtres en formation. Ils dégageaient d'ailleurs cet air particulier qu'ont les hommes de Dieu, donnant l'impression qu'ils vivaient dans un autre monde, associé à une méticulosité propre aux célibataires. À leur accent, Matthew avait deviné qu'ils étaient anglais et venaient du nord du pays : de Manchester, peut-être.

— Tu rentres directement ? avait demandé l'un d'eux à son compagnon.

— Oui, avait répondu ce dernier. Je retourne au bercail. Je vais retrouver la liturgie paroissiale ordinaire.

L'autre avait regardé le livre qu'il tenait à la main.

— C'est bien ?

— Très bien. C'est Ian Rankin. Je lis tout ce qu'il écrit. J'aime beaucoup les romans policiers.

Ils étaient ensuite passés à autre chose, quelques commentaires un rien acerbes sur le collège anglais et un certain *monsignor*. Et Matthew avait pensé : comment un prêtre peut-il être attiré par des histoires de meurtres ? Parce que le bien est terne et le mal plus excitant ? Était-ce possible ? Peut-être les bons aimaient-ils contempler les actions des méchants parce qu'ils se rendaient compte à quel point il était facile de mal se comporter. Ce n'était qu'une question de hasard, de destin, de ce que les philosophes appelaient la « chance morale ». Mais c'est bien sûr...

84. *Invitation*

Immensément soulagés de détenir à nouveau le Peploe ?, Matthew et Pat regagnèrent la galerie en taxi, le tableau dissimulé dans un grand sac en plastique fourni par Ian Rankin. Le défaitisme de Matthew s'était évanoui : il ne fit plus aucune référence à son propre manque de valeur et Pat remarqua une certaine légèreté dans la façon dont il gravit les quelques marches qui menaient à la porte de la galerie. Peut-être la perspective de gagner 40 000 livres signifiait-elle davantage pour lui qu'il ne voulait bien l'admettre, même si l'identité du peintre était encore loin d'être établie. En réalité, songea Pat, ils ne possédaient rien d'autre qu'une vague intuition selon laquelle il pouvait s'agir d'un Peploe, mais qui était-elle pour émettre une telle suggestion ? Son option beaux-arts en classe de terminale – qui lui avait certes valu un A au baccalauréat – ne suffisait pas à la qualifier pour se prononcer ainsi, et l'idée qu'elle avait peut-être donné de faux espoirs l'inquiétait à présent.

— Il ne vaut sans doute rien du tout, lança-t-elle. Je ne crois pas que Ian Rankin ait cru un instant qu'il pouvait avoir de la valeur. Voilà pourquoi il nous l'a rendu.

Matthew ne partageait pas cet avis.

— Il nous l'a rendu parce qu'il savait qu'il devait nous le rendre. Je suis persuadé qu'il pensait lui aussi que c'était un Peploe. Je suis sûr que tu as raison là-dessus.

— Mais qu'allons-nous en faire maintenant ? Je ne sais pas si c'est une bonne chose que je le reprenne dans mon appartement.

— Ne t'inquiète pas, répondit Matthew en riant. Cette fois, je l'emporte chez moi. Ou peut-être chez mon père. Il a un coffre.

Il s'interrompit.

— Et si on fêtait ça ? Que fais-tu ce soir ?

Pat réfléchit. Elle n'avait aucun projet et il y avait toutes les raisons de célébrer l'événement, mais elle se demandait comment Matthew interpréterait un accord de sa part. C'était dans un but précis qu'il l'avait interrogée sur ses sentiments envers Bruce, elle en était convaincue, et elle ne voulait à aucun prix l'encourager. S'il tombait amoureux d'elle, cela causerait des problèmes. Matthew était son employeur et avait quelques années de plus qu'elle – il approchait la trentaine, non ? Et puis, il existait une troisième raison pour laquelle cela ne marcherait pas : elle ne ressentait rien pour lui, ou plutôt, pas grand-chose. C'était un garçon bien, certes, il se montrait plein de gentillesse, mais en dehors de cela, elle ne lui trouvait rien d'attirant. Il serait parfait pour une femme à la recherche d'un petit ami fiable et peu exigeant, pour quelqu'un « de la bande », par exemple. L'une ou l'autre des filles adorerait certainement que Matthew s'intéresse à elle. Ils iraient ensemble au cinéma Dominion, s'installeraient aux places les plus chères, et, sur le chemin du retour, s'arrêteraient pour regarder les articles de cuisine du magasin spécialisé qui faisait l'angle de Morningside Road. Pat avait vu de jeunes couples ainsi postés devant la vitrine, admirant les cafetières en acier chromé et les marmites Le Creuset. Quel effet cela ferait-il de se tenir là avec quelqu'un – un homme – et de contempler sauteuses et casseroles, symboles puissants d'une future félicité domestique ? Quel effet cela ferait-il de se tenir là avec Bruce ?…

Avec Bruce ? Elle se reprit. Cette pensée avait surgi sans crier gare, comme toutes les pensées délicieuses. Bruce porterait son sweat-shirt de rugby Aitken and Niven et son pantalon en fausse peau vert olive, il aurait sa main posée au bas du dos de la jeune fille et ils réfléchiraient ensemble à leur cuisine… Non ! Non !

— Alors ? la pressa Matthew. Tu as quelque chose de prévu pour ce soir ? J'ai pensé que nous pourrions aller boire un verre à notre victoire au *Cumberland*. C'est moi qui invite.

Pat quitta le monde des fantasmes pour revenir à la réalité. Il serait impoli de refuser l'invitation et prendre un verre au *Cumberland Bar* ne pouvait passer pour compromettant. Nombreux étaient ceux qui venaient là en compagnie de collègues de travail et nul ne s'imaginait pour autant qu'il y avait des idylles entre eux. Ce n'était pas comme si Matthew lui proposait un dîner en tête à tête au *Café St Honoré*.

— Et si tu veux, nous pouvons aller dîner au *Café St Honoré* ensuite, reprit Matthew. Enfin, si tu n'as rien prévu de spécial.

Dans les yeux qui la scrutaient, la jeune fille perçut une certaine anxiété. Elle ne pouvait accepter, cependant. C'était impossible.

— D'accord pour prendre un verre ! répondit-elle. Mais ensuite, je dois…

Quel mensonge inventer pour ne pas avoir l'air de le rejeter ? À moins de dire la vérité ?

— Ensuite, j'ai envie de voir Bruce…

Au moment même où elle prononçait ces paroles, elle s'aperçut qu'elle ne mentait pas. Elle avait bel et bien envie de voir Bruce. Envie d'être auprès de lui. C'était physique, comme une douleur tenace au creux de l'estomac. Cela lui fit peur, car Bruce, de son côté, était loin d'éprouver les mêmes désirs pour elle.

Matthew baissa les yeux. Il est triste, pensa-t-elle. Alors qu'il aurait été si facile pour moi de lui faire plaisir en dînant avec lui. À présent, je l'ai déçu…

— Et ta bande ? demanda-t-elle avec entrain. Elle sera là ?

Matthew haussa les épaules.

— Peut-être. Peut-être pas. Il y en a un qui devait aller passer quelques jours à Londres. Il me semble qu'il est déjà parti. Et un autre a un gros rhume. Alors si la bande est là, elle sera en effectifs réduits.

Il la dévisagea de nouveau et elle se demanda à quoi il pensait. Comme elle n'avait pas menti, elle se sentit autorisée à lui renvoyer son regard et rencontra ses yeux avec toute la sérénité de celle qui n'a dit que la vérité : elle avait vraiment envie de voir Bruce.

— Qu'est-ce qui t'emballe tant chez ce type ? reprit-il soudain. Je croyais… à cause d'une chose que tu m'as dite il y a quelque temps, je croyais qu'il t'agaçait. Est-ce qu'il n'est pas un peu creux ? Ne m'as-tu pas dit quelque chose comme ça ?

— Si, confirma Pat. Il est creux.

Matthew parut impatient, comme si toute cette histoire manquait de clarté pour lui.

— Mais comment peux-tu l'aimer s'il est creux ? s'enquit-il. Cela ne te rebute pas ?

Pat sourit.

— Ça devrait, acquiesça-t-elle. Oui, ça devrait. Mais non.

— C'est bizarre, commenta Matthew. Très bizarre.

Pat ne dit rien. Il avait raison.

L'attraction sexuelle, songea Matthew. Cette force sombre, anarchique, plus puissante que tout le reste et toujours présente. Toujours à l'œuvre, mais pas pour moi.

85. *Au* Cumberland Bar

Le Peploe ? discrètement emballé sous le bras, Matthew escorta Pat vers le *Cumberland Bar* pour leur pot de célébration. Si elle n'avait pas disparu, la déception éprouvée en voyant son invitation à dîner déclinée était bien cachée. Matthew avait l'habitude d'être rejeté par les femmes et il en était arrivé à s'y attendre. Il se demandait souvent pourquoi il avait si peu de chance et soupçonnait que cela avait un rapport avec ses yeux. Ceux-ci étaient ponctués de petites taches grises un peu étranges qui, craignait-il, gênaient ses interlocutrices. Il avait plusieurs fois vu celles-ci froncer les sourcils après l'avoir regardé droit dans les yeux. Pat l'avait fait elle aussi tout à l'heure, au cours de la conversation qu'ils avaient eue en se rendant chez Ian Rankin.

Tout cela était très injuste. Quand je pense que Pat, séduisante sous tous rapports, se jette dans les bras de ce colocataire sans intérêt et vaniteux, alors que moi, Matthew, je ne demande qu'à lui offrir du bon temps, à l'emmener dîner au *Café St Honoré* et à la gâter ! Bruce la traiterait mal, c'était évident, et elle en sortirait horriblement malheureuse, tandis que lui-même la couvrirait d'égards et qu'il y aurait peut-être – mais seulement peut-être – un avenir pour eux deux. Avec Bruce, il n'y avait pas d'avenir.

Il fut tenté de lui dire tout cela, mais se ravisa : il y aurait quelque chose de bizarre à lui parler ainsi. Cela ressemblerait à un discours de grand frère, voire de parents. Il garda donc le silence, du moins sur le sujet, et elle n'en parla plus non plus.

Lorsqu'ils atteignirent le *Cumberland Bar*, il y avait déjà foule.

— Nous ne sommes pas les seuls, fit remarquer Matthew en scrutant les visages à la recherche de membres de la bande.

Aucun d'eux n'était là, ce qui lui fit plutôt plaisir. Il avait envie de profiter de Pat et la présence de ses amis aurait distrait l'attention de la jeune fille.

Ils trouvèrent une table et Matthew se dirigea vers le bar pour chercher le verre de chardonnay qu'elle lui avait demandé. Puis, leurs deux consommations à la main, il revint s'asseoir en face d'elle.

— Tu connais du monde ici ? interrogea-t-elle en observant la cohue autour du bar.

— Un peu, répondit Matthew, avant de lever sa chope de Guinness pour porter un toast. Je bois à ta santé, poursuivit-il. Merci d'avoir réussi à retrouver le tableau !

— À Ian Rankin ! lança Pat. Un homme charmant !

— Un vrai dégonflé, oui, rétorqua Matthew.

La jeune fille se demanda comment prendre cette remarque. Matthew considérait-il l'écrivain comme un « dégonflé » sous prétexte qu'il avait rendu le tableau ? Cela n'avait rien à voir. C'était une question de principes. Elle se sentit irritée. Qui était Matthew pour traiter les gens de dégonflés, alors que, de toute évidence, c'était plutôt à lui que pouvait s'appliquer ce qualificatif ? Non, Ian Rankin n'avait rien d'un « dégonflé », avec sa baignoire design et ses tee-shirts noirs.

Elle résolut cependant de se garder de tout commentaire.

— Et maintenant ? s'enquit-elle. Qu'allons-nous faire pour le tableau ? N'est-il pas temps de le montrer à quelqu'un de compétent ?

Matthew acquiesça. Cependant, il ignorait à qui s'adresser. Cela méritait réflexion : il n'avait aucune envie de se faire humilier par un expert condescendant. Plusieurs fois, en secret, il s'était imaginé la scène : l'expert le dévisageant par-dessus ses lunettes et se moquant de lui. « Un Peploe ? Vous plaisantez ! Qu'est-ce qui a bien pu vous faire croire une chose pareille ? »

Pat attendait toujours la réponse de Matthew lorsqu'elle leva les yeux et aperçut une silhouette familière. Elle eut tout d'abord quelque difficulté à situer ce visage, puis se souvint : Angus Lordie, l'homme avec qui elle avait discuté à la Scottish National Portrait Gallery, après la conférence. Il entra dans le bar et regarda autour de lui. Elle remarqua qu'il n'était pas seul : son chien l'accompagnait, un colley noir avec une oreille de travers et des yeux vifs.

Si Angus Lordie avait l'air abattu en franchissant le seuil du *Cumberland Bar*, il se fendit d'un large sourire dès qu'il aperçut Pat et se dirigea droit vers elle.

— Ma chère enfant ! s'exclama-t-il lorsqu'il l'eut rejointe. Ce décor vous convient à merveille ! Même un bar de Saint-Germain ne pourrait vous faire plus justice que cet établissement tout simple ! Et, à vos côtés, votre jeune galant...

— C'est Matthew, s'empressa de rectifier Pat. Je travaille avec lui à la galerie.

Angus Lordie salua le jeune homme d'un signe de tête et lui tendit la main.

— J'ai pour principe de ne jamais serrer la main à un galeriste, confia-t-il avec un sourire, mais dans votre cas, je le fais avec plaisir. Angus Lordie.

Matthew se leva pour échanger une poignée de main. Pat remarqua son peu d'enthousiasme et elle se sentit prise de pitié. Leur célébration en tête à tête, semblait-il, venait de s'achever.

— Et maintenant, lança Angus Lordie à Pat en lui tendant la laisse, si vous voulez bien avoir l'obligeance de tenir Cyril quelques instants, je vais aller chercher à boire.

Pat s'exécuta et tira légèrement sur la laisse pour rapprocher le chien de la table. Celui-ci la dévisagea un moment, puis, à sa grande surprise, lui adressa un clin d'œil. Il fit ensuite quelques pas pour venir s'asseoir au pied de sa chaise sans la quitter du regard. Alors, après un nouveau clin d'œil, il découvrit les crocs pour esquisser ce qui ressemblait à un sourire. Pat vit briller la dent en or dont avait parlé Domenica le jour de la réception.

Elle se pencha vers Matthew.

— C'est un chien très bizarre, dit-elle. Tu as vu sa dent en or ?

Matthew garda les yeux baissés sur sa Guinness.

— J'avais espéré un tête-à-tête. Rien que nous deux. J'ai l'impression que là...

Pat posa une main sur son bras.

— Je suis désolée, murmura-t-elle. Mais ce n'est pas moi qui l'ai invité à se joindre à nous.

— Oui, mais maintenant, nous sommes coincés, commenta Matthew d'un ton maussade. Et puis, ce chien pue...

Pat renifla. Il y avait une légère odeur, elle devait bien l'admettre, mais qui n'était pas totalement déplaisante : cela ressemblait à un panier de champignons odorants.

Angus Lordie revenait déjà, un verre de whisky dans une main et une pinte de bière brune dans l'autre. Il posa le premier sur la table et la bière au sol, devant le chien.

— Cyril boit, expliqua-t-il. C'est sa seule mauvaise habitude. Ça, et courir après les chiennes, ce qui ressemble plus à un appel de la nature qu'à un défaut. Voilà, Cyril… Essaie de la faire durer…

Pat et Matthew regardèrent avec étonnement le chien laper la bière quelques instants, puis relever la tête et lancer un nouveau clin d'œil à la jeune fille.

— Votre chien me fait des clins d'œil, déclara Pat.

— Oui, répondit Angus Lordie en approchant une chaise prise à la table voisine. Vous permettez que je me joigne à vous ? Merci infiniment. Oui, Cyril apprécie les femmes, n'est-ce pas, Cyril ?

86. Puisqu'on parle de chiens…

— Puisqu'on parle de chiens, poursuivit Angus Lordie en buvant une gorgée de son whisky, je viens de découvrir un livre absolument formidable. Je suis tombé dessus tout à fait par hasard. Il s'appelle *The Difficulty of Being a Dog*[1]. Il a été écrit par Roger Grenier, un Français, qui était aussi éditeur, apparemment, et qui connaissait tout le monde : Camus, Sartre, Marguerite Yourcenar… Ce monsieur avait un chien merveilleux nommé Ulysse. D'ailleurs, le titre français est *Les Larmes d'Ulysse*[2], ce qui me paraît meilleur que celui qu'on a donné à la traduction anglaise. Mais enfin… En auriez-vous entendu parler, par hasard ?

1. « La difficulté d'être un chien. » (*N.d.T.*)
2. Éditions Gallimard. (*N.d.T.*)

Pat secoua la tête. Était-il si difficile que cela d'être un chien ? Les chiens lui paraissaient mener une existence plutôt agréable. Il y en avait de malheureux, bien sûr : ceux dont les maîtres se montraient cruels ou irresponsables, ou ceux que l'on ne sortait jamais. Toutefois, la plupart semblaient assez satisfaits de leur sort, et même parfois davantage que les humains qui leur étaient attachés.

— C'est un livre remarquable, poursuivit Angus Lordie en regardant Cyril insérer sa longue langue rose dans sa chope pour tenter de lapper les dernières gouttes de bière. Il fournit une multitude d'informations très précieuses. Par exemple, saviez-vous que Descartes considérait les chiens comme des machines ? Monstrueux ! N'es-tu pas d'accord avec moi, Cyril ?

L'intéressé releva les yeux et contempla son maître un long moment, puis il retourna à son verre.

— Vous croyez qu'il m'a regardé parce que j'ai prononcé son nom, fit remarquer Angus Lordie d'un ton songeur. Mais il n'est pas impossible que ce soit parce qu'il m'a entendu mentionner Descartes.

— Descartes ! répéta Pat en haussant la voix.

Le chien releva aussitôt la tête vers elle et cligna de l'œil.

— Vous voyez ! s'exclama Angus Lordie. Cyril a bon goût. Il a une très mauvaise opinion de Descartes en raison de la vision que cet auteur avait des chiens-machines. En revanche, il affectionne Voltaire, qui a pris le parti des chiens contre Descartes, et également, j'en profite pour le mentionner au passage, Kant, qui a disqualifié les arguments de Descartes comme ça, pouf ! d'une simple note de bas de page. Kant a écrit que les chiens réfléchissaient selon des catégories et que, pour cette raison, ils n'étaient pas des machines.

Il s'interrompit et contempla Cyril, qui lui rendit son regard en découvrant sa dent en or.

— Bien sûr, c'est tout à fait dans la mentalité allemande que d'arguer en termes de catégories de pensée, alors que Bentham, lui, disait que les chiens ne sont pas des machines, parce qu'il leur arrive de souffrir de la même façon que nous. Les Anglais sont beaucoup plus concrets, voyez-vous.

Pat observa Matthew à la dérobée. Celui-ci avait le regard vide. Elle se demanda que faire. Il semblait impossible de se débarrasser d'Angus Lordie et pourtant, elle comprenait sans peine ce que devait ressentir le jeune homme. Il ne pouvait rivaliser avec le nouveau venu, qui avait le verbe facile et n'en finissait pas dans son envolée sur les chiens.

Elle tenta de le faire participer à la conversation.

— Et toi, Matthew, as-tu un chien ?

Il secoua la tête.

— Non, marmonna-t-il.

— Pas de chien ? reprit gaiement Angus Lordie. Pas de chien ? Mon pauvre ami ! Moi, je ne pourrais pas vivre sans. J'ai Cyril à mes côtés depuis que je l'ai sauvé des mains d'un fermier de Lochboisdale. Je me trouvais là-bas, dans un pub, quand j'ai entendu deux paysans parler d'un chien qui ne savait pas y faire avec les moutons. Ils prévoyaient de le supprimer le lendemain, parce qu'ils ne voyaient aucun intérêt à le conserver. J'ai entendu leur conversation et je leur ai proposé de prendre le chien. Ils ont accepté. Le lendemain, Cyril entamait sa vie à mes côtés. Il n'a jamais regardé en arrière.

Curieuse de l'origine de la dent en or, Pat questionna Angus Lordie à ce sujet.

— Un jour, il a mordu un chien à la queue, expliqua ce dernier, et il s'est cassé une dent. Je l'ai donc emmené chez mon dentiste, qui est aussi un ami. Il n'était pas très sûr de pouvoir soigner un chien, mais il a fini par accepter et lui a posé cette dent en or. Ce n'est pas la sécurité sociale qui a payé, c'est moi : 70 livres pour couvrir le coût de l'or et de je ne sais quoi. Nous avons dû faire cela de nuit, à un moment où il n'y avait pas de patients au cabinet, parce que les clients n'auraient pas apprécié de voir un chien installé dans le fauteuil où on leur demandait de s'asseoir. Les gens sont parfois bizarres. Cyril paie ses 70 livres, comme tout le monde, et il y en a qui estiment qu'il n'aurait pas droit aux soins ? C'est sidérant ! Mais il est vrai que les gens manquent parfois de rationalité…

Matthew choisit cet instant pour se lever.

— Désolé, dit-il, s'adressant à Pat, mais il faut que je parte.

Angus Lordie consulta sa montre.

— Quelle heure est-il ? Mais pour l'amour du ciel, la soirée commence à peine ! Vous êtes sûr que vous ne pouvez pas rester ?

Matthew ignora la question. Toujours tourné vers Pat, il l'informa qu'elle pourrait disposer de sa matinée du lendemain si elle le souhaitait.

— Nous n'avons pas vraiment pu fêter notre succès, expliqua-t-il. Alors prends ta matinée en contrepartie.

— Je t'en prie, ne t'en va pas tout de suite ! protesta la jeune fille avec un rapide coup d'œil en direction d'Angus Lordie.

Matthew secoua la tête.

— Non. Désolé. Je suis obligé.

Il tourna les talons, non sans un bref signe de tête à l'intention d'Angus Lordie pour un au revoir qui manquait foncièrement de chaleur.

— Je suis navré, répondit ce dernier en levant son verre de whisky. J'espère que je n'ai pas gâté votre petite fête.

Pat ne répondit rien. Elle regarda Matthew s'éloigner en se faufilant parmi un groupe bruyant qui entravait la sortie. La compassion qu'il lui inspirait s'était encore accrue durant la courte période qu'ils avaient passée dans le bar. Le jeune homme ne ressemblait en rien à Angus

Lordie, qui possédait de l'assurance et du style. On décelait chez lui une certaine vulnérabilité, quelque chose de doux et d'indécis. C'était le genre de personne qui traversait la vie sans jamais se fixer d'objectifs. Sur ce plan, il ressemblait à de nombreux jeunes gens qu'elle avait rencontrés à Édimbourg. Des individus qui grandissaient dans des maisons confortables sans manquer de rien, mais qui ne possédaient aucune force de caractère. Était-ce parce qu'ils n'avaient jamais eu à se battre pour obtenir quoi que ce fût ? Sans doute. Et pourtant, songea Pat, ai-je dû me battre, moi ? Ne suis-je pas exactement comme eux ? Cette pensée la mit mal à l'aise et elle la chassa de son esprit. C'était l'un de ces doutes qui se révélaient trop déstabilisants pour qu'on les laisse nous envahir.

Lorsqu'il atteignit la porte, Matthew se retourna vers la jeune fille. Elle croisa son regard et lui sourit, et il lui rendit son sourire avant de franchir le seuil pour disparaître dans la nuit. Pat conserva les yeux rivés sur la porte. Elle la fixait encore lorsqu'elle vit entrer Bruce, accompagné de Sally. Tous deux riaient de bon cœur. Sally avait un bras passé autour des épaules de son compagnon et elle lui parlait à l'oreille.

87. *Le souvenir des oignons*

— Vous les connaissez ? s'enquit Angus Lordie, qui avait suivi le regard de Pat.

Elle ne répondit pas tout de suite. Elle ne pouvait détacher ses yeux de Bruce et Sally qui, serrés l'un contre l'autre, se frayaient un chemin parmi les consommateurs massés dans l'entrée. Cette manœuvre les rapprocha de la table où elle était assise, aussi baissa-t-elle la tête. Elle ne voulait pas que Bruce la voie et une nouvelle rencontre avec cette Américaine aurait quelque chose d'embarrassant, après l'incident de la robe de chambre.

— Si je les connais ? murmura-t-elle, avant de se tourner vers son interlocuteur. Oui. Ce garçon est mon colocataire. Il s'appelle Bruce Anderson.

— Quel nom formidable ! commenta Angus Lordie. Avec un nom pareil, on peut entrer sans problème dans l'équipe écossaise de rugby. Le nom de Cyril – Cyril Lordie – n'aurait guère de succès au rugby, vous ne croyez pas ? Les sélectionneurs s'étrangleraient de rire et ils s'empresseraient de passer à autre chose ! On ne peut pas jouer au rugby quand on s'appelle Cyril, c'est tout ! Cela n'a rien à voir avec le fait d'être un chien.

Pat ne répondit rien à cela. Bien sûr que Bruce portait un nom merveilleux ! Un nom fort, viril, débordant d'assurance. Bruce et Pat. Pat et Bruce. Oui. Mais soudain, la cruelle réalité refit irruption : Bruce et Sally.

Pat regarda Angus, qui lui sourit. Il avait une conversation extraordinaire. Ses commentaires semblaient surgir de nulle part et possédaient un côté formidablement excentrique. À l'évidence, Angus contemplait le monde sous un angle original, il avait un point de vue drôle et dynamisant. Il était tout le contraire de l'ennui, tout le contraire du pauvre Matthew. Voilà pourquoi ce dernier s'était senti contraint de s'éclipser, comprit-elle. À côté de cet homme, il se trouvait terne, et à juste titre, évidemment…

Angus Lordie regardait en direction du bar, où se tenaient Bruce et Sally. Le premier commandait à boire.

— Cette jeune fille, demanda-t-il. Sa petite amie… Vous la connaissez ?

Pat jeta un coup d'œil au couple, pour détourner aussitôt la tête.

— Pas très bien, répondit-elle. Je ne lui ai parlé qu'une fois. Elle est américaine.

— Américaine ? Intéressant… Que croyez-vous qu'elle lui trouve ?

Il attendit de Pat une réponse qui ne vint pas, aussi reprit-il la parole :

— C'est un très beau garçon, n'est-ce pas ? Avec ces cheveux qu'il a... Il met quelque chose dessus, non ? Oui. Bref, je suppose que si j'avais son physique, j'aurais moi aussi une ribambelle d'Américaines à mon bras.

Pat observa son interlocuteur. Pensait-il réellement de cette façon à son âge ? Il était triste de songer qu'il rêvait encore, à cinquante ans, de jouir de la compagnie de filles comme Sally, car cela le condamnait à vivre avec l'espoir de rencontrer des femmes qui, inévitablement, s'intéressaient à des hommes plus jeunes, et jamais à lui. Quoique, après tout, il ne fût pas si mal, et lorsqu'on ne savait rien de lui, l'on pouvait lui donner beaucoup moins : quarante ans, peut-être.

Elle tressaillit. Une pensée venait de lui effleurer l'esprit : et si Angus Lordie était, en fait, attiré par elle ? Il avait souri en la reconnaissant et s'était dirigé vers sa table sans une hésitation. Cela signifiait-il qu'il... qu'il avait des *visées* sur elle, comme l'aurait formulé la mère de Pat ? Dans l'optique que celle-ci avait du monde, les hommes avaient des *visées*, qu'il était de la responsabilité des femmes de détecter et, dans la plupart des cas, de contrecarrer. Tout était différent, bien sûr, quand ces visées étaient honorables : là, elles cessaient d'être des visées *stricto sensu*.

Angus Lordie avait cessé d'observer Bruce et Sally.

— J'ai moi-même connu une Américaine, soupira-t-il. Une fille adorable. C'était il y a longtemps, à l'époque où je vivais dans le Perthshire. J'avais quitté l'école des beaux-arts pour aller m'installer dans un vieux moulin de notre vallon – oui, nous possédions la moitié d'un vallon en ce temps-là. Mon père, je peux tout aussi bien vous l'avouer, était l'un de ces petits propriétaires fonciers du Perthshire, et quant à moi, j'étais là, à vingt ans et des poussières, persuadé que toutes les galeries de Londres allaient venir frapper à ma porte d'une minute à l'autre. Je vivais *la vie de bohème**, version Perthshire, à ceci près que je jouissais de tout le confort imaginable. Je me levais vers onze heures, je peignais jusqu'à trois heures, puis j'allais me promener et je recevais des amis à dîner le soir. C'était la belle vie.

« Et puis cette Américaine est arrivée. Elle logeait chez des gens de Comrie, elle faisait un tour d'Europe et s'était retrouvée là. Elle a pris l'habitude de venir chez moi ; nous restions tous les deux à discuter dans la cuisine pendant des heures. Je lui préparais du thé dans des tasses anciennes du Sutherland que je possédais, une vaisselle superbe. Dehors, l'air sentait la noix de coco, à cause des genêts en fleur, et les soirées s'éternisaient, car c'était la période de l'année où le jour n'en finit pas de tomber... Et je vous le dis, j'aurais pu conquérir le monde en ce temps-là. Oui, conquérir le monde...

Il se tut et contempla le plafond, son verre de whisky à demi vide à la main. Pat demeura silencieuse et l'on eût dit que le bar entier s'était tu.

Au bout d'un moment, Angus Lordie baissa les yeux vers elle. La jeune fille remarqua son regard humide : il avait les larmes aux yeux.

— C'est le souvenir des oignons qui fait pleurer, précisa-t-il à mi-voix. Vous connaissez ces vers ?

— Non, répondit Pat sur le même ton. Mais c'est une belle image. Le souvenir des oignons...

— Oui, très belle. Elle vient d'un poème de Craig Raine. Un excellent poète. Il y évoque un amour qui n'était pas fait pour durer et dont la seule pensée le fait pleurer. C'est une très bonne chose, vous savez, de pleurer. Mais pardonnez-moi. Je ne devrais pas parler comme ça. Vous avez la vie devant vous. Vous n'avez aucune raison d'être triste.

Pat hésita. Il y avait, chez Angus Lordie, quelque chose qui invitait à la confidence, une sorte d'intimité dans sa façon d'être qui donnait envie d'aborder les choses importantes.

— En fait, commença-t-elle en jouant avec son verre, je suis un peu triste en ce moment. Je suis triste parce que ce garçon, qui est là-bas, Bruce… eh bien, il est avec une autre fille, alors…

Angus Lordie tendit la main et lui tapota le bras.

— Ma chère enfant, n'en dites pas plus, je comprends. Ce doit être très douloureux.

— Oui.

— Bien sûr.

Il prit son verre et termina son whisky.

— Sortons d'ici ! lança-t-il. Sortons d'ici et allons rendre visite à notre chère amie commune, Domenica Macdonald. Elle a le sens de l'hospitalité et elle se montre toujours – je dis bien toujours – très douée pour chasser les regrets en tout genre. Cyril nous attendra dehors, nous l'attacherons quelque part. Il adore Scotland Street. C'est à cause des odeurs, je crois. Il y en a beaucoup plus dans Scotland Street que sur Drummond Place.

88. *Le téléphone sonne chez Big Lou*

À l'heure où Angus Lordie suggérait à Pat de quitter le confortable décor du *Cumberland Bar*, Big Lou, patronne de bar et autodidacte, regardait par la fenêtre de son appartement de Canonmills. Elle dînait tôt d'ordinaire, mais ce soir-là, elle n'avait pas eu faim et commençait seulement à songer au repas. Elle avait lu, comme toujours en rentrant du travail, et était encore immergée dans Proust.

Le plus gros de la bibliothèque de Big Lou se composait des volumes récupérés dans la librairie d'occasion qu'elle avait acquise et transformée en café. Elle possédait en outre des livres achetés au hasard de ses promenades du samedi après-midi, lorsqu'elle écumait les librairies après son travail. Plusieurs de ses fournisseurs préférés se trouvaient à West Port, un quartier dont le nombre croissant de bars mal fréquentés commençait à l'affliger. Lothian Road, juste à côté, était déjà devenue un vrai cloaque, estimait-elle : assez inoffensive la journée, cette rue se peuplait, dès la tombée de la nuit, de bandes de jeunes ivrognes et de filles aux jupes incroyablement courtes et aux talons absurdement hauts. Devant chaque bar veillaient des vigiles menaçants, dotés de cous énormes, de crânes rasés et de micros à l'oreille. Elle n'avait rien connu de tout cela à Arbroath, et très peu à Aberdeen. De toute façon, songea-t-elle, il faisait bien trop froid à Aberdeen pour qu'on pût envisager d'y traîner dans des tenues pareilles. Ces filles gèleraient sur place si elles s'aventuraient en mini-jupes dans Union Street en plein hiver. Se pouvait-il que l'Écosse doive sa respectabilité légendaire à la rigueur de son climat ?

Big Lou commençait à nourrir certains doutes au sujet de Proust. Elle était fière de son édition, qui était la traduction de Scott-Moncrieff, publiée dans un agréable format du début des années 50 (Big Lou aimait les livres agréables). Elle était parvenue au volume six, au moment où la duchesse de Guermantes décidait de partir visiter les fjords norvégiens au plus fort de la saison sociale. Proust expliquait que cette décision avait sur son entourage un effet similaire à celui que produit la découverte, après avoir lu Kant, qu'au-dessus du monde de la nécessité, il existe un monde de liberté. N'y avait-il pas là une certaine exagération ? se demandait Lou. Mais quelle que fût la légèreté avec laquelle Proust invoquait la notion de déterminisme, Big Lou, pour sa part, prenait le sujet à cœur. Elle possédait plusieurs livres sur ce thème dans sa collection et, après les avoir lus – sans y prendre un immense plaisir, loin de là –, elle avait fini par se prononcer en faveur du libre arbitre. Un argument, en particulier, l'avait convaincue : même si rien ne prouve que nous sommes libres, nous devons nous comporter comme si le libre arbitre existait, car sinon, toute vie sociale se révèle impossible. Ce qui signifiait, de son point de vue, que le déterminisme ne tenait pas la route, car il ne correspondait pas à la réalité de l'existence humaine.

Il ne servait à rien d'élaborer des théories sans rapport avec la réalité telle que les gens la percevaient et la vivaient. C'était là ce que pensait Big Lou du déterminisme. Toutefois, lorsqu'elle s'interrogea sur Dieu, les choses commencèrent à perdre en netteté. S'il s'avérait que les gens avaient besoin du concept d'un Dieu pour pouvoir vivre, cela signifiait-il que seules les théories de la réalité qui laissaient une place à Dieu étaient défendables ? On pouvait en douter, estimait-elle. Sauf, bien entendu, si l'on opérait une franche distinction entre les théories sociales – qu'il n'était pas besoin de démontrer, mais qui devaient néanmoins servir les objectifs pour lesquels elles se révélaient utiles – et les autres, qui étaient peut-être vraies, mais qu'il n'était pas nécessaire de pouvoir appliquer à la vie de tous les jours. Voilà, c'est ça, conclut-elle.

Le problème, c'était que certaines personnes prêchaient des philosophies sociales qui ne se souciaient pas de la réalité. Certains philosophes français, avait remarqué Big Lou, manifestaient cette tendance. Ils ne se demandaient pas si leurs théories pouvaient ou non avoir des effets désastreux, car ils se considéraient comme au-dessus de cela. Il était, par exemple, tout à fait possible de présenter la connaissance scientifique comme étant déterminée socialement – et, par là même, complètement fausse – lorsqu'on se trouvait bien en sécurité sur le sol de Paris : mais affirmerait-on la même chose si l'on se trouvait à bord d'un avion privé, à trente-cinq mille pieds d'altitude, alors que cette connaissance scientifique soustendait tout le mécanisme qui nous maintenant dans les airs ? De même, les philosophes français avaient pu admirer Mao et ses réalisations parce qu'ils n'avaient pas eu à vivre en Chine en ce temps-là. Et aussi parce qu'ils savaient que tout ce qu'ils prêchaient ne serait jamais mis en application.

Debout à la fenêtre, Big Lou se souvint soudain d'un jeune homme qui était entré dans son bar vêtu d'un tee-shirt portant la photographie de Fidel Castro. Elle lui avait servi son café, puis avait désigné le tee-shirt.

— Vous admirez vraiment les gens qui en mettent d'autres en prison parce qu'ils ont dit ce qu'ils pensaient ? avait-elle interrogé. Si vous viviez sous son régime, porteriez-vous ce tee-shirt ?

Le jeune homme avait souri.

— Vous êtes naïve, avait-il répondu, avant de prendre sa tasse pour gagner une table ; puis, se retournant, il avait ajouté : Vous avez déjà entendu parler de la fausse conscience ?

— Oui, avait répliqué Big Lou. Justement.

Avec un petit rire, le jeune homme s'était plongé dans la lecture d'un magazine. Bien sûr, elle avait ensuite réfléchi à ce qu'elle aurait pu lui répondre, mais n'avait rien dit. En revanche, discrètement, elle était allée fermer à clé la porte du café. Dix minutes plus tard, le jeune homme s'était levé pour partir – il n'y avait pas d'autres clients à ce moment-là – et il avait tenté d'ouvrir la porte. Comprenant qu'il était enfermé, il s'était alors retourné vers elle et avait exigé qu'elle le laissât sortir. Elle avait acquiescé.

L'indignation marquait les traits du garçon, tandis que Big Lou prenait son temps pour gagner la porte et la déverrouiller. Dans les prisons, les geôliers devaient se donner le même air tout-puissant lorsqu'ils accomplissaient ces mêmes gestes. En tournant enfin la clé dans la serrure, Big Lou avait lancé :

— Vous êtes étudiant, n'est-ce pas ? Moi, je n'ai jamais eu cette chance, vous savez. Mais ne croyez-vous pas que je viens de vous enseigner une belle leçon sur la liberté ?

Elle sourit à ce souvenir, ravie de cette savoureuse victoire, et elle souriait encore lorsque le téléphone sonna. Elle traversa la pièce pour aller répondre et reconnut la voix de l'homme d'Aberdeen, son chef cuisinier, celui dont elle conservait la lettre dans le tiroir de sa table de nuit et qu'elle ne pensait pas réentendre un jour.

— Je suis à Édimbourg, Lou, dit-il. Je peux t'inviter à dîner ? Tu es libre ?

Lou resongea au déterminisme. Bien sûr qu'elle était libre !

89. *Big Lou va au restaurant*

Celui qui avait été l'ami de Big Lou à Aberdeen s'appelait Eddie. Il l'attendait, comme promis, au *Sandy Bell's Bar* de Forrest Road. C'était un homme grand, âgé d'une quarantaine d'années, aux cheveux raides et très bruns et au nez aquilin. Elle le reconnut dès qu'elle pénétra dans le bar ; il lui sourit en hochant la tête. Pour Big Lou, l'instant revêtait une signification particulière, comme c'est toujours le cas quand on revoit un être que l'on a aimé de longues années auparavant et que l'on aime peut-être toujours. Bien des années avaient passé et souvent, elle avait pensé à lui : pas tous les jours, mais presque. À présent, il était là, identique à lui-même, semblait-il, et il lui souriait comme à une amie qu'il n'aurait quittée qu'une semaine plus tôt.

Elle avança jusqu'à lui, se faufilant à travers un groupe de jeunes gens suspendus aux lèvres de celui d'entre eux qui avait pris la parole. Assis à une table du fond de la salle, un violoniste faisait grincer son archet, jouant un air que l'on distinguait à peine par-dessus le brouhaha des conversations. En entendant ces notes rapides et irrégulières, Big Lou se souvint d'un soir où ils se trouvaient tous deux dans un pub du même genre, à Aberdeen, et où jouait aussi un violoniste du Shetland. Son cœur bondit dans sa poitrine et elle se demanda si Eddie se le rappelait comme elle. Mais les hommes ne conservaient pas ce genre de souvenirs : ils en préféraient d'autres.

Lorsqu'elle le rejoignit, il abandonna son verre sur le bar et se pencha pour lui déposer un baiser léger sur le front.

— Eh bien, dit-il, ça fait un bail, hein, Lou ?

Elle hocha la tête. Elle ne pleurerait pas, elle l'avait décidé, mais les larmes affluaient et elle devait les combattre. Discrètement, à l'abri du regard d'Eddie, elle se mordit la lèvre.

— Oui, ça fait longtemps. Et maintenant...

— Et maintenant, on est là, compléta Eddie.

Elle ne répondit pas et jeta un coup d'œil au serveur, qui les observait. Eddie passa la commande.

— Je me rappelle que tu aimais bien le Pernod, Lou. Alors, un Pernod ! Oui, je m'en rappelle très bien !

— Je n'en bois plus tellement, avoua-t-elle. Mais merci, Eddie, c'est gentil.

Ils se regardèrent. Elle remarqua qu'il avait pris de l'embonpoint, mais pas trop, et qu'il avait quelques mèches grises près des oreilles. Il avait les cheveux moins en désordre qu'autrefois, d'ailleurs, mais c'était parce qu'il était parti en Amérique et que, là-bas, les gens se souciaient davantage de leur coiffure.

— Comment vas-tu, Eddie ? demanda-t-elle. Toujours à Galveston ? Au Texas, c'est ça ?

Il sourit, apparemment gêné, et baissa les yeux.

— J'avais l'intention de t'envoyer une autre lettre, Lou, pour te raconter. Mais je ne suis pas très doué pour écrire, tu le sais. Tu as eu ma lettre, hein ?

Big Lou saisit le verre que le serveur lui tendait.

— Oui, Eddie, j'ai eu ta lettre.

S'il savait ! pensa-t-elle. S'il savait combien de fois je l'ai lue, cette lettre, et comme j'en ai pris soin ! C'était le seul souvenir qu'il me restait...

— J'ai vécu à Galveston quelques années, reprit-il, et puis, je suis parti à Mobile, dans l'Alabama. C'est une ville extra. C'est là que j'habite maintenant. Ça te plairait, tu sais.

Big Lou l'écoutait avec attention. Il lui avait affirmé autrefois qu'elle n'aimerait pas Galveston, qu'elle ne devait surtout pas le rejoindre là-bas. À présent, il lui disait qu'elle aimerait Mobile. Fallait-il en déduire qu'il espérait l'emmener avec lui, qu'il la voulait de nouveau dans sa vie ? Mais comment pouvait-il savoir qu'elle était toujours libre ? Oh, bien sûr, il s'en doutait ; bien sûr qu'il le savait…

Il lui demanda ce qu'elle faisait et elle le lui raconta. Il répondit qu'elle devait être parfaite en patronne de bar – il avait toujours pensé qu'elle devait se lancer dans la restauration, affirma-t-il – et elle le remercia pour le compliment. Et lui, était-il toujours cuisinier ? Oui, mais plus pour les ouvriers du pétrole.

— Je suis un vrai chef maintenant, déclara-t-il. Faire la tambouille pour l'industrie du pétrole, c'était… industriel : de grosses parts pour de gros gars. Beaucoup de féculents. Aucune finesse.

Elle l'imagina en tenue de cuisinier, avec la toque qu'il aimait porter pour masquer ses cheveux gras. Elle lui avait un jour offert un shampoing spécial, mais, soit le produit manquait d'efficacité, soit Eddie avait cessé de l'utiliser.

Ils terminèrent leur verre et traversèrent la rue pour gagner le *Café Sardi*. Il avait réservé une table dans ce restaurant et lui demanda si elle le connaissait. Elle lui répondit que non, mais il lui plut lorsqu'elle y pénétra. Elle aimait les photographies aux murs et trouvait que les restaurants italiens dégageaient toujours quelque chose de chaleureux.

Ils prirent place à une table, le long du mur. Il regarda la carte et lui parla de certaines des spécialités qu'il cuisinait à présent. Les Américains aimaient le sucré, expliqua-t-il, et il était obligé de saupoudrer de sucre glace des plats que l'on aurait trouvé savoureux en Écosse.

— C'est très différent, là-bas ? s'enquit Big Lou. Ça me plairait, à ton avis ?

Eddy joua avec le bord de la nappe.

— C'est très différent, d'une certaine manière, répondit-il. C'est un pays où on doit se débrouiller tout seul. Quand ça ne va pas, ça ne va pas. Personne ne viendra te remonter le moral. Mais pour celui qui a vraiment envie de travailler, c'est le meilleur endroit du monde.

— Peut-être que je devrais venir te voir là-bas ? hasarda Big Lou.

Il ne l'avait pas encore invitée, bien qu'il eût déclaré que Mobile lui plairait sûrement. Quel drôle de nom ! pensa-t-elle. Mobile, qu'il prononçait à la française, ce qui devait être la prononciation correcte. Eddie s'attachait à ce genre de détail : il avait toujours été comme cela.

— Il y a une chose que je dois te dire, Lou, reprit-il. Je suis marié maintenant. J'ai épousé une fille que j'ai rencontrée là-bas. Nous tenons un restaurant ensemble.

Big Lou demeura sans voix. Elle ouvrit la bouche pour parler, mais aucun son n'en sortit. Elle baissa la tête et contempla ses couverts, de chaque côté de l'assiette, et la fleur solitaire dans le petit vase, et la danse de la flamme dans le courant d'air.

90. Poèmes de la dynastie Tang

Il existe, disait Auden (mais aussi Tolstoï), différentes sortes de chagrin. Quand Eddie lui révéla qu'il s'était marié à Mobile, dans l'Alabama, Big Lou éprouva une infinie tristesse. Elle n'avait jamais possédé grand-chose et perdre le peu qu'elle avait représentait une souffrance dont elle était coutumière (c'était là ce qu'Auden disait des pauvres). Chez Pat, qui avait reçu beaucoup d'amour et qui le savait, la vue de Bruce au *Cumberland Bar* et l'attention que le garçon portait à sa petite amie américaine provoquaient un désarroi encore inconnu, la tristesse de comprendre qu'elle ne pourrait obtenir ce à quoi elle aspirait. Ce chagrin-là représentait une découverte très amère pour les jeunes, qui croyaient rarement que l'objet de leur désir pût être inaccessible, dans la mesure où l'avenir leur était ouvert. Je ne suis peut-être pas très beau aujourd'hui, mais je le deviendrai. Je n'ai peut-être pas beaucoup d'argent aujourd'hui, mais cela changera.

Tandis qu'il escortait Pat hors du *Cumberland Bar*, Angus Lordie avait conscience de l'état d'esprit de la jeune fille. Un individu moins psychologue eût sans doute tenté de lui remonter le moral en la distrayant ou en lui faisant observer qu'il existait une infinité d'autres garçons sur terre. Lui, cependant, savait ce que signifiait aimer sans espoir, il savait que la seule façon de se confronter à cet état consistait à regarder le malheur en face. Et il importait, estimait-il, de ne pas oublier que, lorsqu'on était triste, la dernière chose que l'on avait envie de s'entendre dire était qu'il existait des gens plus tristes encore. Expliquer à une personne qui avait mal aux dents que d'autres souffraient encore plus n'était d'aucune utilité.

Aussi déclara-t-il à Pat, tandis qu'ils s'éloignaient tous deux du *Cumberland Bar* :

— Oui, c'est très désagréable, n'est-ce pas ? Vous avez envie de lui et il n'a pas envie de vous, parce qu'il est avec une autre fille. Eh oui, c'est malheureux ! Et bien sûr, rien ne dit qu'il voudrait de vous non plus s'il n'y avait pas cette fille…

Pat ne trouva pas ces paroles réconfortantes. Elle s'apprêtait à lui répondre qu'elle n'avait plus envie d'en parler lorsqu'il reprit, sans lui en laisser le temps :

— Je comprends bien ce que vous lui trouvez, vous savez. Je comprends l'attrait que présente la beauté masculine. Je suis artiste et je sais tout de la beauté. Ce superbe jeune homme vous a jeté un sort. C'est ainsi que la beauté opère. Il suffit de la voir pour qu'elle vous jette un sort. C'est tout à fait extraordinaire. Nous avons envie de fusionner avec elle, de la posséder. Nous voulons *être* cette beauté. Vous voulez être ce jeune homme, vous comprenez. C'est cela que vous désirez.

Au comble de l'étonnement, Pat l'écoutait, tandis qu'ils contournaient Drummond Place pour atteindre le haut de Scotland Street. Quand ils passèrent devant la maison du défunt Sydney Goodsir Smith, makar, Angus Lordie leva la tête vers les fenêtres nues et lança un salut.

— J'aime saluer l'ombre de Sydney, expliqua-t-il. « *Guidnicht, then, for the nou, Li Po*[1] / *In the Blythefu Hills of Tien-Mu*[2]. »

Il se tourna vers Pat.

— Ces ravissants vers sont de Sydney, que Dieu ait son âme superbe et tapageuse. Il a écrit un très joli poème adressé au poète chinois Li Po, sur une soirée animée dans un bar d'Édimbourg, une « *cheerie howf*[3] », peuplée par une « *crousi companie o' philosophers and tinks*[4] ». Quelle image magnifique ! Et tout cela se passait « *while the world in its daith-dance / skudder and spun / in the haar and wind o space and time*[5] ».

Il s'interrompit et considéra son chien.

1. Li Po est un très grand poète chinois de l'époque de la dynastie Tang, connu pour son goût pour l'alcool. (*N.d.T.*)
2. « *Bonne nuit, donc, pour l'heure, Li Po / dans les collines de Blythefu, à Tien Mu.* » (Poème en langue écossaise.) (*N.d.T.*)
3. « Une *auberge sympathique*. » (*N.d.T.*)
4. « Une *joyeuse compagnie de philosophes et de bohémiens.* » (*N.d.T.*)
5. « *Pendant que le monde, dans sa danse macabre / tournoie et virevolte / dans le vide et le vent de l'espace et du temps.* » (*N.d.T.*)

— Crois-tu que ce ne sont là que d'abominables absurdités, Cyril ? Vas-tu dire à Pat que je ne suis pas toujours comme ça, mais que parfois… eh bien, que parfois, il semble que ce soit la seule chose à faire ? Vas-tu lui expliquer tout cela, Cyril ?

L'intéressé fixa un instant son maître, puis se tourna vers Pat et lui adressa un clin d'œil.

— Et voilà ! lança Angus Lordie. Cyril se serait très bien entendu avec Sydney. Et il aime bien aussi qu'on lui parle des poètes chinois, même s'il n'ignore pas que les Chinois mangent les chiens… Une pratique que Cyril a du mal à approuver, aussi tolérant soit-il envers les faiblesses humaines. Mais les chiens sont bien obligés de fixer des limites ! Aimez-vous la poésie chinoise, Pat ? Non, je suis sûr que vous ne connaissez pas encore ce plaisir. Vous devriez essayer, vous savez. Dans les traductions d'Arthur Waley. Les poètes chinois écrivent des choses merveilleuses sur le plaisir de rester assis au bord des fleuves, à attendre l'arrivée des bateaux. Il ne se passe pas grand-chose d'autre dans la poésie chinoise, mais faut-il vraiment qu'il se passe quelque chose en poésie ? Je ne le crois pas.

Ils s'engagèrent dans Scotland Street, marchant d'un pas lent pour permettre à Cyril de renifler chaque lampadaire, chaque bordure de trottoir.

— En fait, il n'est pas très compliqué d'écrire de la poésie chinoise du VIIIe siècle, reprit Angus Lordie. En anglais, s'entend. Cela réclame très peu d'efforts, je trouve.

— Dans ce cas, composez un poème maintenant, suggéra Pat. Allez-y, puisque vous dites que c'est facile.

Angus Lordie s'arrêta de nouveau.

— Mais certainement. Voyons voir, réfléchissons…

Il se tut quelques instants, puis, se tournant vers Pat, s'adressa gravement à elle :

> — Je regarde de l'autre côté de cette rue de pierres
> Cette rue qui porte le nom d'un pays

Pour voir la maison de lumières, où une douce
[compagne
Prépare son pichet de vin et se remémore
Les heures passées ensemble
Dans cette chambre paisible ; chaque marche qui
[s'interpose
Entre nous et elle mettra un peu de baume à votre
[cœur,
Fera de l'ordre dans le chagrin qui baigne votre
[cour
Jusqu'à vous rendre le sourire, ma triste amie.
Je vous le dis, je vous l'assure, cela est vrai.

Lorsqu'il se tut, il s'inclina légèrement devant Pat.

— C'était mon poème chinois, commenta-t-il. Pas
aussi bon, sans doute, que celui qu'aurait composé Li Po
s'il s'était trouvé ici avec nous, ce qui n'est pas le cas,
mais capable, peut-être, de vous préparer à une soirée
avec Domenica et moi-même et à une conversation sur
des choses qui comptent vraiment. Et si, incidemment, il
est un baume sur votre indéniable tristesse, je considére-
rai n'avoir fait que mon devoir de voisin. *N'est-ce pas**,
Cyril ?

91. Dieu se penche sur la Belgique

— Et pouvez-vous me dire, interrogea Domenica Macdonald dès qu'elle leur eut ouvert sa porte, où se trouve
votre chien malodorant ?

Angus Lordie ne parut pas déconcerté par cet accueil
dénué de chaleur, contrairement à Pat, dont l'inquiétude,
toutefois, ne tarda pas à se révéler déplacée. La relation
qui unissait sa voisine, Domenica, à son nouvel ami
Angus Lordie était bon enfant et les piques qu'ils
s'échangeaient n'avaient rien d'acéré. Au cours de la soirée, Angus Lordie allait décrire Domenica – devant elle –
comme « un épouvantable bas-bleu », tandis qu'en retour,

elle l'informerait qu'il était « un raté notoire », « un roué » et « un peintre au talent douteux ».

— Si c'est de Cyril que vous parlez, répondit Angus Lordie, il est dehors, attaché à une balustrade, en train de profiter des fragrances de cette rue odoriférante. Ce genre de plaisir lui manque sur Drummond Place, car l'air y est plus frais. Il nage donc en plein bonheur.

Domenica les introduisit dans son bureau.

— Je suis assez contente que vous soyez venus, voyez-vous, déclara-t-elle en sortant d'un placard une bouteille de Macallan à demi pleine. Je me faisais du souci pour cette fatwa qui vous a été jetée, Angus. Cette branche dissidente des libres presbytériens a-t-elle déjà fait des siennes ?

Pat se souvint de la conversation sur la fatwa à l'encontre du peintre, à la suite du portrait peu flatteur du représentant de cette Église. Angus Lordie ne lui en avait plus reparlé et il était loin d'avoir adopté le comportement d'un individu vivant sous la menace d'une fatwa.

— Oh, ça ? fit-il en acceptant le généreux verre de whisky que Domenica avait rempli pour lui. Oui, ils se sont manifestés une ou deux fois pour me signifier leur déplaisir, mais je pense que cette histoire va probablement faire long feu.

— Et qu'ont-ils fait exactement ? s'enquit Domenica.

— Un petit groupe est venu chanter des psaumes gaéliques devant ma porte. Vous savez, ces abominables hymnes funèbres qu'ils affectionnent. Oui, nous avons eu droit à un concert de ce genre. Lorsqu'ils ont eu terminé, je suis sorti et je les ai remerciés. Ils ont paru quelque peu déconcertés et ils ont bafouillé quelque chose, comme quoi j'aurais encore de leurs nouvelles, mais le cœur, m'a-t-il semblé, n'y était pas.

— Il est si difficile de tenir une fatwa ! commenta Domenica. Cela réclame tant d'enthousiasme ! Je ne suis pas sûre que je trouverais moi-même l'énergie morale pour cela…

— Quand il a entendu les psaumes gaéliques, Cyril s'est mis à hurler à la mort, reprit Angus Lordie, et ils ont cru qu'il se joignait à leurs incantations. Cela ressemblait tellement à ce qu'ils chantaient ! C'était très étrange. Mais bien sûr, ce chien vient de Lochboisdale et il a dû entendre des psaumes gaéliques là-bas. Peut-être la nostalgie s'est-elle soudain emparée de lui…

— Eh bien, commenta Domenica, ce genre de chose participe à la gaieté des nations ! C'est ce qu'il y a de bien en Écosse : la vie est rarement monotone. Je suis immensément soulagée de savoir que je ne vis pas dans un pays ennuyeux.

— Par exemple ? interrogea Pat.

Son année sabbatique l'avait emmenée en Australie, puis en Nouvelle-Zélande pour une brève période. Ce dernier pays était plutôt paisible, tandis que l'Australie s'était révélée loin d'être ennuyeuse… du moins pour elle.

— Oh, la Belgique ! assura Domenica. La Belgique est extrêmement terne.

Angus Lordie hocha la tête en signe d'assentiment.

— Je n'ai jamais bien compris la raison d'être de la Belgique, déclara-t-il. Mais je ne peux que vous approuver quant à son caractère lugubre. Vous souvenez-vous de ce jeu auquel nous avons joué dans une soirée, lorsqu'on demandait aux gens de citer des noms de Belges célèbres dont le prénom n'était pas Léopold ? C'était assez révélateur, n'est-ce pas ?

— J'avais une liste de Belges célèbres quelque part, dit Domenica d'un ton absent. Mais je crois que je l'ai égarée.

— Elle finira par refaire surface, assura Angus Lordie en buvant une gorgée de son whisky. Cela arrive souvent avec ce genre de chose. À propos, vous ai-je déjà dit que j'ai composé un hymne sur la Belgique ? L'Église d'Écosse avait entrepris de revoir son répertoire d'hymnes et elle a lancé un appel pour recevoir des contributions plus modernes. J'en ai composé une dont je suis assez fier. Je l'ai appelée : « Dieu se penche sur la Belgique. »

— Et les paroles ? s'enquit Domenica.

Angus Lordie s'éclaircit la gorge.

— Cela commence ainsi :

Dieu ne connaît pas la Belgique
Mais tout de même, eh oui, il l'aime
Que voulez-vous, Dieu est chic
Pour lui, tous les peuples sont les mêmes
Qu'ils soient ou non soporifiques.

Il croisa les mains et guetta la réaction de Domenica. Pat ne savait que penser. Était-il sérieux ? Elle avait aimé le poème chinois qu'il avait déclamé pour elle dans Scotland Street, mais cet hymne, en revanche, lui semblait... Non, de toute évidence, son auteur plaisantait...

Domenica regarda Angus Lordie et haussa un sourcil.

— Et l'Église d'Écosse l'a-t-elle adopté ? s'enquit-elle.

— Inexplicablement, non, soupira Angus Lordie. J'ai reçu par retour de courrier une lettre très courtoise, mais je crains fort qu'on n'ait estimé que ma création ne convenait pas. Je suppose que la courtoisie de mise au sein de l'Europe y est pour quelque chose. Nous devons au moins faire mine de prendre la Belgique au sérieux.

— Nous vivons une époque si dénuée d'humour ! se désola Domenica. Autrefois, l'on pouvait rire. Autrefois, l'on pouvait inventer n'importe quoi – comme cette hymne ridicule ; navrée, Angus, mais c'est le mot ! – et s'en amuser. Mais aujourd'hui ? Eh bien, aujourd'hui, nous sommes entourés de censeurs et de rabat-joie. Des gens austères et ignorants qui nous font la leçon sur ce qu'il convient de penser et de faire. Et voyez-vous, nous nous aplatissons devant eux, nous nous soumettons à leurs diktats ! C'est là la plus remarquable démonstration de passivité qui soit ! De sorte que, lorsque nous rencontrons une personne qui pense de façon indépendante ou qui ne reflète pas la sagesse obligée du jour, nous n'en revenons pas !

— Et ainsi disparaît la liberté de pensée, renchérit Angus Lordie, qui avait écouté son amie avec attention. Par petites touches. Par de minuscules actes de désapprobation. Par des milliers de détails qui visent à décourager les gens.

Tous trois gardèrent le silence pour mieux méditer ce qui venait d'être dit. Domenica et Angus Lordie semblaient d'accord, mais Pat, pour sa part, hésitait. Quel intérêt y avait-il à offenser ainsi la Belgique ? N'avions-nous pas réalisé d'indéniables progrès en apprenant à reconnaître la sensibilité d'autrui et en dissuadant tout un chacun de dénigrer son prochain ? Qu'arriverait-il si un Belge entendait cette hymne ? Ne s'agissait-il pas là d'une offense gratuite ? Et puis, l'on ne devait pas critiquer les gens pour des choses contre lesquelles ils ne pouvaient rien : on ne choisissait pas d'être belge.

Pat réfléchissait à tout cela lorsqu'elle s'aperçut que ses deux compagnons l'observaient.

— Il faut que vous compreniez une chose, ma chérie, lui confia Domenica. On ne doit jamais prendre au sérieux ce qui sort de la bouche d'Angus.

L'intéressé acquiesça.

— C'est exact, convint-il. Mais écoutez, Domenica : je m'ennuie un peu. Il me faudrait quelques émotions fortes. Je me demandais si vous verriez une objection à montrer votre tunnel à Pat, ici présente, et à moi-même. J'ai la conviction que c'est la soirée idéale pour une exploration… quelle qu'elle soit.

Domenica jeta un coup d'œil à Pat. Un coup d'œil riche en mises en garde morales.

92. *Dans le tunnel de Scotland Street*

Pat n'ignorait pas que Scotland Street était construite au-dessus d'un ancien tunnel de chemin de fer datant de l'époque victorienne. Bruce lui avait fait remarquer que, de part et d'autre de la rue, il fallait, pour accéder aux caves, descendre beaucoup plus bas que la normale ; et la raison en était que la rue reposait au sommet d'un tunnel.

— Je connais plein de choses là-dessus, avait-il affirmé. Si tu as des questions, n'hésite pas.

À présent, accompagnée de Domenica et d'Angus Lordie, la jeune fille se tenait devant une petite porte ménagée sur le palier du rez-de-chaussée bas de leur immeuble. Au-dessus, en un large arc-boutant, les marches de pierre montaient vers l'entrée de l'immeuble et l'accès au rez-de-chaussée haut. Cyril, qu'Angus Lordie était allé chercher dans la rue, reniflait avec enthousiasme.

— Je croyais que ce n'était qu'une cave à charbon, dit Pat.

— C'est une cave à charbon, en effet, acquiesça Domenica en poussant la porte du pied. Mais il y a autre chose au-delà ; une chose dont je suis seule, avec un ou deux autres résidents de longue date, à connaître l'existence.

Elle projeta le rayon de sa torche sur l'espace obscur qui s'ouvrait devant eux.

— Cela sent encore le charbon, déclara-t-elle, comme vous allez le constater. Mais cette porte-là, au fond, livre accès au tunnel. Si vous voulez bien me suivre, nous allons la franchir et nous promener un peu.

Elle commença à avancer d'un pas déterminé. Angus Lordie fit signe à Pat de la suivre ; lui-même fermerait la marche avec le chien.

— Cyril n'a peur de rien, expliqua-t-il. Ce qui, malheureusement, en dit long sur son absence d'imagination.

Car les gens courageux n'ont généralement guère d'imagination, vous n'êtes pas de mon avis ?

Le temps manquait pour discuter de cette étonnante proposition, car Domenica s'était déjà engagée dans le tunnel, balayant de sa torche le mur opposé. Pliée en deux, la porte n'étant pas assez haute pour être franchie debout, Pat la suivit et sentit aussitôt l'air froid sur sa peau. Une légère odeur de moisissure lui montait aux narines, semblable à celle d'un abri de jardin resté trop longtemps fermé.

Elle leva les yeux. Domenica dirigeait la torche sur le plafond du tunnel. Là, poussant sur la maçonnerie noircie, pendaient des amas de mini-stalactites qui se détachaient en blanc sur le fond noir, telles des colonies de champignons. Le tunnel était haut – environ six mètres, estima Pat –, mais large aussi, de manière à ménager des trottoirs de part et d'autre de la voie ferrée.

Domenica éclaira le tunnel en direction de Drummond Place.

— Commençons à avancer, décida-t-elle. Et regardez où vous posez les pieds : c'est assez raide. L'inclinaison est de un pour vingt-sept. Par ailleurs, il faut savoir que, dans ce tunnel, les distances se mesurent en chaînées.

— Vous êtes immensément bien informée, comme toujours, remarqua Angus Lordie. D'où tenez-vous ces connaissances ésotériques ?

— De l'organiste de St Giles, répliqua Domenica. Mon ami Peter Backhouse. Il sait tout ce qu'il faut savoir sur les chemins de fer et il connaît chacune des anciennes lignes d'Édimbourg. Il peut tout vous dire sur Bach, Pachelbel et les autres, mais il connaît également sur le bout des doigts les degrés d'inclinaison des voies, les systèmes de signalisation et la Compagnie de chemin de fer d'Édimbourg, Leith et Granton. Remarquable, n'est-ce pas ? J'ai toujours été impressionnée par les personnes qui s'y connaissent en trains.

— Jusque-là, je trouvais l'Église d'Écosse assez incompétente en matière de chemins de fer, avoua Angus Lordie. Avez-vous entendu le professeur Torrance en parler quand il était président de l'Assemblée générale ? Non. Et maintenant que notre président est une présidente, il y a peu de chances que cela s'améliore de ce côté-là. Les femmes ont tendance à moins s'intéresser aux trains que les hommes. Ou, du moins, que certains hommes. En ce qui me concerne, les trains ne m'attirent pas du tout, bien sûr.

— C'est parce qu'il y a dans votre psychisme une grande part de féminin, affirma Domenica. Vous avez accès à votre côté féminin. Vous êtes un homme nouveau, Angus.

Ils continuèrent à progresser sans plus parler. Pour Pat, Angus n'était pas un homme nouveau, loin de là ; il paraissait même tout le contraire. Et Cyril n'était certainement pas un chien nouveau, avec son goût pour la bière, sa réputation de courir après les chiennes et son habitude de cligner de l'œil. Rien de tout cela ne faisait partie des attributs du chien nouveau.

— Où mène ce tunnel ? s'enquit-elle soudain.

Elle n'était pas claustrophobe en temps normal, mais elle sentait néanmoins un léger malaise la gagner en constatant qu'ils s'étaient déjà beaucoup éloignés de la porte d'accès au tunnel. En outre, ils n'avaient emporté qu'une seule torche : que se passerait-il si elle tombait en panne ? Leur faudrait-il poursuivre leur progression en tâtonnant le long de la paroi ? Et si le sol était effondré par endroits ? Ils ne pourraient pas s'en rendre compte dans l'obscurité…

Domenica répondit à sa question :

— Il remonte jusqu'à la gare de Waverley. Il aboutit en face des quais 1 et 19. Il est muré à cet endroit, malheureusement, de sorte qu'il nous faudra revenir par le même chemin.

Pat réfléchit, puis demanda où allaient les trains, à l'époque.

— Ils descendaient jusqu'à Granton, expliqua Domenica. Peter Backhouse m'a montré une carte qui décrit très bien tout cela. Les trains partaient de la gare de Canal Street, au centre-ville, et descendaient le long du tunnel par la seule force de gravité. Pour les faire remonter dans l'autre sens, on avait recours à un système de cordages actionnés par un moteur fixe. Lorsqu'ils débouchaient à la station de Scotland Street, ils descendaient ensuite jusqu'à Granton. Là, les voyageurs pouvaient prendre un ferry pour poursuivre jusqu'à Fife. Le pont de Forth n'existait pas à l'époque, voyez-vous.

À cet instant, Cyril se mit à aboyer. Surprise, Domenica projeta sur lui le rayon de sa torche.

— Il a vu quelque chose, assura Angus Lordie. Regardez comme sa truffe frémit. Qu'as-tu déniché, mon garçon ? Qu'est-ce que tu as flairé ?

Cyril grogna.

— Il ne se trompe jamais, vous savez, insista son maître. Il a trouvé quelque chose. Dirigez le faisceau vers la direction qu'il regarde, Domenica.

Celle-ci s'exécuta. Tous gardèrent le silence pendant que la lumière balayait le mur, puis Domenica laissa échapper une exclamation de surprise. Elle avait été la première à voir, la première à comprendre ce qu'il y avait. Puis les deux autres saisirent à leur tour et regardèrent Domenica, dont la torche éclairait une partie du visage. Ils attendaient ses conseils… et une explication.

93. Nouveau tunnel et bref échange
sur l'esthétique

Ce fut Domenica qui brisa le silence qui suivit l'extraordinaire découverte de Cyril. Car c'était bien à ce dernier qu'on la devait, comme chacun en conviendrait par la suite, et ce serait à lui qu'en reviendrait le mérite. S'il n'avait pas aboyé pour les alerter d'une modification dans l'atmosphère, ils seraient passés à côté de cette artère secondaire bien camouflée. Mais Cyril, détectant de nouvelles odeurs, les avait avertis et, lorsque Domenica avait projeté sa torche dans la direction indiquée, ils avaient aperçu l'entrée d'un tunnel beaucoup plus petit que le principal, et qui partait vers l'ouest.

— Peter Backhouse ne m'en a rien dit, murmura Domenica en faisant un pas vers l'ouverture.

— Visiblement, ce tunnel a sombré dans l'oubli, commenta Angus Lordie en s'approchant pour ôter une planche posée là pour bloquer l'accès.

Le bois lui resta dans la main et, aussitôt, un autre morceau se détacha de la barrière, qui tomba peu à peu en miettes.

— J'imagine que c'est un tunnel de service, déclara Domenica en orientant sa lampe vers l'étroit passage.

— On tente ? lança Angus Lordie. N'y a-t-il pas de danger à remonter un peu par là ? Dieu seul sait ce que nous allons trouver...

L'idée d'une exploration nouvelle semblait séduire les deux amis, et Cyril bien plus encore. Ce dernier tirait déjà sur sa laisse pour pénétrer dans ce territoire d'odeurs non référencées. Pat, en revanche, n'éprouvait pas le même enthousiasme. C'était une chose de marcher dans un tunnel bien connu, c'en était une autre d'en explorer un dont personne ne semblait connaître l'existence. Une fois de plus, elle s'inquiéta du bon fonctionnement de la torche. Il n'eût déjà pas été très agréable d'avoir à naviguer sans lumière dans le tunnel central, mais s'ils pénétraient à présent dans ce qui pourrait bien se révéler un dédale de tunnels de service, ils risquaient de se perdre pour de bon et de se trouver contraints d'errer sous les rues d'Édimbourg jusqu'à ce que la faim et la fatigue aient raison d'eux. Ils ne pourraient alors espérer aucun secours, puisque nul ne savait où ils s'étaient aventurés. Leur disparition resterait à jamais un mystère, comme celle de ce groupe d'écolières australiennes avalées par la terre à Hanging Rock. Un pique-nique qui, finalement, n'avait pas été très réussi.

— Vous croyez que ce n'est pas dangereux ? interrogea-t-elle.

Dans l'obscurité, sa voix avait résonné très faiblement et la jeune fille douta d'avoir été entendue. Domenica lui répondit pourtant en la prenant par le bras :

— N'ayez pas d'inquiétude. Ce tunnel ne doit pas aller bien loin. Et s'il y avait un risque d'effondrement, cela se serait produit depuis longtemps déjà.

— Vous avez raison, approuva Angus Lordie. C'est aussi sûr qu'une maison.

Ils s'engagèrent donc dans le nouveau tunnel, à pas plus lents, car il y avait moins d'espace, de sorte que deux personnes à peine pouvaient marcher de front. Le tunnel n'était pas tout à fait droit et, de temps à autre, il tournait légèrement vers la gauche ou vers la droite, mais la direction générale restait bien l'ouest.

Pat frissonnait. L'air s'était encore refroidi et elle commençait à regretter de ne pas être allée chercher un gilet ou une veste à l'appartement, avant d'entamer l'expédition. C'était la perspective de croiser Bruce et Sally qui l'en avait dissuadée, si bien qu'elle était partie sans se couvrir davantage. Bien sûr, il n'y avait aucune raison de penser que Bruce et Sally seraient là : ils devaient être encore au *Cumberland Bar*, à moins qu'ils ne dînent aux chandelles dans un restaurant. Parleraient-ils d'elle ? se demanda-t-elle. Bien sûr que non : pour quelle raison s'intéresseraient-ils à elle ? Bruce la tolérait tout juste comme colocataire, rien de plus, et Sally, pour sa part, ne l'aimait guère. Elle n'était donc rien pour eux et ils n'avaient aucune raison de penser à elle, et moins encore de parler d'elle.

Angus Lordie s'était mis à marcher à ses côtés, tandis que Domenica les précédait de quelques pas, balançant le faisceau de la torche devant elle dans sa progression.

— Quelle aventure ! chuchota Angus Lordie. Vous seriez-vous imaginé que nous nous retrouverions ensemble sous terre ?

— Non, répondit-elle. Pas du tout.

— Bien sûr, soupira-t-il, je suis conscient qu'il existe beaucoup d'autres personnes avec qui vous préféreriez être ici en ce moment. À commencer par le jeune homme du bar, par exemple.

Il se tut un moment, avant de reprendre :

— Ne gaspillez pas votre cœur, ma chère petite. Je connais si bien ces signes-là ! L'impossible passion… Ne perdez pas votre temps avec ce garçon.

Malgré l'intention de Pat de garder le silence, la réponse fusa sans que la jeune fille pût rien faire pour l'en empêcher :

— Ce n'est pas si facile, répliqua-t-elle. J'aimerais bien arrêter, mais il se trouve que je n'y arrive pas. On ne peut pas s'empêcher d'éprouver des sentiments. C'est tout bonnement impossible.

— Oh si, on peut ! soutint Angus Lordie en haussant un peu la voix. On peut tout à fait s'empêcher d'aimer quelqu'un. Il suffit de modifier notre façon de regarder cette personne. Les gens font cela tout le temps.

— Je suis désolée, intervint Domenica, mais vous ne pouvez espérer avoir une conversation confidentielle dans un tunnel. J'ai entendu chacun des mots que vous avez chuchotés et je me vois contrainte de tomber d'accord avec Angus. Bien sûr que l'on peut agir sur les sentiments que nous inspire quelqu'un ou quelque chose. Toutefois, cela réclame un effort de volonté, une décision consciente de repérer des détails que l'on n'a pas encore vus.

— Précisément, renchérit Angus Lordie. C'est exactement ce que le professeur d'esthétique de Harvard expliquait : un jour, elle a décidé de considérer que les palmiers étaient beaux. Au départ, elle ne leur trouvait aucun attrait. Peu à peu, elle s'est rendu compte qu'elle aimait bien l'ombre rayée que formait leur feuillage. Et dès lors, les palmiers sont devenus magnifiques à ses yeux.

Cette conversation aurait pu se poursuivre encore – Angus Lordie avait d'ailleurs entrepris de rassembler mentalement tous les arguments en faveur de sa position et de celle du professeur d'esthétique américain – si Domenica ne s'était pas tout à coup immobilisée.

— Arrivons-nous au bout ? s'enquit Pat.

Il était difficile de distinguer ce qui s'étendait devant eux, car la torche, comme l'avait redouté la jeune fille, présentait des signes de défaillance. Il semblait toutefois qu'il y avait là un blocage.

— Je crois, oui, répondit Domenica. Regardez, j'ai l'impression que cela monte à pic devant nous.

Ils s'approchèrent avec précaution, tandis que Domenica faisait jouer le faisceau de la lampe sur le plafond. Soudain, elle pressa le bouton et la lumière s'éteignit. Pourtant, ils constatèrent que l'obscurité n'était pas totale : de minces rais de lumière jaune leur parvenaient d'en haut, émanant de ce qui apparaissait comme des fentes dans le plafond. Cela n'éclairait guère, mais leur permettait malgré tout de distinguer le visage de leurs compagnons, ainsi que les quelques amas de maçonnerie qui jonchaient le sol autour d'eux.

Pat vit Domenica leur faire signe d'approcher et elle s'exécuta, tout comme Angus Lordie.

— Il y a une pièce au-dessus de nous, murmura Domenica.

Ils étaient restés courbés durant leur progression, mais ils se tenaient droit à présent et leurs têtes touchaient presque le plafond.

— Il se passe quelque chose là-haut, souffla encore Domenica. Jetons un coup d'œil. Mais veillez bien à parler à voix basse et, je vous en prie, Angus, quoi que vous fassiez, interdisez à votre chien d'aboyer.

— Mais où sommes-nous ? chuchota Pat.

Ils avaient parcouru une certaine distance, peut-être l'équivalent de deux pâtés de maisons sur Prince Street, mais cela restait difficile à évaluer dans l'obscurité. Peut-être avaient-ils progressé de bien plus de chaînées que cela.

— Selon mes calculs, lui répondit Domenica, *sotto voce*, nous sommes plus ou moins directement au-dessous du New Club !

94. *Une intéressante découverte*

Se déplaçant avec mille précautions pour éviter de produire le moindre son, Domenica, Angus Lordie et Pat prirent position juste au-dessous des fentes du plafond. Il n'était pas aisé de voir ce qui se passait là-haut, mais en plaçant bien l'œil devant l'une des fentes – une manœuvre qui obligeait à poser la joue contre la pierre râpeuse et à combattre l'envie d'éternuer qui suivait inévitablement – ils parvinrent à distinguer la pièce située au-dessus de leurs têtes.

La vision n'était pas parfaite. Il est généralement plus facile de regarder en bas qu'en haut (proposition qui peut être appliquée à toute une série d'activités humaines, y compris la littérature et le journalisme). La vue depuis le Parnasse procure une plus grande impression de puissance, peut-on penser, que celle du Parnasse vu de la plaine. Pourtant, malgré ce désavantage et le côté inconfortable de leur position, ce qui s'offrit à leurs yeux les dédommagea amplement de leurs efforts.

Les fentes du plafond correspondaient à celles du plancher d'une vaste pièce. Elles se trouvaient juste au-dessous d'une table gigantesque, ce qui expliquait sans doute qu'on ne les ait pas détectées. Autour de cette table étaient assises vingt personnes – quarante jambes d'hommes et de femmes, quarante chaussures accompagnées de chevilles. Et c'était à peu près là tout ce qu'ils parvenaient à distinguer, étant donné les limites qu'imposait leur position.

Pat observa les chaussures. Il s'agissait pour la plupart de souliers d'hommes, mais on comptait également quelques escarpins de femmes çà et là, dont une paire toute proche de ses yeux. Celle-ci était en très beau cuir, et ses bouts carrés imposés par la mode avaient une forme élégante. Tandis que Pat l'observait, l'un des pieds se souleva légèrement et la chaussure vint se placer au bout de la fente par laquelle regardait la jeune fille. Si elle l'avait souhaité, celle-ci aurait pu passer l'auriculaire entre les planches et la toucher. Toutefois, elle ne le souhaitait pas.

Elle regarda alors les autres jambes et s'aperçut qu'une paire de chevilles, placée en bout de table, arborait des chaussettes rouge vif. Les chaussures qui allaient avec étaient superbes – des richelieus noirs à bouts brillants, des souliers de décideur –, ce qui rendait la couleur des chaussettes plus insolite encore. Pat baissa la tête et attira l'attention de Domenica en lui tapotant l'épaule.

— Avez-vous vu ces chaussettes rouges ? chuchota-t-elle. Là, au bout de la table…

Domenica pressa la joue contre sa fente pour regarder, puis elle se tourna vers Pat. L'excitation se lisait sur son visage : l'on eût dit qu'elle venait de faire une grande découverte.

— Je sais qui c'est, affirma-t-elle à voix basse. Il n'y a qu'une seule personne en ville pour porter de telles chaussettes.

Le nom qu'elle lui fournit n'était pas inconnu de Pat ; celle-ci l'avait déjà entendu, ou lu dans le journal, peut-être.

— Il était président d'une fabrique de whisky, je crois, murmura Domenica. Highland Distillers. Il fait aussi partie du conseil d'administration de la Banque d'Écosse et il est président de la Société des musées nationaux d'Écosse. C'est quelqu'un d'adorable, je l'ai rencontré plusieurs fois. Ces pieds-là sont les siens, j'en suis sûre. Et il semble bien que lui-même soit assis sur la chaise.

— Et y-a-t-il d'autres personnes que vous reconnaissez ? s'enquit Pat.

— Moi, oui, intervint Angus Lordie. Regardez ces pieds là-bas, à peu près au milieu, en face de nous. Regardez les chaussures.

Les deux femmes redoublèrent d'attention. Les souliers désignés semblaient assez ordinaires et Pat et Domenica se demandèrent quels détails particuliers permettaient à Angus Lordie de les identifier, lorsqu'un son leur parvint soudain d'en haut, une toux, puis le bruit d'un marteau qui venait s'abattre sur la surface de la table.

— Je déclare la séance ouverte ! annonça une voix.

— J'avais raison ! J'avais raison ! s'exclama Domenica dans un souffle. Je connais cette voix. Je la connais ! C'est le secrétaire du New Club ! C'est lui !

— Monsieur le Président, poursuivit la voix, voulez-vous que je relise les minutes de notre dernière assemblée ?

— Non, répondit, de l'autre extrémité de la table, une deuxième voix. Je pense que nous les avons tous lues. De nouvelles questions se sont-elles présentées ?

Un silence lui répondit.

— Comment les choses avancent-elles avec le… avec vous savez quoi ?

— Quoi ? interrogea une voix.

— Mais vous savez, répondit une autre. Notre délicate affaire…

348

— Ah, ça ? fit quelqu'un. J'en ai touché deux mots à la personne en question et tout est arrangé.

— Mais s'il y avait des fuites ? s'enquit une femme. Imaginez que *The Scotsman* ait vent de cette histoire…

— Aucun risque, affirma la première voix. Et, de toute façon, l'affaire est exclusivement mondaine. Elle ne concerne en rien le public.

— Très bien, acquiesça la femme. Vous avez fait du beau travail.

— Comme toujours, ajouta quelqu'un.

— Merci. Mais je pense qu'il s'agit là d'une action commune du comité. Le mérite en revient à chacun d'entre nous.

Le silence plana. Pat regarda Domenica, qui lui sourit, triomphante.

— Je le savais ! souffla-t-elle. Je l'ai tout de suite su !

— À présent, déclara une voix autoritaire, je pense que nous devrions avancer un peu et mettre à l'étude un brouillon de profession de foi. À vrai dire, je ne suis pas sûr qu'il faille émettre une déclaration de ce genre à l'intention du public, mais il me semblerait utile que chacun d'entre nous dispose d'un texte susceptible de nous rappeler à tout moment la teneur de notre fonction. Qu'en pensent les autres ?

Certains pieds remuèrent. Des chevilles se croisèrent et se décroisèrent.

— À mon avis, cela s'impose, lança quelqu'un en milieu de table. Un texte qui résumerait notre essence même se révélerait très utile.

— Et comment s'y prend-on pour résumer notre essence ? interrogea une voix indistincte.

— Par essence, nous avons été créés pour… commença une autre, mais son timbre était trop faible, de sorte que la suite se révéla inaudible,… par nous-mêmes.

Il y eut des murmures d'assentiment. Tout à coup, au grand effroi des trois amis qui se tenaient au-dessous, Cyril, resté patient jusque-là, émit un aboiement bruyant.

En l'espace d'un instant, tout ne fut que confusion. Angus Lordie se pencha pour fermer la gueule de Cyril, qui protesta par un nouvel aboiement, plus sonore encore que le premier. En toute hâte, Pat abandonna la fente par laquelle elle regardait et se cogna assez sévèrement contre le front de Domenica, qui avait fait de même. Toutefois, l'ordre fut vite rétabli et les trois amis quittèrent leur poste sans plus attendre.

— C'est le moment de lever le camp ! lança Domenica. C'est un peu décevant, certes, mais j'estime que, sur le plan diplomatique, il est plus sage de se retirer.

Ils redescendirent le nouveau tunnel et atteignirent bientôt l'embranchement. Puis, à la lumière d'une torche de plus en plus défaillante, quoique Domenica assurât qu'il lui restait assez d'énergie pour tenir jusqu'à Scotland Street, ils s'engagèrent dans le tunnel principal.

— Savez-vous de quoi il s'agissait ? interrogea Domenica. Est-ce que vous vous rendez compte de ce à quoi nous avons assisté ?

— Une réunion ? hasarda Pat.

— Oui, acquiesça Domenica. Mais une réunion très particulière. C'était, figurez-vous, l'assemblée générale annuelle de l'establishment d'Édimbourg !

95. Où Mr Guy Peploe fait une apparition

Le lendemain matin, Pat décida de ne rien révéler à Matthew des extraordinaires péripéties qu'elle avait vécues la veille. Certes, le jeune homme ne manquerait pas de s'intéresser à la description du spectacle inattendu de l'assemblée générale annuelle de l'establishment d'Édimbourg, dont se délecterait n'importe quel habitant de la ville. Il arrivait que les membres de l'establishment apparaissent en public, bien entendu, pour de grands événements, ou encore sur le green de golf de Muirfield, mais très peu de gens se doutaient qu'ils allaient jusqu'à tenir chaque année une assemblée générale. De même, rares étaient ceux qui connaissaient le nom du président de l'establishment d'Édimbourg, aussi Pat s'était-elle réjouie de pouvoir livrer tout cela à Matthew. Quand elle l'aperçut toutefois, avec son air de chien battu et son pessimisme, elle trouva difficile de lui raconter qu'elle avait passé une soirée passionnante. S'il lui posait la question, résolut-elle, elle se bornerait donc à affirmer qu'elle n'avait rien fait de spécial puisque, soupçonnait-elle, tel devait être son cas à lui.

Contre toute attente, la galerie connut une intense activité ce matin-là – ou, tout au moins, en début de matinée. Ils réalisèrent plusieurs ventes, dont celle d'une étude grand format, particulièrement réussie, un tableau de chasse signé McCosh. C'était là une œuvre dont Matthew avait pu parler avec enthousiasme et érudition. Il connaissait en effet Ted McCosh et il expliqua la peine que s'était donnée celui-ci à mélanger ses couleurs et à préparer ses surfaces exactement à la façon des grands maîtres flamands du XVIIᵉ siècle. Le client, un gros paysan d'Angus au visage rubicond qui aurait pu poser pour une eau-forte de Rowlandson[1], se montra ravi de son acquisition. Pouvait-on obtenir d'autres toiles de ce genre ? s'enquit-il. Bien sûr : Ted peignait les volailles de façon industrielle dans son atelier de Carrington. Comme ces volatiles ornementaux semblaient à leur aise dans leur décor sylvestre ! En effet...

La vente du McCosh mit Matthew d'excellente humeur, au point qu'il proposa à Pat de venir prendre le café avec lui ce matin-là. Ils laisseraient un mot sur la porte, signalant qu'on pouvait les trouver en face, au bar de Big Lou.

1. Thomas Rowlandson (1756-1827) : illustrateur et caricaturiste anglais. (*N.d.T.*)

Cette invitation soulagea Pat. Elle avait craint que Matthew ne soit fâché contre elle et elle n'était pas sûre de parvenir à travailler en compagnie d'un prétendant déçu. Il ne subsistait cependant rien de tout cela lorsqu'ils traversèrent la rue et descendirent avec précaution les périlleuses marches de Big Lou, scène, bien des années plus tôt, d'une chute sans gravité de Hugh MacDiarmid alors qu'il se rendait dans ce qui était jadis une librairie.

Big Lou les accueillit de derrière son comptoir. Il y avait déjà un ou deux consommateurs, mais aucun signe de Ronnie ni de Pete.

— On dirait qu'ils ne viennent plus, commenta Big Lou avec un haussement d'épaules. Il faut savoir que Pete me doit 50 livres, alors j'ai l'impression que je ne les reverrai pas de sitôt.

— Tu ne devrais pas prêter de l'argent, conseilla Matthew. Tu prends des risques.

— Tu ne dirais pas ça si tu avais besoin de m'en emprunter, fit remarquer Lou.

Ils prirent place dans l'un des boxes. Matthew s'étira, puis sourit.

— Peut-être que la roue tourne, dit-il. Peut-être que le marché de l'art est en train de s'envoler…

Pat sourit. Elle avait envie de voir Matthew réussir, mais elle doutait que ce pût être dans le commerce des tableaux. Sans doute existait-il quelque autre sphère où il manifesterait une réelle aptitude. Peut-être pourrait-il… peut-être pourrait-il devenir consultant ? Beaucoup de gens s'instituaient consultants, tout en restant assez vagues sur les motifs pour lesquels on serait amené à les consulter. Ces individus proposaient des conseils et il existait apparemment des gens prêts à payer pour en obtenir, même si la base sur laquelle ils étaient offerts semblait parfois discutable. Un garçon de sa classe de terminale s'était ainsi institué consultant à l'âge de vingt ans. Pat avait lu un article sur lui sous la rubrique « En vogue » d'un journal, qui le présentait comme un « brillant consultant ». Mais comment ce garçon pouvait-il conseiller qui que ce fût sur quoi que ce fût, alors que lui-même n'avait encore eu le temps de rien faire de sa vie ?

Pauvre Matthew, assis là, devant son cappuccino, dans sa chemise sans marque, content de lui sous prétexte qu'il avait vendu deux ou trois tableaux ! Il serait bon, songea Pat, de pouvoir l'aider à trouver quelqu'un, une petite amie qui l'apprécierait. Mais comme l'existence serait terne pour celle-ci, comme il serait angoissant d'attendre que quelque chose se passe en sachant pertinemment qu'il n'arriverait jamais rien…

Pat songeait à tout cela, tandis que Matthew contemplait pensivement la mousse de son cappuccino, lorsqu'ils entendirent Big Lou accueillir un client.

— Bonjour, Mr Peploe ! lança-t-elle avec force.

Aussitôt, Matthew se redressa et se tourna vers la porte. Le nouveau venu avait une bonne trentaine d'années, les cheveux bruns et un visage expressif. À l'étincelle qui brillait dans ses yeux, on eût dit que quelque chose l'amusait.

Big Lou croisa le regard de Matthew.

— Je te présente Guy Peploe, déclara-t-elle en saisissant une tasse. Oui, c'est Mr Peploe en chair et en os !

Matthew parut déconcerté.

— Mr Peploe ? répéta-t-il d'une voix enrouée.

Big Lou se mit à rire.

— J'ai rencontré Mr Peploe il y a quelques jours. Il est de la Scottish Gallery, dans la rue. Il m'a dit qu'en général ils prenaient leur café à la galerie, mais qu'il viendrait ici à l'occasion pour goûter le mien.

— Ah, d'accord… fit Matthew.

Il chercha à se rassurer en lançant un regard à Pat. La situation devenait périlleuse.

— Je lui ai parlé de ton tableau, poursuivit Big Lou. Et il m'a dit que, bien sûr, il y jetterai un coup d'œil. Il a dit que tu n'avais pas besoin de te gêner avec lui. Il passe son temps à expertiser des tableaux pour des gens. Et si c'est un Peploe, il le saura : c'est le petit-fils de Samuel Peploe, vois-tu.

— Ah, dit Matthew sans conviction. Seulement, je ne l'ai pas avec moi. Désolé.

— Mais tu l'as apporté ce matin, intervint Pat. Je l'ai vu. Je vais aller le chercher.

Guy Peploe sourit poliment.

— Je serais très heureux d'y jeter un œil, assura-t-il. Cela m'intéresse beaucoup.

Il était difficile pour Matthew de ne pas s'incliner. Aussi Pat traversa-t-elle la rue afin d'aller chercher le tableau, laissant Matthew mal à l'aise, immobile sous le regard de Guy Peploe, qui semblait le jauger en silence.

— Je crois que j'étais à l'école avec vous ! lança soudain ce dernier. Vous étiez beaucoup plus jeune que moi, mais il me semble me souvenir de vous.

— Non, rétorqua Matthew. C'était quelqu'un d'autre.

96. Où Mr Peploe voit quelque chose d'intéressant

Pat revint, le Peploe ? sous le bras. En entrant au *Big Lou*, elle s'aperçut que Guy Peploe s'était installé en face de Matthew et que les deux hommes bavardaient. Elle se glissa dans le box, face à Guy Peploe, et posa le tableau emballé sur la table.

Matthew lui lança un regard où se lisait un léger reproche.

— Je ne pense pas que ce soit vraiment un Peploe, affirma-t-il. Je ne l'ai jamais pensé, en fait. C'est une idée de Pat.

Malgré son irritation de le voir ainsi masquer son embarras en rejetant la responsabilité sur elle, Pat ne dit rien.

— Eh bien, nous allons vérifier, suggéra Guy Peploe en contemplant le paquet. Je suis de ceux qui pensent que le meilleur moyen d'authentifier un tableau est de commencer par le regarder. N'êtes-vous pas d'accord ? Il est assez difficile de se prononcer tant qu'on n'a pas la toile sous les yeux.

Matthew laissa échapper un rire nerveux.

— Oui, j'ai moi-même beaucoup de difficulté quand les gens me téléphonent pour me décrire un tableau qu'ils ont à proposer. Ils croient que je vais pouvoir leur donner un prix par téléphone.

— Les gens sont drôles, commenta Guy Peploe. Mais on ne doit pas décliner une occasion de regarder quelque chose. On ne sait jamais. Vous vous souvenez quand Cadell est entré dans une boutique de charité, il y a plusieurs années de cela ? Vous vous rappelez ?

— Oui, affirma Matthew, sans savoir de quoi parlait son interlocuteur.

— Alors, peut-être devrions-nous jeter un coup d'œil à celui-ci, répéta patiemment Guy Peploe. Voulez-vous que je le déballe moi-même ?

Matthew saisit le paquet.

— Non, je vais le faire.

Il décolla le papier adhésif et retira l'emballage avec une infinie lenteur. Pat le regardait sans rien perdre du léger tremblement de ses mains. C'était pour elle un moment d'intense pitié. Nous sommes tous vulnérables et craintifs, pensa-t-elle, chacun à sa manière.

Matthew acheva sa tâche et tendit silencieusement le tableau à Guy Peploe. Puis il se tourna vers Pat et baissa les yeux. Derrière le comptoir, Big Lou se tenait immobile, un torchon à la main ; elle fixait le Peploe ? et Peploe.

Guy Peploe examina la peinture. Il l'éloigna quelques instants de son visage, les yeux plissés, puis la retourna pour regarder l'envers de la toile. Enfin, il la reposa sur la table.

— Je suis désolé, dit-il. Moi, je suis un Peploe, mais pas lui.

Matthew et Pat avaient tous deux retenu leur souffle. Ensemble, ils poussèrent un soupir, et il sembla à Pat que son compagnon allait continuer à se vider de son air jusqu'à se dégonfler complètement, ne laissant sur le siège que son enveloppe corporelle, semblable à un ballon vide. Mue par son instinct, elle chercha la main de Matthew. Elle était moite.

— Ce n'est pas grave, souffla-t-elle. De toute façon, tu n'y as jamais cru. C'est moi qui t'ai donné de faux espoirs.

Guy Peploe considéra le jeune homme.

— Oui, dit-il. Je comprends bien pourquoi vous avez pu croire que c'était un Peploe. Vous avez un bon œil.

Cette remarque bienveillante était peut-être sincère, peut-être pas, Pat n'aurait su le dire. Elle était, pensat-elle, simplement destinée à réconforter Matthew, geste généreux de la part de Guy Peploe. Il eût été facile pour lui d'annihiler tous leurs espoirs d'un revers de main et de rabaisser Matthew du même coup, mais il ne l'avait pas fait. Au contraire, il s'était montré courtois.

Guy Peploe reprit le tableau et y promena l'index.

— Côté peinture, ce n'est pas du tout ça, j'en ai peur, reprit-il. Mon grand-père peignait sur des surfaces absorbantes. Cela signifie que l'huile de lin s'écoulait de la peinture, si bien que la surface avait une jolie texture un peu rugueuse. Il travaillait sur des planches, voyez-vous. Il apportait des planches de bois qu'il plaçait sur sa boîte de peinture et il peignait ainsi. On trouve parfois des grains de sable dans la couleur, parce qu'il peignait souvent sur la plage.

« Et puis, il y a le sujet. C'est Mull, bien sûr, mais ce n'est pas tout à fait le bon angle pour que ce soit une œuvre de Peploe. Mon grand-père avait l'habitude de se poster dans la partie nord de Iona et de peindre Mull de là. Il y avait une ou deux plages qu'il affectionnait en particulier. Tous les tableaux de Mull qu'il a réalisés depuis Iona sont peints selon cette perspective.

Il s'interrompit, souleva le tableau et l'observa encore.

— Maintenant, ce que l'on aperçoit ici est évidemment Ben More, mais c'est Ben More vu sous un angle assez bizarre. Je ne suis pas convaincu que cette perspective existe dans la réalité. On dirait presque que l'on a pris des morceaux de Mull pour les coller côte à côte. Je suis désolé, mais j'ai l'impression que c'est ce qui s'est passé.

— Mais la signature ? s'enquit Pat. Ces lettres SP, dans l'angle, là ?

Guy Peploe sourit.

— Les signatures ne veulent pas dire grand-chose. Beaucoup d'artistes n'ont jamais signé leurs œuvres, mais on voit leur signature apparaître par la suite. Cela ne signifie pas que le tableau en question soit un faux ; c'est juste que quelqu'un a jugé bon d'ajouter un nom.

— Mais pourquoi ? s'étonna Matthew.

— Parce que la personne est sûre qu'il s'agit d'un original, expliqua Guy Peploe, et elle a parfois raison, d'ailleurs. Mais du coup, elle estime que le meilleur moyen de consolider ses dires consiste à ajouter une signature... de façon à faire plus authentique !

— Et Peploe, il signait ses œuvres ? interrogea Pat.

— Oui, répondit Guy Peploe. Il signait celles dont il était particulièrement satisfait. Mais, pour autant que je sache, il n'utilisait pas ses initiales.

Tout en prononçant ces paroles, Guy Peploe se pencha subitement en avant et reprit l'examen du tableau, de très près cette fois.

— Vous savez, il y a quelque chose d'assez intéressant ici, murmura-t-il. Oui, regardez ! Je suis à peu près sûr que c'est une surcouche. Je pense qu'il y a une deuxième peinture dessous.

Il modifia la position du tableau, afin que la lumière parvienne sous un nouvel angle.

— Oui, regardez ça. Juste au-dessus de Ben More, là !
Voyez-vous la forme de... oui, oui, la forme d'un parapluie ?

Ils se penchèrent et, en effet, sous un certain angle, la
forme d'un parapluie transparaissait. Mais que venait
faire un parapluie au-dessus de Ben More ? L'ouest était
certes une région arrosée, mais tout de même pas à ce
point...

97. Où l'on en apprend davantage sur Bertie

Irene et Bertie arrivaient toujours avec ponctualité à la
séance de psychothérapie et le célèbre Dr Fairbairn,
auteur d'une étude de cas sur le jeune Wee Fraser, était
toujours prêt à les recevoir. Ils le voyaient ensemble, ce
qui, avait expliqué le psychiatre, était la meilleure façon
de traiter un problème dans lequel deux parties étaient
impliquées.

— Je pourrais poser à Bertie des questions sur vous et
vous en poser sur Bertie, précisa-t-il, mais j'obtiendrais
alors deux versions totalement différentes, quoique sincères l'une comme l'autre. En revanche, si je vous parle à
tous les deux en même temps, nous nous approcherons
davantage de la vérité.

Il s'arrêta un instant, l'air dubitatif, avant d'ajouter :

— Enfin, si tant est que la vérité existe...

Ce dernier commentaire surprit Bertie. Bien sûr que la
vérité existait, et il semblait inexplicable qu'un adulte, en
particulier un adulte comme le Dr Fairbairn, en doutât. Il
y avait les bobards d'un côté, la réalité de l'autre. Le
Dr Fairbairn n'était-il pas capable de faire la différence
entre les deux ? Peut-être était-il lui-même un menteur ?

— Je comprends tout à fait, répondit Irene.

Elle était ravie que le Dr Fairbairn l'ait invitée à
assister aux séances de thérapie, car elle adorait le son
de sa voix et appréciait beaucoup ses questionnements

subtils et pleins de perspicacité. Ses manières étaient suggestives, estimait-elle, non pas dans le sens péjoratif du terme, mais dans la mesure où il parvenait à susciter des réactions qui révélaient toujours des choses importantes.

Ce matin-là, lorsque le Dr Fairbairn les introduisit dans son cabinet, elle aperçut, sur le bureau, le dernier numéro du *Bulletin international de psychanalyse dynamique*. Cette découverte la transporta et elle tenta, en tendant le cou, de déchiffrer les titres de la couverture. *Les mères à la Staline*, lut-elle. *Nouvelle analyse.* Cela paraissait intéressant, même si l'intitulé était un peu opaque. L'article concernait sans doute le besoin qu'avaient les garçons, disait-on, de fuir l'influence de leur mère. Oui, ce devait être cela : il existait des enfants qui éprouvaient le besoin d'échapper à l'emprise de leur mère, mais tel n'était assurément pas le problème de Bertie. Elle-même entretenait d'excellentes relations avec son fils, comme le Dr Fairbairn avait dû commencer à le découvrir. Le problème de Bertie, c'était… En fait, elle ne savait pas vraiment. Là encore, ce serait une chose que le Dr Fairbairn mettrait peu à peu en lumière au fil des semaines ou des mois à venir. Cela avait sans doute à voir avec les angoisses relatives au sein maternel et avec ce qu'elle nommait la *partie additionnelle* de Bertie. Les garçons avaient tendance à éprouver des inquiétudes quant à leur partie additionnelle, ce qui était étrange, car pour sa part, elle aurait imaginé qu'une partie additionnelle était une chose à laquelle on devait rester indifférent, tout comme on ne se souciait pas des autres appendices du corps… par exemple l'appendice.

Il y avait également un autre titre, tout à fait fascinant celui-là : *Les Apparitions de Marie dans l'Italie de l'immédiat après-guerre : hystérie populaire et la Vierge vue comme démocrate-chrétienne.* Cela semblait du plus grand intérêt ; peut-être pourrait-elle demander au Dr Fairbairn de lui prêter la revue une fois qu'il l'aurait lue. La Vierge tendait à surgir dans toutes sortes de lieux et à toutes les époques, mais il restait toujours un point d'interrogation quant aux personnes qui la voyaient. Rome prenait mille précautions dans de telles occurrences, tout comme Vienne…

Bertie s'assit devant le bureau du Dr Fairbairn, tandis qu'Irene s'installait sur une chaise contre le mur, de sorte que Bertie ne puisse pas la voir lorsqu'il s'adressait au psychothérapeute.

— Comment vas-tu aujourd'hui, Bertie ? demanda le Dr Fairbairn. Es-tu d'humeur joyeuse ? Es-tu en colère ?

Bertie détailla son interlocuteur. Il remarqua que sa cravate était ornée d'un petit ours en peluche brodé. Pourquoi le Dr Fairbairn porte-t-il une cravate avec un ours en peluche ? se demanda-t-il. Joue-t-il encore avec des ours en peluche à son âge ? Bertie avait remarqué que certains adultes étaient bizarres de ce côté-là : ils s'accrochaient à leur ours. Lui-même en avait un, mais il ne jouait plus avec. Non pour le punir, ni parce que cet ours, bizarrement, ne possédait pas de partie addition-nelle, mais simplement parce qu'il ne l'aimait plus, peut-être à cause de la légère odeur de vomi qu'il avait prise depuis le malheureux incident survenu quelques mois plus tôt. C'était l'unique raison, il n'y en avait pas d'autre.

— Vous aimez les ours en peluche, Dr Fairbairn ? interrogea Bertie. Il y en a un sur votre cravate.

Le médecin sourit.

— Tu es très observateur, Bertie. Oui, c'est une cra-vate amusante, n'est-ce pas ? Est-ce que j'aime les ours en peluche ? Eh bien, je crois que oui. La plupart des gens voient les ours en peluche comme d'adorables créa-tures qui donnent envie de les caresser. Connais-tu cette chanson qui parle d'ours en peluche, Bertie ?

— *Le Pique-nique des ours en peluche* ?

— Exactement. Et tu en connais les paroles, Bertie ?

Bertie réfléchit quelques instants.

— « Si tu vas aujourd'hui dans les bois… »

— « Tu auras une grosse surprise ! » enchaîna le Dr Fairbairn. « Si tu vas aujourd'hui dans les bois / Mieux vaut que tu te déguises… » Etc. C'est une jolie chanson, n'est-ce pas, Bertie ?

— Oui, répondit le garçon. Mais elle est un peu triste, non ?

Le Dr Fairbairn se pencha en avant. Voilà qui devenait intéressant.

— Triste, Bertie ? Pourquoi ?

— Parce qu'il y a des ours qui n'auront pas de cadeau. C'est seulement ceux qui ont été sages qui en recevront. C'est ce que dit la chanson : « Tous les ours qui ont été sages / Auront à coup sûr un cadeau. » Et les autres ours, alors ?

Les yeux du Dr Fairbairn s'élargirent et il griffonna quelques mots sur le calepin posé devant lui.

— Ils n'auront rien, malheureusement. Crois-tu que tu aurais quelque chose, toi, si tu allais à un pique-nique comme celui-là, Bertie ?

— Non, répliqua Bertie. Moi, non. Les ours en peluche qui ont mis le feu au *Guardian* de leur père n'ont rien du tout à ce pique-nique. Rien du tout du tout.

Il y eut un silence, puis le Dr Fairbairn posa une autre question :

— Pourquoi as-tu mis le feu au *Guardian* de ton papa, Bertie ? L'as-tu fait parce que le mot *guardian*[1] est un terme qui veut aussi dire « parent » ? Le *Guardian* était-il ton papa parce que ton papa est aussi ton gardien ?

Bertie réfléchit. Le Dr Fairbairn était évidemment dingue, mais il fallait continuer à parler avec lui, sinon, il pouvait décider tout à coup de les tuer, sa mère et lui.

— Non, répondit-il. J'aime Papa. Je ne veux pas faire brûler Papa.

1. Gardien, protecteur, mais aussi tuteur. (*N.d.T.*)

— Et tu aimes le *Guardian* ? insista le Dr Fairbairn.

— Non. Je n'aime pas le *Guardian*.

— Pourquoi ?

— Parce qu'il est tout le temps en train de nous dire ce qu'on doit penser, expliqua Bertie. Exactement comme Maman.

98. Irene et le Dr Fairbairn conversent

Tandis que Bertie avait été envoyé en salle d'attente, où il pourrait s'occuper avec un vieux numéro du *Scottish Field*, Irene et le Dr Fairbairn buvaient du café noir dans le cabinet de consultation, en réfléchissant aux résultats de ses quarante minutes d'intense conversation avec son thérapeute.

— Le moment où il a parlé des ours en peluche était très intéressant, souligna pensivement le Dr Fairbairn. Il s'est construit toutes sortes d'angoisses autour du récit très simple d'un pique-nique d'ours. C'est tout à fait remarquable.

— Et très étrange, souligna Irene.

— Et quant à cet échange que nous avons eu au sujet du *Guardian*... poursuivit le thérapeute. J'ai été surpris qu'il vous voie comme quelqu'un d'aussi directorial. Très surpris.

— Absolument, soupira Irene. Jamais je ne l'ai poussé à faire quoi que ce soit. Tous ses petits enthousiasmes, son italien, son saxophone, c'est lui qui les a choisis. Moi, je me suis contentée de lui faciliter les choses, c'est tout.

— Bien sûr, s'empressa de répondre le Dr Fairbairn. Je savais cela. Mais il est vrai que les enfants interprètent souvent mal les choses. Vous n'avez pas à vous faire de souci du tout.

Il se tut et reposa sa tasse sur la soucoupe.

— Par ailleurs, ce rêve qu'il a raconté était assez fascinant, n'est-ce pas ? Celui où il voyait un train s'engouffrer dans un tunnel. C'était intéressant, n'est-ce pas ?

— Très, acquiesça Irene. Mais il faut dire que Bertie a toujours été obsédé par les trains. Il n'arrête pas d'en parler. Je ne pense pas que, dans son cas, il faille y voir un symbolisme particulier. Il rêve bel et bien de trains en tant que trains. Peut-être que les autres garçons rêvent de… enfin, d'autres choses lorsqu'ils rêvent de trains, mais pas Bertie.

— Mais… les tunnels ? s'enquit le Dr Fairbairn.

— Nous en avons un sous Scotland Street, expliqua Irene. Il est au-dessous de la rue. Mais personne n'a le droit d'y aller.

— Ah ! s'exclama le thérapeute. Un tunnel interdit ! Comme c'est significatif !

— Il est fermé, insista Irene.

— Comme tout tunnel interdit…

Ils demeurèrent un long moment pensifs, puis le Dr Fairbairn reprit sa tasse et revint sur le sujet des rêves.

— Je n'ai jamais sous-estimé le pouvoir révélateur du rêve, expliqua-t-il. C'est le documentaire le plus parfait qui soit sur l'inconscient, le script du Ça et du Moi, menant leur terrible danse orchestrée par le cerveau endormi. Vous n'êtes pas d'accord avec moi ?

— Oh, si ! affirma Irene. Et vos propres rêves, Dr Fairbairn, les analysez-vous ?

— Bien sûr ! s'exclama-t-il. Puis-je vous en raconter un ?

— Mais certainement !

Elle adorait cela. On devait se sentir si seul quand on était le Dr Fairbairn et que l'on avait si peu de patients – et peut-être même aucun, en dehors d'elle – avec lesquels communiquer d'égal à égal, tant dans le domaine intellectuel que psychanalytique !

— J'ai fait ce rêve, commença le Dr Fairbairn, il y a plusieurs années, de nombreuses années, en fait, et pourtant, j'en garde encore un souvenir très net. Dans ce rêve, je me trouvais dans l'Ouest, à Argyll, peut-être, et je logeais dans une grande maison, au bord d'un bras de mer. La maison se trouvait à environ deux cents mètres du rivage et elle était entourée d'une herbe d'une extraordinaire couleur verte. Et cette herbe était baignée d'une lumière dorée semblable à celle du soleil levant.

« La femme qui vivait dans cette maison avait un nom, contrairement aux gens qui apparaissent généralement dans les rêves. Elle s'appelait Mrs Macgregor – je m'en souviens très clairement – et elle était d'une grande gentillesse avec ses hôtes. Il y avait d'autres personnes avec moi, des gens que je ne connaissais pas. Mrs Macgregor était douce et accueillante ; elle avait préparé un plateau de thé et elle m'a pris gentiment par la main pour me faire traverser la pelouse jusqu'à un abri situé au bord de l'eau. Je me souviens encore du parfum de l'air, celui des algues que l'on sent dans l'Ouest, qui était très doux. Et je ne voulais pas qu'elle me lâche la main.

« Nous sommes arrivés à l'abri, qu'elle a ouvert pour moi et, voyez-vous, à l'intérieur, il y avait une composeuse de style Art déco admirablement bien conservée. Je me suis émerveillé devant elle et j'ai commencé à en faire le tour. Mais pendant ce temps, Mrs Macgregor s'est éloignée, elle est repartie vers la maison et j'ai alors éprouvé un intense sentiment de perte. C'est à ce moment-là que je me suis réveillé. La maison, et l'herbe, et le bras de mer se sont estompés, mais il m'est resté une extraordinaire sensation de paix, comme si l'on m'avait octroyé une sorte de vision.

« Bien des années plus tard, je me trouvais dans un restaurant d'Édimbourg en compagnie d'un groupe de confrères qui participaient avec moi à un séminaire. En attendant d'être servis, nous avons commencé à parler des rêves. J'ai alors décidé de raconter le mien et le silence s'est soudain fait dans la salle. Tout le monde m'écoutait : les participants au congrès, les serveurs, le propriétaire italien du restaurant, Pasquale, c'était son nom, tout le monde.

« Quand j'ai terminé, le silence était complet. Puis l'un des membres du congrès, un éminent psychiatre d'Édimbourg, m'a lancé : "Mrs Macgregor est votre mère !"

« Et, bien sûr, Henry avait raison. Dans le restaurant, tout le monde s'est alors remis à parler très fort, avec soulagement, peut-être parce que cela les rassurait de savoir que leurs propres mères aussi se trouvaient auprès d'eux : leurs mères n'étaient pas parties.

Irene fut touchée par cette histoire et, comme les convives du restaurant, elle garda le silence. Elle se demandait si elle oserait raconter à son tour au Dr Fairbairn un rêve qu'elle avait fait quelques nuits plus tôt : elle se trouvait au Floatarium, dans le caisson, et quelqu'un avait soudain frappé contre la paroi. Elle avait soulevé le couvercle : devant elle se tenait un enfant blond qui ressemblait au personnage de Cupidon dans le tableau *Love Locked Out*[1].

Tout en se remémorant le rêve, elle s'aperçut tout à coup que, traduit en écossais, ou plutôt à demi traduit en écossais, ENFANT BLOND se disait FAIR BAIRN.

Non, il était impossible de raconter ce rêve, car cela revenait à s'aventurer en terrain dangereux, très dangereux. Elle ferma donc les yeux et réfléchit à sa vie. Elle était mariée à Stuart et elle était la mère de Bertie. Pourtant, elle se sentait seule, désespérément seule, parce qu'elle n'avait personne à qui parler de toutes les choses qui comptaient pour elle. Peut-être cela changerait-il quand Bertie entrerait à l'école Steiner, ce qui arriverait bientôt. Là-bas, elle rencontrait d'autres mères d'enfants Steiner, et elle pourrait bavarder avec elles. Il y aurait des

1. Tableau d'Anna Lea Merritt peint en 1889 et représentant Cupidon tentant de forcer la porte de l'Amour. (*N.d.T.*)

matins-café et des ventes d'entraide pour financer les nouveaux équipements de développement personnel de l'école. Elle n'aurait alors plus besoin de se rendre au Floatarium pour flotter dans un caisson insonorisé, mais prendrait part à quelque chose de grand, de vibrant et de généreux, comme l'étaient les communautés humaines avant la perte de la grâce, avant l'assombrissement de notre jardin d'Éden.

99. *Bruce prend un bain et réfléchit*

Dans la salle de bains de son appartement du 44. Scotland Street, Bruce Anderson se tenait devant le miroir, tout juste vêtu du caleçon blanc que sa mère lui avait offert pour son dernier anniversaire. La lumière qui éclairait la pièce était parfaite : l'orientation au nord procurait un éclairage satisfaisant sans être trop violent. Elle permettait en outre la formation d'ombres intéressantes : des ombres qui faisaient ressortir les contours des pectoraux et produisaient des nuances dans les épaules et dans la courbure des avant-bras.

Bruce n'ignorait pas qu'il présentait bien. Petit garçon déjà, il avait pris l'habitude de susciter des regards admiratifs chez les adultes. Les dames d'un certain âge lui tapotaient la tête, ébouriffaient ses cheveux et murmuraient « Le petit ange ! » ou « L'adorable bambin ! », et Bruce les récompensait d'un sourire, un acte de bienfaisance qui générait habituellement de nouvelles exclamations. Lorsqu'il avait grandi, les femmes qui lui tapotaient la tête avaient commencé à y renoncer (bien que l'envie fût toujours là), car on ne tapote pas la tête d'un adolescent, quelle que soit la tentation. Les regards des adultes étaient désormais augmentés des coups d'œil rêveurs de ses contemporaines, en particulier des adolescentes de Crieff, pour qui Bruce apparaissait comme une sorte de messager de la beauté, un signe que, même à Crieff, l'on pouvait trouver un garçon si transcendantalement excitant que toutes les limites de lieu, toutes les frustrations ressenties parce que l'on vivait à Crieff plutôt qu'à Édimbourg ou à Newport Beach, ou dans un endroit de ce genre, pouvaient être surmontées.

La beauté, bien sûr, n'avait qu'un temps, parfois très court, mais dans le cas de Bruce, cette apparence qui avait mis au supplice tant de filles de Crieff et de ses environs survivait. Elle s'épanouissait même, et tandis qu'il se contemplait dans le miroir, il se trouvait plus beau que jamais : l'image même, estimait-il, de l'homme au sommet de sa puissance.

Il se rapprocha du miroir et, se tenant de biais, pressa le bras et tout le côté droit contre la surface froide. Cela le rapprocha de lui-même, comme un frère siamois. Il leva le bras et le bras de son superbe jumeau se leva aussi. Il sourit, et son frère lui sourit aussitôt. Puis il se tourna complètement pour se faire face à lui-même, si près du miroir désormais que son souffle créa un halo de buée sur la glace, brouillard blanc qui se formait pour disparaître très vite, et qui lui parut étrangement érotique. Il rapprocha ses lèvres de celles du miroir et, pendant quelques instants, elles restèrent là, unies, se touchant presque, mais pas tout à fait, car quelque chose commençait à inquiéter Bruce : de qui était-il amoureux exactement ?

De Sally, se répondit-il à lui-même en se détournant du miroir – un arrachement, bien sûr, mais il s'en détourna néanmoins. De Sally, la fille qu'il avait songé à demander en mariage. Elle aurait adoré cela, imaginait-il, et aurait naturellement accepté, mais il avait ensuite estimé cela un peu prématuré. Il l'aimait bien, cela ne faisait aucun doute – il l'aimait même beaucoup –, mais envisager le mariage était peut-être aller un peu loin.

Il fit glisser son caleçon au sol et pénétra dans l'eau. Allongé là, il pouvait contempler le ciel du soir et regarder les nuages filer à toute allure. Il aimait faire cela pour réfléchir. Et à présent, il réfléchissait à son travail et au moment qui était venu d'avancer dans la vie. Il en avait assez d'être expert chez Macaulay Holmes Richardson Black. Il en avait assez de travailler pour Todd, avec son obsession du respect des procédures et sa tendance à lui faire la leçon. Dans quel univers étroit vivait cet homme ! L'Institut royal des experts assermentés ! Les clients, avec leurs exigences et leurs récriminations ! Était-ce cela, son avenir à lui ? Bruce se sentit profondément déprimé en y songeant. Il ne le permettrait pas. Il était taillé pour un monde plus vaste, plus intéressant que cela, et il avait désormais une idée très claire de la façon dont il y parviendrait.

Il aurait pu s'attarder encore longtemps dans le bain, mais la perspective de son rendez-vous de la soirée l'en dissuada. Sans plus se préoccuper du miroir, il s'habilla rapidement, s'enduisit les cheveux de gel, puis gagna la cuisine. Il avait peu mangé au déjeuner, aussi se prépara-t-il un sandwich avant de sortir : un morceau de pain français, qu'il fendit en deux pour y introduire du fromage qu'il avait acheté la veille dans une crèmerie Ian Mellis. Bruce aimait cette boutique en particulier. Il aimait la façon dont les filles lui souriaient de derrière le comptoir et lui offraient des échantillons de fromage à déguster. Bruce se penchait au-dessus du comptoir et permettait à l'une d'elles de lui glisser les petits morceaux dans la bouche, ce à quoi elle prenait un plaisir évident. C'était peu de chose, assurément, que de procurer à cette vendeuse des instants d'excitation : cela ne le gênait pas et pour elle, cela signifiait beaucoup.

Il n'y avait pas trace de Pat dans l'appartement lorsqu'il sortit. La pauvre petite ! pensa-t-il. Il l'avait vue au *Cumberland Bar*, l'autre soir, avec l'homme au chien bizarre, mais il avait fait semblant de rien, car il ne voulait pas lui faire encore plus de peine. Cela ne devait pas être facile pour elle de le voir avec Sally, alors qu'elle était terriblement entichée de lui, allant jusqu'à s'allonger sur son lit en son absence. C'était stupéfiant, mais les femmes étaient comme ça, Bruce l'avait constaté. Jamais il n'oublierait la petite amie qu'il avait, à l'âge de dix-huit ans, celle qui était partie trois mois en Inde et avait emporté, dans ses valises, un caleçon à lui, afin de pouvoir s'endormir toutes les nuits avec le vêtement sous son oreiller. C'était déconcertant, et Bruce s'était trouvé bien embarrassé quand elle lui avait écrit une carte postale pour lui raconter cela, une carte que tout le monde pouvait lire, y compris le facteur de Crieff. Ce dernier avait dévisagé Bruce par en dessous avec un sourire entendu, mais quand le jeune homme l'avait accusé de lire ses cartes postales, il était devenu belliqueux et avait répondu : « Fais attention à ce que tu dis, Jimmy ! » Ce n'était pas ainsi que les membres des services postaux étaient censés réagir face à une plainte de client, mais le facteur étant nettement plus massif que Bruce, celui-ci n'avait pas insisté.

Il quitta l'appartement et descendit l'escalier. Un ami du cabinet lui avait arrangé un rendez-vous et à présent, il se dirigeait vers le bar à vins où Will Lyons devait l'attendre. Will était le conseiller qu'il lui fallait, lui avait-on assuré, pour entreprendre sa nouvelle carrière. Le commerce du vin. Très chic. Sophistiqué. Beaucoup plus à son goût... et n'attendant plus que lui...

100. Bruce fait un exposé

Will Lyons avait accepté de rencontrer Bruce à la demande de son ami Ed Black. Ed connaissait un collègue de Bruce par l'intermédiaire de Roddy Martine, qui connaissait tout le monde, bien entendu, même s'il n'était pas sûr de connaître Bruce. Crieff, évidemment, se trouvait au centre de tout cela. Roddy Martine avait assisté à une soirée au *Crieff Hydro*, hôtel tenu par le cousin de Ross Leckie, un ami de Charlie Maclean, qui avait lui aussi assisté à la soirée et l'avait ainsi présenté à Bruce, qui connaissait Jamie Maclean, qui vivait à quelques kilomètres de Crieff. On était donc un peu en famille…

Will savait tout ce qu'il fallait savoir sur le vin pour avoir travaillé dans ce domaine pendant quelques années. L'on avait expliqué cela à Bruce, qui souhaitait donc obtenir des conseils sur la façon de trouver un emploi. Il ne doutait pas que cela puisse être arrangé, mais il savait aussi que les contacts se révélaient toujours utiles. Will pourrait lui présenter des gens, même si Bruce avait décidé de ne pas le lui demander d'emblée. Pour ce premier rendez-vous, il envisageait plutôt d'avoir avec lui une conversation à bâtons rompus sur le vin. Will s'apercevrait ainsi que Bruce savait de quoi il parlait, et le reste suivrait en temps voulu.

Will l'attendait dans le bar à vins. Comme les deux hommes ne s'étaient jamais rencontrés, Ed avait dit à Bruce de chercher le consommateur le plus élégant de l'établissement. « Ce sera lui », avait-il affirmé.

Ils se serrèrent la main et s'assirent.

— Laissez-moi vous inviter, dit Bruce en sortant son portefeuille. Un verre de vin ?

— Volontiers, merci, répondit Will en s'emparant de la carte.

Bruce en prit une lui aussi et la lut en entier.

— Pas trop mal ! commenta-t-il.

Il se tut, les sourcils froncés.

— Mais regardez-moi tous ces chardonnays ! Tant de vins pour un cépage sans intérêt ! Mou, fatigué. Aviez-vous vu cet article dans *The Decanter*, il y a quelques semaines ? L'aviez-vous vu ? Il parlait des clubs TSC de

New York (Tout sauf chardonnay). Je les comprends : ils se révoltent contre le chardonnay.

— En fait, commença Will à mi-voix, il y a des…

— Pour ma part, je n'y touche pas, coupa Bruce. C'est bon pour les gens qui achètent leur vin au supermarché, c'est bien pour les femmes, pour les enterrements de vie de célibataire ou ce genre de trucs. Là encore, ça passe, mais moi, on ne me fera pas avaler ça ! Autant boire du Blue Nun…

— Aimez-vous le champagne ? s'enquit poliment Will.

— Si j'aime le champagne ? Est-ce que le pape est catholique ? Bien sûr que j'aime le champagne ! Je peux même dire que j'adore ça !

— Et le chablis ?

— Bigre ! Est-ce que j'aime le chablis ? J'ai bu la plus merveilleuse bouteille de chablis l'autre jour. Fantastique. Rocailleux, vraiment rocailleux. Comme du biscuit, vous voyez ? Incroyable !

Will s'apprêtait à faire remarquer que c'était le chardonnay que l'on employait comme cépage pour le champagne et le chablis, mais il y renonça. Chez ceux qui n'y connaissaient rien ou presque, il était de bon ton de décrier le chardonnay. Pourtant, celui-ci restait un grand cépage, même si sa réputation avait été assombrie par le déferlement sur le marché de vastes quantités de vins inférieurs.

— Bien entendu, poursuivait Bruce sans cesser de détailler la carte, je suis plutôt Nouveau Monde qu'Ancien Monde. La France, selon moi, c'est terminé. Terminé !

Will parut surpris.

— La France ? Terminé ?

Bruce acquiesça.

— Balayée. Les Français sont tout bonnement incapables de soutenir la concurrence des gars du Nouveau Monde. Ils ne sont plus à la hauteur, un point, c'est tout. Si vous vous asseyez devant une bonne bouteille de Californie – même une bouteille de prix modique – et si vous essayez ensuite un bordeaux, disons, la Californie gagne à tous les coups. À tous les coups ! Et beaucoup de gens pensent comme moi, vous savez.

Will semblait sceptique.

— Mais ne trouvez-vous pas que ces vins du Nouveau Monde déclinent après deux ou trois gorgées ?

— Non, rétorqua Bruce. Pas du tout.

Will sourit.

— Voyez-vous, ces vins du Nouveau Monde procurent un plaisir instantané… mais ne croyez-vous pas qu'ils noient un peu l'arôme ? Les vins français sont généralement bien plus complexes. Il faut dire qu'ils sont faits pour accompagner les repas.

— Vous pouvez tout à fait manger en buvant des vins du Nouveau Monde ! affirma Bruce. Je le fais souvent moi-même. J'ai une bouteille de california et je trouve qu'elle s'accorde très bien avec les pâtes.

— Rouge ou blanc ? s'enquit Will.

— Avec les pâtes, du blanc. Toujours.

Tous deux se turent et se concentrèrent sur la carte.

— J'ai trouvé ! s'exclama Bruce. Je vais prendre une demi-bouteille de muddy wonga south australian ! C'est un grand vin ! Un très grand vin !

Will s'attarda sur la partie consacrée aux muddy wonga.

— Intéressant, commenta-t-il. Je n'en ai jamais entendu parler. Vous les avez déjà goûtés ?

— Plein de fois ! répondit Bruce. Ils ont une sorte de couleur violette et beaucoup de bouquet.

— Ce doit être la boue[1], suggéra Will à mi-voix, de sorte que Bruce ne l'entendit pas.

— Et vous, interrogea ce dernier, qu'allez-vous prendre ?

— Eh bien, je serais plutôt tenté par ce bordeaux. Le pomerol.

1. Dans l'intitulé du vin, le mot *muddy* signifie « boueux ». (*N.d.T.*)

— Un homme plutôt rive gauche, donc…

— En réalité, il s'agit de la rive droite, rectifia Will d'un ton calme.

— Peut-être, n'empêche que c'est le même fleuve, fit remarquer Bruce.

— Bien sûr, acquiesça Will.

— Évidemment, vous allez au moins demander un bouchon en liège, déclara Bruce, et non pas l'un de ces épouvantables bouchons à vis. Figurez-vous que l'autre jour, j'étais dans un restaurant – en compagnie d'une Américaine assez mignonne que j'ai rencontrée – et on nous a servi du vin avec un bouchon à vis. Pouvez-vous croire une chose pareille ?

— Les bouchons à vis sont très performants, commença Will. Il existe beaucoup de propriétés…

Bruce ne l'écoutait pas.

— Pouvez-vous croire une chose pareille ? répéta-t-il. Un bouchon à vis dans un grand restaurant ! J'ai failli le renvoyer !

— Il avait du bouchon ? hasarda Will.

— Non, puisque le bouchon était à vis ! répondit Bruce.

Ils passèrent leur commande, qui arriva peu après. Bruce se servit un verre et le tint au niveau de son nez.

— Superbe ! affirma-t-il. Le vigneron de Muddy Wonga s'appelle Lofty Shaw. Il a été formé à Napa, puis il est retourné en Australie. Regardez, sentez-moi ça !

Il passa son verre sous le nez de Will.

— Cassis, enchaîna-t-il. Des tas de fruits. Et voilà !

Will hocha la tête.

— C'est un grand vin, en effet, commenta-t-il.

— Énorme, renchérit Bruce. Musclé. Un vin qui a des pectoraux !

Will ne dit plus rien pendant quelques instants, puis il interrogea Bruce sur ses projets.

— J'en ai plus qu'assez de l'expertise immobilière, expliqua ce dernier. Alors j'ai pensé que je pourrais tenter quelque chose dans le vin. Quelque chose qui me permettrait d'exploiter mes connaissances.

— Il faudra jouer des coudes, fit remarquer Will d'un ton pensif. C'est comme dans tous les métiers.

— Oui, oui. Mais je connais mon sujet. J'ai pensé que je pourrais commencer vers le milieu, puis passer mon diplôme de maîtrise en vin dans un an, à peu près.

— Ce n'est pas si simple, objecta Will.

— Oui, je sais. Mais je suis prêt à attendre. Un an, dix-huit mois maximum.

Will contempla Bruce sans savoir que dire.

101. Pat et Bruce : bref échange

Bruce sortit très satisfait de sa rencontre avec Will Lyons. Il avait réussi à faire comprendre une ou deux choses à son interlocuteur – dont la suprématie des vins du Nouveau Monde – et à le faire changer d'avis, il en avait la certitude, sur le chardonnay. Il trouvait étrange qu'un homme comme celui-là pût encore concevoir de boire de ce vin, quand tous ses congénères ou presque en étaient totalement écœurés.

Ainsi Will avait-il pris la mesure de l'homme à qui il avait affaire et tout naturellement proposé de contacter une ou deux personnes, pour leur demander quelles étaient les ouvertures actuelles dans le commerce du vin. Bruce ne doutait pas que des opportunités se présente-raient, aussi avait-il résolu de donner sa démission sans plus attendre. Sans doute se verrait-il contraint de tra-vailler encore un mois ou deux chez Macaulay Holmes Richardson Black en guise de préavis, mais il pourrait ensuite s'accorder un mois de vacances avant de se lan-cer dans le vin.

Todd, bien sûr, chercherait à le convaincre de rester, mais Bruce refuserait. Il voyait déjà la scène : Todd lui parlerait de la formation que la firme lui avait offerte

– « Cela ne signifie-t-il rien pour vous, Bruce ? » – et il tenterait de le prendre par les sentiments. Mais rien n'y ferait.

— Je suis désolé, dirait Bruce, vraiment désolé, Mr Todd, mais ma décision est irrévocable. Je n'ai rien contre Macaulay Holmes, etc., mais j'ai besoin de quelque chose de plus stimulant. De moins ennuyeux.

Cela clouerait Todd d'entendre qualifier son univers d'ennuyeux. Bruce savoura cette perspective. Il pourrait insister encore un peu, tout en s'interdisant de trop remuer le couteau dans la plaie.

— Il y a des gens à qui le métier d'expert convient tout à fait, expliquerait-il. Je suis sûr que vous-même, vous êtes plutôt heureux. Seulement, certains d'entre nous ont besoin de... comment dire... de faire fonctionner leur flair !

Pauvre Todd ! Il ne trouverait aucune réponse à cela. Ce serait presque cruel, mais il fallait en passer par là, ne fût-ce que pour compenser toutes les humiliations que Bruce avait endurées, contraint qu'il avait été d'écouter les enseignements à trois sous de son employeur, ces grands discours sur l'éthique professionnelle, le devoir, la bonne pratique du métier et le reste... Tout cela était terminé ! Désormais, il y aurait les dégustations et les tournées dans les vignobles de Californie, associées à d'innombrables occasions de côtoyer cette population de filles aux jambes de rêve, issues du gratin, qui évoluaient en marge du commerce du vin. Quelle perspective stimulante ! Et tout cela à portée de main... Il suffisait de trouver un poste !

Bruce songea soudain qu'il serait bon de passer l'entretien d'embauche avec une femme. Les femmes lui mangeaient dans la main et, s'il parvenait à œuvrer pour que la décision soit prise par l'une d'elles, il décrocherait le job les doigts dans le nez.

De retour à l'appartement, il s'était installé dans la cuisine pour méditer sur son délicieux avenir, lorsqu'il entendit s'ouvrir la porte d'entrée. Ce devait être Pat, cette pauvre petite, qui rentrait après une terne soirée passée ici ou là. Il allait être gentil avec elle, décida-t-il. Généreux, même : il pouvait se le permettre, tout allait si bien pour lui !

Lorsque Pat pénétra dans la cuisine, Bruce l'accueillit d'un large sourire.

— Tu veux un café ? proposa-t-il. J'allais justement m'en faire un.

Pat rougit. Malgré tous ses efforts, elle rougit. Il le remarqua et sourit de plus belle. Pauvre gosse ! Elle ne peut même pas me regarder sans rougir !

Bruce se leva et se dirigea vers le moulin à café.

— Je vais te faire quelque chose de vraiment spécial, annonça-t-il : un irish coffee. J'ai appris la recette à Dublin. On était partis là-bas pour une tournée de compétitions et l'un des gars de l'équipe irlandaise m'a montré comment ça se prépare. Je t'en fais un.

— Je ne sais pas, bredouilla Pat. Je suis un peu fatiguée.

— Mais si ! insista Bruce. Assieds-toi. Je ne le ferai pas trop fort.

Pat s'exécuta et le regarda s'affairer. Elle ne put s'empêcher d'admirer la forme de son dos et l'incroyable aisance de ses mouvements, ni de s'attarder sur les muscles de ses avant-bras – il avait remonté les manches de son maillot de rugby bleu marine. C'est plus fort que moi, songea-t-elle, je ne peux pas faire autrement : je suis obligée de le regarder.

Tout à coup, il se retourna et vit qu'elle le contemplait. Il baissa un instant les yeux, comme gêné, puis les releva.

— C'est dur pour toi, hein ? lança-t-il.

Elle se mordit la lèvre, incapable d'articuler une réponse.

— Ouais, ça doit être difficile de gérer ça, poursuivit-il. Sally et moi d'un côté, toi de l'autre. Dur, dur…

— Je ne sais pas de quoi tu parles, murmura Pat, le visage brûlant de honte.

Bruce abandonna sa tâche pour venir s'asseoir près d'elle. Il lui toucha l'épaule, avant de lui poser doucement la main sur la joue.

— Tu es brûlante, dit-il. Pauvre Pat. Tu es brûlante. Pauvre petite fille. Tu es en feu.

Elle voulut repousser la main, mais il lui emprisonna alors les doigts.

— Écoute, déclara-t-il. Soyons adultes, tous les deux. Je suis avec cette Américaine, c'est vrai, mais, entre nous, ce n'est pas aussi sérieux que tu pourrais le croire. En fin de compte, je ne vais pas me marier avec elle. On va continuer à sortir ensemble, mais cela n'aura rien de permanent. Du coup, je peux te rendre heureuse toi aussi, pourquoi pas ? Tu n'auras qu'à me partager...

Pat demeura bouche bée. Au bout d'un long moment, lorsqu'elle fut bien certaine d'avoir saisi le sens de ses paroles, elle frissonna et, d'un geste brusque, retira sa main de celle de Bruce pour se lever d'un bond, repoussant violemment sa chaise derrière elle. Alors, elle contempla le jeune homme, qu'il lui sembla découvrir soudain avec une extraordinaire lucidité, un degré de clairvoyance qu'elle n'eût jamais cru possible. Un profond dégoût l'avait envahie.

— Je ne le crois pas, souffla-t-elle. Je ne le crois pas...

Bruce sourit et haussa les épaules.

— La balle est dans ton camp, Patsy. Réfléchis. Ma porte est toujours ouverte, comme on dit.

102. Diagnostic paternel

Noyée dans sa détresse, elle parcourut sans rien voir le long trajet en bus, puis les quelques minutes de marche qui séparaient Churchhill de la maison familiale de

Grange. Son père se trouvait seul, car sa mère était partie passer quelques jours à Perth, chez sa sœur. Plein de sollicitude, il guettait l'arrivée de Pat. Lorsqu'il l'entendit se démener pour tenter d'introduire la clé dans la serrure, il vint lui ouvrir la porte et l'enlaça.

— Ma chérie, murmura-t-il. Ma chérie…

Elle leva les yeux vers lui. Au téléphone, il avait compris que cela n'allait pas, aussi était-il là, à l'attendre comme de coutume. Cela n'avait jamais été sa mère qui la consolait des blessures de l'enfance – celle-ci avait un côté distant, non pas par choix, mais c'était là sa façon d'être, fruit d'une jeunesse inhibée et malheureuse. Son père, en revanche, avait toujours répondu présent pour expliquer, réconforter, compatir.

Ils gagnèrent ensemble le salon. Il était en pleine lecture lorsqu'elle avait appelé et plusieurs livres et revues étaient disséminés sur la table basse. Près du fauteuil, Pat repéra ses pantoufles, des pantoufles en cuir qu'elle lui avait achetées chez Jenners pour son anniversaire, plusieurs années auparavant.

— Je pense que je n'ai pas besoin de t'interroger, commença-t-il. C'est ce jeune homme, n'est-ce pas ? Le garçon de l'appartement ?

Cela ne la surprit pas qu'il ait deviné. Il possédait une intuition pour saisir ce qui se passait, un don pour détecter les problèmes qui troublaient les gens. Cela lui venait, imaginait-elle, de ses années d'expérience auprès des patients, de toutes ces heures passées à les écouter et à comprendre leur détresse.

— Oui, répondit-elle.

— Et… ?

— Je croyais qu'il me plaisait. Mais en fait, je le hais.

— Tu en es sûre ?

— Oui. Mais je suis… je suis un peu secouée.

Son père retira le bras qu'il avait laissé jusque-là autour de ses épaules.

— C'est normal. Perdre un amour est à peu près aussi douloureux que tomber d'un arbre… et la douleur subsiste bien plus longtemps. La plupart d'entre nous ont versé des torrents de larmes pour ça.

« D'après ce que tu m'as raconté, je dirais que ce jeune homme souffre d'un trouble de personnalité narcissique. Ces gens-là sont très intéressants. Ils ne sont pas nécessairement malveillants, pas du tout, mais ils peuvent se montrer très destructeurs dans leur façon de traiter leur entourage.

Pat avait un peu parlé de Bruce à son père après son emménagement à Scotland Street. Il l'avait écoutée avec une grande attention, sans toutefois s'autoriser de commentaires.

— Il est tellement content de lui ! s'indigna la jeune fille. Il pense que tout le monde, sans exception, est à ses pieds ! Il en est persuadé.

Son père se mit à rire.

— Bien sûr ! Parce qu'il se considère comme parfait : il estime qu'il n'y a rien à redire chez lui. Et il est convaincu que les autres le voient ainsi.

Pat réfléchit à cette analyse. En tombant amoureuse de Bruce – cette aberration si embarrassante de sa part –, elle s'était comportée exactement comme il s'y attendait. Il n'en avait pas été surpris ; pour lui, les choses se passaient ainsi avec toutes les femmes et il ne doutait pas un instant de l'effet qu'il produisait sur elles.

Elle se tourna vers son père.

— C'est sa faute ?

Il haussa un sourcil.

— Sa faute ? C'est intéressant. Qu'est-ce que la notion de faute vient faire ici ?

— Pourrait-il s'en empêcher ? insista Pat. Pourrait-il être différent de ce qu'il est ? Pourrait-il se comporter autrement ?

— Je ne suis pas sûr que nous ayons vraiment la maîtrise de notre personnalité. Nous sommes ainsi faits, c'est tout. Dans un sens, c'est un peu comme la taille, ou la couleur des cheveux. On ne peut pas reprocher à quelqu'un d'être petit plutôt que grand, ou d'avoir les cheveux roux.

— Donc, on ne peut pas reprocher à Bruce d'être narcissique ?

Le père de Pat réfléchit.

— À vrai dire, nous pouvons tout de même influer sur les défauts de notre caractère. Par exemple, si l'on sait que l'on a tendance à faire une certaine chose qui n'est pas bonne, on peut essayer de s'en empêcher, apprendre à se contrôler, éviter les situations de tentation, faire en sorte de ne pas laisser ses désirs guider ses actes. Et bien entendu, nous attendons aussi cela des autres, n'est-ce pas ?

— Ah bon ?

— Oui. Nous attendons des autres qu'ils contrôlent leur cupidité, leur avarice. Nous attendons de ceux qui ont mauvais caractère qu'ils essaient au moins de garder leurs mouvements d'humeur sous contrôle.

— Alors, Bruce pourrait se comporter de manière moins narcissique s'il se donnait la peine d'essayer ?

Son père marcha jusqu'à la fenêtre et scruta l'obscurité du jardin.

— Il pourrait s'améliorer un peu, oui. Si on lui fournissait des éléments de réflexion sur sa personnalité, il pourrait adopter un comportement que les autres trouveraient moins agressif. C'est ce que nous attendons des psychopathes, non ?

Pat le rejoignit à la fenêtre. Elle connaissait chaque ombre de ce jardin : le banc où sa mère aimait s'asseoir pour boire son thé, la rocaille, envahie ces dernières années par les herbes folles, le trou qu'elle avait creusé, petite, et que l'on n'avait jamais comblé.

— Ah bon ? fit-elle encore.

Il se tourna vers elle. Elle aimait ces conversations : la nature humaine, parfois effrayante, le mal, toujours terri-

fiant, devenaient soudain inoffensifs sous le regard par-
ternel, comme un insecte piqueur emprisonné dans un
bocal de verre, objet d'étude scientifique qui n'a plus de
secrets.

— Oui, répondit-il. La plupart des gens ne comprennent pas bien la psychopathie. Ils voient le psychopathe
comme le méchant d'un film de Hitchcock – avec le
regard fixe et tous les autres attributs –, alors qu'en réalité, les psychopathes sont des individus assez ordinaires,
et bien plus nombreux qu'on ne l'imagine. Connais-
tu par exemple quelqu'un qui serait fondamentalement
égoïste, quelqu'un qui ne semblerait pas se soucier de la
peine qu'il peut causer à autrui, quelqu'un qui manipule-
rait les gens ? Quelqu'un de froid à l'intérieur ? Connais-
tu une personne comme cela ?

Pat réfléchit : Bruce ? Elle se garda toutefois de prononcer ce nom.

— Si oui, poursuivit son père, il est possible que cette
personne soit un psychopathe. Mais il ne faut pas trop
simplifier, bien sûr. Certains spécialistes ont recours à
une liste de questions, le test du Dr Hare. Ce test détecte
les comportements antisociaux qui apparaissent au cours
de l'adolescence et subsistent ensuite jusqu'à la trentaine.
Il y a également beaucoup d'autres critères.

Le père de Pat s'interrompit un instant.

— Dis-moi une chose, ma chérie. Ce jeune homme…
pourrais-tu l'imaginer faisant souffrir un animal ?

Pat hésita tout d'abord, mais se décida vite : non, Bruce
ne ferait pas cela. On ne pouvait le qualifier de cruel. Ni
de froid non plus, d'ailleurs.

— Non, répondit-elle. Je ne crois pas qu'il soit méchant
de cette façon-là.

— Alors, ce n'est pas un psychopathe, conclut simplement son père.

103. Et alors...

Pat rentra à Scotland Street le soir venu. Son père lui avait proposé de rester dormir à la maison, mais elle était résolue à repartir. Elle ne pouvait se réfugier chez ses parents chaque fois que quelque chose n'allait pas. En outre, si elle ne revenait pas, Bruce en déduirait qu'il avait réussi à la chasser. Elle imaginait ce qu'il penserait – et dirait – alors : « Beaucoup trop immature. Elle n'a pas pu tenir. Elle est tombé folle amoureuse de moi et puis hop, elle a disparu. Caractéristique ! » Non, elle ne lui accorderait pas cette victoire ! Elle retournerait à l'appartement et lui ferait face. Il n'y aurait pas d'éclats. Elle se contenterait de demeurer froide et sereine. Et à la moindre allusion à ce qu'il s'était passé, elle lui répondrait seulement qu'elle n'était plus intéressée, ce qui était d'ailleurs le cas. Elle serait forte. Plus encore : elle serait indifférente.

Elle gravit les marches du 44, Scotland Street, dans la cage d'escalier froide où ses pas résonnaient. Elle passa devant la porte des Pollock, illustrée de l'autocollant antinucléaire, et songea à Bertie, qu'elle n'avait pas vu depuis longtemps et dont le saxophone avait sombré dans le silence. Cela faisait plus d'une semaine qu'elle n'avait pas entendu l'enfant jouer, et la dernière fois, la musique lui avait semblé lointaine et sans âme, presque triste. C'était, elle s'en souvenait, une version d'une *Gymnopédie* d'Erik Satie, un morceau écrit pour le piano, mais qu'un bon saxophoniste pouvait aussi interpréter sur son instrument. Une musique envoûtante qui, sous les doigts de Bertie, lui avait surtout paru déroutante. Cela n'avait rien de surprenant, bien sûr, quand on savait que le petit garçon était malheureux. N'importe qui le serait avec Irene comme mère. C'était du moins ce qu'avait affirmé Domenica, qui estimait que l'on privait Bertie d'une véritable enfance. Comme celle de Pat avait été différente ! On l'avait laissée agir à sa guise et elle avait pleinement exploité cette liberté : pendant trois semaines, à l'âge de treize ans, elle avait prétendu être autrichienne (une période épuisante pour ses parents), puis californienne (période plus exténuante encore). Si les mères telles qu'Irene se révélaient déjà mauvaises pour des filles, pensait Pat, elles étaient souvent létales pour les garçons. Une fille affublée d'une mère dominatrice pouvait s'en sortir ; un garçon, non. Ce dernier subissait de sévères dommages et passait le reste de son existence à fuir sa génitrice, et quiconque la lui rappelait de près ou de loin. Autre possibilité, il *devenait sa mère* dans un acte désespéré d'autoprotection psychologique.

Malgré sa détermination à affronter Bruce et à lui tenir tête, Pat s'aperçut que sa main tremblait lorsqu'elle introduisit la clé dans la serrure. Tandis qu'elle poussait lentement la porte, elle eut soudain la sensation d'être observée et se retourna. Le second appartement du palier était fermé, mais le minuscule œil de verre du judas passa tout à coup de l'obscurité à la clarté, comme si, à l'intérieur, quelqu'un surveillait le palier et venait de se retirer. Domenica l'observait-elle ? Pat se retourna, avant de jeter, à la dérobée, un nouveau regard par-dessus son épaule. Le judas s'était encore assombri.

Une fois entrée, elle alluma le vestibule. Il était onze heures, la porte de Bruce était fermée et aucune lumière ne filtrait par-dessous. La jeune fille s'enhardit à traverser le couloir à pas de loup. Un instant, il lui sembla entendre de la musique, mais le son était très faible et elle se refusait à trop s'approcher. À moins que… ? Sans bruit, elle regagna l'interrupteur et éteignit la lumière de l'entrée pour demeurer immobile dans le noir. Son cœur battait la chamade et elle ferma les yeux. Il était là, dans cette chambre, et il lui avait dit que sa porte restait toujours ouverte. Qu'éprouvait-elle pour lui au juste ? Les mots qu'il avait prononcés en début de soirée l'avaient écœurée et elle s'était enfuie, pleine de mépris et de haine envers lui. Et pourtant, elle ne pouvait réellement le haïr. Non, pas réellement. Au fond, quelle que fût son arrogance et aussi inintéressante que pût être sa conversation, elle ne parvenait pas à lui en vouloir. Cela se révélait tout bonnement impossible.

Elle ôta ses chaussures et traversa une nouvelle fois le hall pour venir se poster juste devant la chambre. Il n'y avait pas de musique. Elle avait dû l'imaginer, à moins que la mélodie entendue tout à l'heure ne provînt d'ailleurs. Dans le silence absolu qui régnait désormais, elle ne percevait que les battements de son cœur et le souffle court de sa respiration. Jamais encore, elle ne s'était trouvée dans un tel état, jamais, et ce, malgré tout ce que son père lui avait dit : sa clairvoyance, son intelligence s'étaient estompées, submergées par la concupiscence.

Avec une extrême lenteur, elle saisit la poignée et la tourna. Par chance, la porte s'ouvrit sans grincer. Retenant son souffle, étonnée de sa propre effronterie, Pat franchit le seuil et avança de quelques pas.

Il ne faisait pas vraiment noir dans la chambre de Bruce, car les rideaux légèrement écartés laissaient pénétrer un peu de lumière, qui venait éclairer le lit placé sous la fenêtre. Bruce était là, à demi couvert par le drap. Ses cheveux sombres formaient une ombre profonde sur l'oreiller, sa tête reposait sur son bras plié et, au pied du lit, l'une de ses chevilles dépassait. Pat vit sa poitrine, qui montait et descendait au rythme de la respiration, elle vit le ventre creusé, et elle crut défaillir.

Il était facile, très facile, à présent de tendre la main pour effleurer ce corps, caresser cette vision de beauté. Elle pouvait toucher cette épaule, ou cette poitrine. Pourtant, elle n'en fit rien et se contenta de demeurer immobile, à lutter sans bruit contre la tentation qui s'offrait à elle. Elle songeait à une chose que lui avait dite Angus Lordie : citant Sydney Goodsir Smith, il avait parlé de la terre qui tournait sur elle-même au milieu du vide. Oui, la terre tournait dans un vide immense, au cœur duquel nos petites inquiétudes, nos minuscules problèmes ne signifiaient rien ; alors, si nous parvenions à extraire de cette vie quelques plaisirs infimes, à saisir une parcelle de sens, il importait de le faire sans hésiter.

Elle avança encore d'un pas et se retrouva tout près de Bruce. Là, elle s'immobilisa brutalement, puis fit volte-face et s'enfuit en courant. Il était réveillé : au tout dernier moment, elle avait vu ses yeux s'entrouvrir et aperçu le sourire, à peine perceptible, qui effleurait ses lèvres.

104. Là où nous allons...

Assis à l'étage du bus 23, en route pour un entretien à l'école Rudolf Steiner, Irene et Bertie observaient la circulation et les piétons qui vaquaient à leurs occupations quotidiennes.

— Ç'aurait été plus simple en voiture, fit remarquer Bertie. On aurait pu se garer dans Spylaw Road. La brochure dit qu'il y a plein de places de stationnement dans Spylaw Road.

— Prendre le bus est plus responsable, répondit Irene. Nous devons respecter la planète.

— Quelle planète ?

Bertie avait une carte de l'univers accrochée dans sa chambre – ou plutôt, dans son espace, comme on l'appelait – et il connaissait le nom de chaque planète. De laquelle sa mère parlait-elle ?

— La planète Terre, précisa Irene. Celle que nous occupons en ce moment, comme tu as pu le remarquer, Bertie.

Il réfléchit un moment. Il éprouvait un grand respect pour la planète, mais il respectait aussi les voitures. Et il s'interrogeait sérieusement sur le mystère de ce qui était arrivé à la leur. Cela faisait cinq semaines qu'il ne l'avait pas vue ; elle avait bel et bien disparu.

— Où elle est, notre voiture, Maman ? interrogea-t-il d'une voix timide.

— Elle est en stationnement, répliqua Irene.

— Mais où ?

Il y avait une certaine sécheresse de ton dans la réponse qui fusa :

— Je ne sais pas. C'est ton papa qui l'a garée. Pose-lui la question.

— C'est ce que j'ai fait, rétorqua Bertie. Il dit que c'est toi qui l'as garée quelque part.

Irene fronça les sourcils. C'était elle qui avait garé la voiture ? Elle tenta de se remémorer la dernière fois qu'elle l'avait conduite, mais cela remontait à trop longtemps. Décidant de se désintéresser de la question, elle se plongea dans la contemplation du paysage qui défilait derrière la vitre, les jardins de Princes Street et, au loin, la silhouette rassurante du *Caledonian Hotel*. Cette visite à l'école Steiner pour un entretien avait été une idée du Dr Fairbairn, qu'Irene avait fini par accepter.

— Bertie doit pouvoir avancer, avait affirmé le psychothérapeute. Nous avons tous besoin d'avancer, même à cinq ans.

Ces mots avaient peiné Irene. Si Bertie avançait, où irait-il, dans le sens le plus général du terme ? Et elle, sa mère, où se retrouverait-elle ? Bertie était *à elle*, il était sa *création* !

Le Dr Fairbairn avait perçu son inquiétude et cherché à la rassurer.

— Pour qu'il avance, avait-il précisé avec bienveillance, il faut que vous le lâchiez un peu. Il est très important de savoir lâcher la bride.

Ces mots n'avaient guère aidé Irene, dont le visage avait aussitôt trahi le désarroi. Jamais Melanie Klein n'eût approuvé ce terme d'« avancer », porteur d'une nette connotation postmoderne. Irene aurait imaginé le Dr Fairbairn au-dessus de mots comme celui-là, mais voilà qu'il l'employait aussi aisément qu'il aurait pu parler de concepts plus lourds, comme le transfert ou le refoulement. Elle avait donc résolu de le tester sur la notion de forclusion.

— Et la forclusion ? avait-elle hasardé d'un ton hésitant, comme on lance une idée un peu risquée.

— Oh, il est évident que Bertie a besoin de forclusion ! avait répondu le Dr Fairbairn. Il a besoin de forclusion après l'incident du *Guardian*. Et par ailleurs, il nous faut aussi une forclusion pour le problème des trains. *Les trains de Bertie doivent atteindre leur terminus.*

Irene avait dévisagé le Dr Fairbairn. Cette remarque lui semblait des plus mystérieuses, et sans doute allait-il s'expliquer. Il n'en avait cependant rien fait.

— Tout d'abord, nous devons déterminer de quelle façon il va pouvoir avancer, avait-il repris. Bertie a besoin de savoir où il va. Il a besoin d'un horizon.

— Soit, avait rétorqué Irene, agacée. Mais on peut difficilement m'accuser de ne pas lui fournir de perspective sur son avenir. Chaque fois que je l'emmène à son cours de saxophone, par exemple, je lui explique comme il sera content, quand il sera grand, d'avoir travaillé son instrument. Plus tard, bien plus tard, ce sera un talent très utile en société.

Le Dr Fairbairn avait incliné la tête, à l'évidence peu convaincu.

— Le saxophone ? Mais savoir jouer du saxophone est-il vraiment un talent social ? N'est-ce pas plutôt un talent *anti*social ? Je ne sais pas, je pose la question…

Irene avait une réponse toute prête :

— Le saxophone procure du plaisir à beaucoup de gens. Bertie adore son saxophone.

Elle avait occulté – à moins qu'elle ne l'eût oubliée – la terrible scène du Floatarium, le jour où Bertie avait hurlé, sans la moindre ambiguïté, « *Non mi piace il sassofono !* ».

— Comportement oral, avait marmonné le Dr Fairbairn. On introduit le bec du saxophone dans la bouche pour jouer. C'est très oral.

— Mais c'est obligé, avec un instrument à vent ! s'était exclamée Irene. Et n'a-t-on pas le droit d'aimer jouer du saxophone quand on ne souffre pas d'une fixation au stade oral ? Ne serait-ce que pour le son qu'il produit ?

— Quelqu'un de naïf pourrait le croire, oui. Mais vous et moi savons fort bien, n'est-ce pas, que les explications, aussi séduisantes soient-elles, ne font qu'obscurcir la nature symbolique de la conduite en question. Il ne faut jamais perdre de vue que la raison apparente qui pousse à faire telle ou telle chose n'est pratiquement jamais la *vraie* raison.

« Prenez l'édification du Parlement écossais, avait-il poursuivi, s'échauffant sur ce thème. Les gens croient tous que, si les travaux prennent autant de temps, c'est à cause de problèmes techniques. Mais nous sommes-nous demandé si le peuple d'Écosse a vraiment *envie* d'achever cette construction ? Ne pourrions-nous pas penser que, si les choses traînent ainsi en longueur, c'est parce que nous savons qu'une fois ce bâtiment édifié, il nous faudra prendre la responsabilité des affaires de l'Écosse ? Westminster, en d'autres termes, est la maman – et d'ailleurs, ne l'appelle-t-on pas la Mère des Parlements ? Si : le langage lui-même en dit long. Ainsi, Maman nous a demandé de construire un parlement, et c'est exactement ce que nous faisons. Seulement, nous craignons que, quand nous aurons terminé, maman ne nous demande de partir ou, pis encore, qu'elle-même ne s'en aille ! Beaucoup de gens ne souhaitent pas cela. Ils veulent que Maman soit toujours là. Alors, ils font tout ce qu'ils peuvent pour faire traîner le processus d'édification.

« Et il y a aussi autre chose : pourquoi le bâtiment du Parlement a-t-il l'air d'avoir été construit avec des cubes en bois ? N'est-ce pas évident ? Nous voulons faire plaisir à Maman en édifiant quelque chose de juvénile, parce que nous savons que Maman non plus n'a pas envie de nous voir grandir. Nous cherchons à gagner son approbation avec une construction qui confirme notre dépendance d'enfant.

Irene avait écouté cette brillante théorie avec un enthousiasme croissant. Quelle formidable analyse de l'Écosse moderne ! Et il avait également raison en ce qui concernait les saxophones : bien sûr qu'ils étaient des objets oraux, et elle courait sans aucun doute le risque de fixer Bertie au stade oral si elle l'encourageait à en jouer. Seulement, elle avait compris cela à présent, ce qui signifiait qu'elle pouvait surmonter ce « sous-texte ». Elle continuerait donc à inciter Bertie à jouer du saxophone, tout en l'aidant, en même temps, à progresser à travers le stade oral pour se forger peu à peu une identité plus mature.

Elle avait regardé le Dr Fairbairn.

— Ce que vous dites est l'évidence même, avait-elle commenté. Mais je me pose une question : comment dois-je m'y prendre pour aider Bertie à avancer ?

— Donnez-lui une idée claire de ce qu'il va faire, avait répondu le Dr Fairbairn. Emmenez-le voir le lieu où il va aller. C'est de cela que nous avons tous besoin : de voir le lieu où nous finirons par nous retrouver.

105. L'ami de Bertie

Pendant qu'Irene s'entretenait avec le responsable des admissions de l'école Steiner, Bertie était installé dans une petite salle d'attente. Il n'était pas seul : en face de lui, dans la pièce sommairement meublée, se trouvait un garçon d'à peu près son âge, ou peut-être un peu plus grand, un garçon aux cheveux en bataille et aux joues couvertes de taches de rousseur, à qui il manquait une incisive. Bertie, qui avait mis une salopette en velours côtelé et des chaussures montantes rouges à lacets, remarqua que l'autre garçon était vêtu d'un jean et d'une chemise à carreaux. C'était une tenue formidable, pensa-t-il, le genre de vêtements qu'il aurait pu voir porter par des cow-boys dans un western, si sa mère l'avait autorisé à regarder ce genre de film.

Pendant un long moment, les deux enfants s'appliquèrent à éviter tout contact visuel, contemplant plutôt les affiches aux couleurs vives accrochées aux murs ou les motifs du carrelage. De temps en temps, l'un d'eux lançait un coup d'œil à l'autre, puis s'empressait de se détourner avant d'être remarqué.

Il arriva cependant un moment où ils se regardèrent en même temps, si bien que leurs yeux se croisèrent. Bertie ouvrit la bouche pour parler, mais l'autre garçon le devança :

— Je m'appelle Jock, dit-il. Et toi ?

Bertie retint son souffle. Jock était un nom merveilleux, fort et sympathique. La vie devait être facile quand on avait la chance de s'appeler Jock. Lui, on l'avait affublé du nom de Bertie, ce que, bien sûr, il pouvait difficilement révéler à ce garçon-là.

— En général, je ne dis pas mon nom, répondit-il. Désolé.

Jock fronça les sourcils.

— À moi, tu peux le dire. Je ne le répéterai à personne.

Bertie le fixa droit dans les yeux.

— Quand on fait une promesse, on doit la tenir, tu sais, déclara-t-il.

— Je sais, affirma l'autre. Je tiens toujours mes promesses.

— Bertie, avoua Bertie.

— Ah… fit Jock.

Un court silence s'ensuivit. Puis Bertie reprit la parole :

— Tu vas aller à Steiner ?

Jock secoua la tête.

— Je suis juste venu pour qu'ils me voient, expliqua-t-il. Mais je ne crois pas que mes parents m'enverront ici. Je vais aller à Watson.

Les yeux de Bertie s'étrécirent. Watson ! C'était l'école où il rêvait d'être, celle où l'on jouait au rugby et où il y avait des sociétés secrètes. C'était là qu'allaient les vrais garçons. Les garçons sensibles allaient à Steiner. Une bouffée d'angoisse le submergea. Il aurait aimé avoir Jock pour ami, mais il semblait à présent qu'ils ne seraient pas dans la même école. Tout ce que Bertie voulait, c'était un ami, un garçon qui aimerait les mêmes choses que lui : les trains et le reste. Seulement, il n'en avait pas.

— Je t'envie d'aller à Watson, confessa-t-il. Tu as de la chance. Tu vas jouer au rugby ?

— Oui, acquiesça Jock. J'ai déjà commencé dans l'équipe des moins de six ans.

Ces mots firent l'effet d'un coup de poignard à Bertie. Le rugby était son sport préféré, tout comme c'était celui de ce monsieur sympathique, Bruce, qui habitait l'immeuble. Seulement, Bertie n'avait jamais eu l'occasion d'y jouer et il était clair, en plus, que sa mère n'aimait pas Bruce, ni Mrs Macdonald, ni personne, d'ailleurs, à part le Dr Fairbairn, qui était fou, Bertie en était convaincu. Irene désapprouverait-elle aussi son nouvel ami Jock ? C'était probable.

— Est-ce que tu aimes les trains ? interrogea-t-il brusquement.

Jock ne parut pas ébranlé par ce changement de sujet.

— J'adore !

Le regard de Bertie se fit rêveur.

— Mais tu es déjà... tu es déjà monté dans un train ?

Jock hocha la tête.

— Bien sûr. Je suis allé à Londres en train, aller-retour. Et aussi à Dundee. On est passés sur le pont de Forth et celui de Tay. Et au retour, on est repassé sur les deux ponts. Ça fait quatre passages sur un pont, en tout. Ou bien cinq ?

— Quatre, assura Bertie.

Quelle importance que Jock ne soit pas bon en mathématiques ? Il jouait au rugby et était exactement le genre d'ami que Bertie avait rêvé d'avoir toute sa vie.

— Et j'ai un train électrique dans ma chambre, reprit Jock. Un Flying Scotsman. Il passe sous mon lit et autour de ma chaise. J'ai des ponts aussi, et une gare.

Bertie demeura un moment silencieux.

— Tu as de la chance, murmura-t-il enfin. Tu as de la chance…

Jock le contempla quelques instants, puis se leva pour venir s'asseoir près de lui.

— Tu as l'air triste, remarqua-t-il d'une voix plus douce. Qu'est-ce qu'il y a ?

Bertie dévisagea son nouvel ami, s'attardant sur ses taches de rousseur et l'espace laissé vacant par la dent manquante.

— Je ne m'amuse pas beaucoup, confessa-t-il. Je n'ai pas d'amis.

— Tu as moi, répliqua Jock. On peut devenir des frères de sang, si tu veux. J'ai une baby-sitter qui m'a raconté une histoire sur des garçons qui sont devenus frères de sang. Ils se sont fait une petite coupure à la main, juste ici, et ils ont mélangé leur sang. C'est comme ça qu'on devient frères de sang.

— Ça ne fait pas mal ? s'inquiéta Bertie.

— Non, le rassura Jock. On pourrait devenir des frères de sang tout de suite. J'ai mon canif.

Bertie s'étonna : lui-même n'avait jamais eu le droit de tenir un couteau à table, et voilà que ce Jock sortait de sa poche un gros couteau suisse et le lui présentait au creux de sa paume.

— Regarde, dit Jock. Tu vois ?

Bertie observa l'objet. Il possédait de nombreuses lames et accessoires. On pouvait tout faire avec un instrument comme celui-ci.

— Bon, fit Jock en sortant une lame. Je vais me couper en premier, si tu veux. C'est là qu'il faut trancher, entre le pouce et ce doigt-ci. Ensuite, on fait sortir le sang et on l'étale dans la main, et puis on serre la main de son ami. C'est comme ça que ça marche.

Fasciné, Bertie le regarda tenir la lame étincelante au-dessus de la peau tendue, puis retint son souffle lorsque son nouvel ami opéra la petite entaille. Quelques gouttes de sang perlèrent, que Jock s'empressa d'étaler sur sa paume.

— À toi maintenant, dit Jock en essuyant la lame sur la jambe de son jean.

Bertie tendit la main droite, écartant le pouce de l'index pour présenter la portion de peau concernée. Jock approcha la lame et regarda Bertie.

— Tu es prêt ? interrogea-t-il. Tu veux fermer les yeux ?

— Non, répondit Bertie. Ça ne me dérange pas de regarder. Puisque ça ne fait pas mal...

— Non, confirma Jock. Ça ne fait pas mal.

À cet instant, la porte s'ouvrit et Irene pénétra dans la pièce. L'espace d'un instant, elle demeura figée, peinant à intégrer l'extraordinaire vision qui s'offrait à ses yeux. Puis, avec un cri strident, elle se précipita sur Jock pour lui retirer le couteau des mains.

— Mais pour l'amour du ciel, qu'est-ce que vous faites ? hurla-t-elle.

Bertie baissa la tête, luttant en vain contre les larmes. Il ne voulait pas que Jock – ce garçon courageux – le voie pleurer. Il avait longtemps espéré un ami comme celui-ci et voilà qu'on le lui enlevait, que *sa mère* le lui enlevait. Il s'était trouvé si près du but, avec cette cérémonie de frères de sang qui aurait fait toute la différence. Mais non, il n'aurait pas de frère de sang.

Bertie éprouvait un immense sentiment de perte.

106. *Déjeuner au* Café St Honoré

Sasha avait fait des courses sur George Street. Elle avait dépensé plus que prévu – plus de 200 livres, quand on faisait le total –, mais ne s'en souciait pas : l'argent n'était plus un problème. Quelques jours plus tôt, une lettre d'une étude notariale lui avait annoncé que le reliquat des biens de sa tante, qui lui revenait en héritage, s'élevait à 480 000 livres. Lorsqu'elle avait reçu cette lettre, Todd lui avait expliqué que le reliquat était ce qui restait une fois toutes les parts des autres héritiers prélevées.

— Cela m'étonnerait que tu touches plus de 200 ou 300 livres, avait-il affirmé. Avec les droits de succession, il ne reste jamais grand-chose, d'autant qu'à mon avis, cette vieille bique ne devait pas rouler sur l'or.

La vieille bique, cependant, s'était révélée un investisseur aussi habile que ses legs avaient été chiches : 500 livres à l'Église d'Écosse, 25 à la Société écossaise de prévention de la cruauté envers les animaux, 25 autres au Gurkha Trust[1] et 10 pour l'école de filles de St George. Le reliquat devait revenir à Sasha, et les biens recensés par l'étude Turcan Connell s'élevaient à près d'un demi-million de livres *après* paiement des droits.

Il avait fallu un certain temps à Sasha pour se faire à l'idée qu'elle disposait désormais d'une somme d'argent

---

1. Le Gurkha Welfare Trust est une association caritative qui prodigue aux dix mille ex-soldats gurkha une aide financière, médicale et sociale. Le célèbre régiment de gurkha était composé d'hommes originaires du Népal qui combattirent dans les rangs de l'armée britannique pendant deux siècles. (*N.d.T.*)

considérable. Les revenus que Todd tirait de la société Macaulay Holmes Richardson Black leur assuraient une existence assez confortable, mais avec ces milliers de livres inattendues qui lui arrivaient soudain, Sasha faisait l'expérience d'une aisance matérielle à une échelle jusqu'alors inconnue. Elle n'était pas d'un naturel dépensier et cette petite escapade shopping sur George Street l'avait mise vaguement mal à l'aise. Si elle prenait l'habitude de se délester de 200 livres par jour, tous les jours, se demanda-t-elle, combien de temps lui faudrait-il pour épuiser sa fortune ? Environ huit ans, calcula-t-elle, en tenant compte de l'accumulation des intérêts.

Elle réfléchit : à quoi huit années d'une aussi extrême prodigalité ressembleraient-elles ? Elle pourrait acheter, par exemple, une paire de chaussures par jour, de sorte qu'au bout de huit ans, elle en posséderait près de trois mille. Mais que faire d'une telle quantité de chaussures ? C'était le problème : il y avait des limites à ce que l'argent permettait. Et pourtant, songea-t-elle, je suis là, à me sentir coupable sous prétexte que j'ai dépensé 200 livres !

Elle méditait cela en pénétrant dans la librairie Ottakars. Sasha n'était pas une lectrice acharnée, mais elle appartenait à un club de lecture qui se réunissait tous les deux mois et elle devait acheter l'ouvrage choisi pour la prochaine rencontre : un livre de Ronald Frame. La dernière fois, on avait discuté d'un roman de Ian Rankin, et une ou deux membres du club avaient été légèrement effrayées. Sasha s'était appliquée à les rassurer : aucune inquiétude à avoir, avait-elle affirmé. Le livre était très bien écrit, mais il ne se passait jamais de choses comme celles-là à Édimbourg. Ou, en tout cas, pas dans les Braids.

Elle se dirigea vers le rayon Frame d'Ottakars, où elle trouva *The Lantern Bearers*, mais aussi *Time in Carnbeg*, l'ouvrage choisi par le groupe. Elle s'en empara et chercha la photographie de l'auteur. Sasha aimait savoir à quoi ressemblait l'écrivain avant de lire un livre. Somerset Maugham, par exemple, lui déplaisait physiquement, aussi n'avait-elle jamais rien lu de lui. Elle n'appréciait pas non plus l'apparence de certaines jeunes femmes écrivains, qui ne semblaient pas prendre la peine de se coiffer. Si elles ne se soucient pas de leurs cheveux, se soucieront-elles de leur prose ? se demandait-elle. Et elle répondait à cette question en fuyant carrément ces romancières. De sales bonnes femmes, qui passaient leur temps à répéter que tout allait mal. En fait, cela n'allait pas si mal que cela... surtout pour qui se retrouvait en possession de 480 000 livres (moins 200).

Elle était donc en train de chercher la photographie de Ronald Frame sur le livre *Time in Carnbeg* lorsqu'elle sentit, à sa droite, la présence d'un autre client, absorbé dans l'examen du rayon « Vins ». Tournant la tête vers lui, elle découvrit qu'il s'agissait de Bruce, le jeune homme du cabinet qui était venu au bal de la section sud de l'Association des conservateurs d'Édimbourg au *Braid Hills Hotel*. Elle appréciait déjà ce garçon avant le bal, mais sa conduite courtoise de ce soir-là – il s'était montré d'une politesse extrême avec Ramsey Dunbarton quand celui-ci lui avait raconté qu'il avait joué le duc de Plaza-Toro dans une horrible opérette, à l'époque de Neandertal – l'avait rendu plus cher encore à ses yeux. En outre, il était extraordinairement beau garçon, surtout lorsqu'on savait qu'il venait d'un trou perdu comme Dunfermline... à moins que ce ne fût Crieff ?

Elle s'approcha de lui et il leva les yeux de l'atlas des vins qu'il était en train de consulter.

— Mrs Todd !

— Je vous en prie, pas de Mrs Todd ! protesta-t-elle. Sasha, tout simplement !

Bruce sourit.

— Sasha.

— Vous regardez les livres sur le vin ? s'extasia-t-elle en jetant un coup d'œil à l'atlas. Comme j'aimerais m'y connaître en vins ! Raeburn, lui, est très au courant, mais pas moi.

Bruce esquissa un sourire narquois. Raeburn Todd ne devait rien savoir du vin, c'était sûr. Sans doute buvait-il... que pouvait-il bien boire ? Du chardonnay !

— Oui, je m'intéresse beaucoup au sujet, répondit Bruce. Et cet atlas a l'air vraiment bien fait. Regardez cette carte ! Toutes les propriétés sont répertoriées dans cette minuscule section, le long du fleuve. Impressionnant ! Le seul problème, c'est le prix, tout de même ! C'est vraiment très cher.

Sasha lui prit l'atlas des mains et inspecta l'arrière de la couverture, à la recherche du prix. 85 livres, cela paraissait beaucoup d'argent, en effet ! Aussitôt, une pensée lui traversa l'esprit : 85 livres, cela ne représentait pas grand-chose quand on en possédait plus de 400 000...

— Permettez-moi de vous l'offrir, lança-t-elle. Et ensuite, je vous emmènerai déjeuner au *Café St Honoré*. Vous connaissez ? C'est au coin de la rue.

— Mais je ne peux pas ! protesta Bruce. Je ne peux pas vous laisser faire ça !

— S'il vous plaît ! insista-t-elle. Acceptez ! Je viens d'être gratifiée d'une remarquable bonne fortune et je meurs d'envie de la partager avec quelqu'un. Je vous en prie, laissez-moi vous faire plaisir. Juste cette fois-ci...

Bruce n'hésita pas longtemps. Les femmes se comportaient toujours ainsi avec lui. Elles ne pouvaient faire autrement.

— D'accord, acquiesça-t-il. Mais laissez-moi au moins payer le vin que nous boirons au restaurant. Lequel aimeriez-vous ?

— Du chardonnay, répondit Sasha.

107. Confidences

Ils s'installèrent en tête à tête près de la fenêtre. Bruce, qui avait achevé une expertise plus tôt que prévu, se réjouissait de passer ces quelques heures de liberté au restaurant. Et si ce devait être en compagnie d'une femme séduisante (quoiqu'un peu décoiffée), aux frais de celle-ci de surcroît, c'était d'autant mieux. L'expertise en question avait représenté une corvée singulièrement désagréable : il avait dû inspecter un appartement sombre et exigu, situé à l'angle d'Easter Road. Un marchand de biens avait rénové le logement dans un style tape-à-l'œil, avec des placards en aggloméré et du papier peint brillant. Bruce avait frémi en le découvrant et il avait ensuite rédigé un rapport assez peu flatteur, qui limiterait le prix qu'en obtiendrait le marchand de biens. Installé à présent dans le décor infiniment plus séduisant du *Café St Honoré*, où l'on se serait cru à Paris, il s'enfonça dans la banquette et parcourut le menu avec un vif intérêt.

— Je suis bien contente d'être tombée sur vous, lança Sasha en jouant avec le bracelet d'or qu'elle portait au poignet. J'avais justement besoin de vous parler.

Bruce haussa les sourcils.

— J'ai bien aimé le bal, hasarda-t-il. Même s'il n'y avait pas beaucoup de monde. Ça faisait un peu comme une soirée privée. C'était sympa.

Sasha sourit.

— Vous avez été adorable avec ce pauvre Ramsey Dunbarton, reprit-elle. Cela n'a pas dû être très drôle pour vous d'écouter ses histoires de duc de Plaza-Toro.

Bruce sourit. On pouvait s'autoriser une certaine générosité vis-à-vis des individus les plus ennuyeux quand on se savait aussi fascinant aux yeux d'autrui.

— Cela comptait beaucoup pour lui, je crois, répondit-il. Mais, au fait, qui était le duc de Plaza-Toro ? Un membre du parti tory ?

Sasha éclata de rire.

— Très spirituel ! s'exclama-t-elle. Maintenant, écoutez : avez-vous un peu bavardé avec ma fille, ou pas du tout ?

— Si, si, je lui ai parlé, assura Bruce. Nous nous sommes plutôt bien entendus, tous les deux.

Sasha eut un froncement de sourcils.

— Ah bon ? Cela m'étonne. Elle se montre si contrariante ces temps-ci !

— Je ne l'ai pas remarqué, soutint Bruce.

— Eh bien, pour tout vous dire, elle me donne du souci, poursuivit Sasha. Et je me demandais si vous n'aviez pas des idées. Vous avez à peu près son âge. Peut-être avez-vous remarqué des choses qui m'auraient échappé…

Bruce se replongea dans la lecture du menu. La conversation prenait un tour qu'il n'était pas sûr d'apprécier.

— Je vais vous donner un exemple, enchaîna Sasha. À la tombola, Lizzie a gagné un dîner pour deux personnes au *Prestonfield Hotel*. Une jeune fille normale aurait proposé à un ou une amie de l'accompagner. Eh bien, Lizzie, non : elle a téléphoné à l'hôtel pour savoir si, au lieu d'un dîner pour deux, elle pouvait avoir deux dîners pour une personne ! Vous vous rendez compte ?

Bruce réfléchit.

— Peut-être qu'elle a envie d'être un peu seule, suggéra-t-il. Cela nous arrive à tous de fuir la compagnie, par moments.

— Mais elle est comme cela tout le temps ! repartit Sasha, non sans une certaine exaspération. On dirait qu'elle ne fait pas le moindre effort pour rencontrer des gens. Ni pour trouver un travail correct, d'ailleurs.

— Bah, à chacun sa personnalité, soupira Bruce. Votre fille ne touche pas à la drogue, j'imagine ! Elle ne traîne pas avec un motard des Hell's Angels, si ? Bon, alors, de quoi vous plaignez-vous ? Que voudriez-vous qu'elle fasse ?

— Je voudrais qu'elle se trouve un cercle d'amis, expliqua Sasha. Des jeunes gens sympathiques. Je voudrais qu'elle profite de la vie, peut-être qu'elle ait un petit ami, quelqu'un qui connaîtrait une foule de choses, qui la ferait sortir. Avec qui elle s'amuserait, quoi…

Bruce baissa les yeux sur la table et décala sa fourchette pour la placer parallèlement au couteau, à la manière d'un névrosé obsessionnel. Elle pense à quelqu'un comme moi, songea-t-il. Eh bien, si elle a fait tout ça pour savoir si j'étais libre, la réponse est non. Il y a tout de même des limites à ce que l'on accomplit par devoir…

— Bah, elle finira bien par rencontrer quelqu'un, lança-t-il d'un air détaché. Donnez-lui de l'espace. Laissez-la se débrouiller.

— Mais elle ne fait rien ! geignit Sasha. Comment voulez-vous qu'elle rencontre quelqu'un de bien si elle ne voit personne ? Elle a besoin d'entrer dans un groupe. Ne pourriez-vous pas l'introduire…

Bruce ne la laissa pas achever.

— Je suis désolé, coupa-t-il. En ce moment, je suis avec une Américaine qui me plaît beaucoup. Je ne sors pas tellement en groupe. Avant, oui. Mais plus maintenant.

La déception marqua un instant le visage de Sasha, qui retrouva cependant vite son aplomb.

— Bien sûr, soupira-t-elle. En fait, ce n'était pas à vous en particulier que je pensais. Je me demandais simplement si vous ne connaîtriez pas quelqu'un avec qui elle pourrait s'entendre. Ou si vous ne pourriez pas l'emmener à des soirées, peut-être. Ce genre de choses…

— Non, désolé, confirma Bruce.

— Bon, n'y pensons plus. Je suis sûre que vous avez raison : elle se débrouillera bien toute seule. Alors, qu'est-ce que vous allez prendre ? N'oubliez pas que c'est moi qui invite !

400

Ils commandèrent leurs plats, ainsi qu'une bouteille de chardonnay. La conversation était facile et cordiale. Sasha raconta l'histoire très amusante d'un scandale qui avait éclaté à son club de tennis, Bruce lui rapporta des ragots qui circulaient au bureau, au sujet de l'une des secrétaires – et dont Todd n'avait pas touché mot à sa femme. Puis ils évoquèrent leurs projets pour les vacances d'été.

— Raeburn a envie d'aller au Portugal, expliqua Sasha. Nous avons des amis qui possèdent une villa là-bas. Avec un court de tennis.

— J'aime bien le tennis, commenta Bruce. Avant, je jouais beaucoup.

— Je suis sûre que vous jouez très bien, répondit Sasha.

L'espace d'un instant, elle se représenta le jeune homme en tenue de tennis immaculée. Il avait des bras très musclés : son service devait être redoutable.

— Moyennement, avoua Bruce. Il faudrait que j'améliore mon revers.

— Ne sommes-nous pas tous dans ce cas ? s'exclama Sasha. Mais regardez vos poignets. Ils sont idéaux pour le tennis. Regardez !

Elle lui saisit le poignet avec un entrain jovial.

— Oui, insista-t-elle. Ça, c'est un vrai poignet de tennisman. Vous devriez continuer à vous entraîner.

Ce fut cet instant précis que choisit Todd pour pénétrer dans le restaurant. Il avait prévu d'y déjeuner avec un collègue d'un cabinet concurrent, afin d'évoquer, sans engagement aucun, une éventuelle fusion. Il ne vit pas son collègue, qui était en retard, mais aperçut en revanche sa femme, assise à une table près de la fenêtre, tenant la main de ce jeune homme du bureau.

Il s'immobilisa net, incapable du moindre geste. Bruce, qui venait de le remarquer, retira son poignet de la main de Sasha d'un geste vif. Étonnée, celle-ci regarda autour d'elle et découvrit Todd, qui fit alors signe à Bruce de le rejoindre.

Ce dernier se leva, sous le choc.

— Je vais lui expliquer, murmura-t-il.

Todd le regarda approcher sans le quitter des yeux. Puis, très lentement, il pointa l'index sur lui.

— Vous êtes de l'histoire ancienne, siffla-t-il entre ses dents. De l'histoire ancienne.

— Mais ce n'est pas ce que vous croyez ! plaida Bruce. Nous parlions de tennis.

Todd parut ne pas l'avoir entendu.

— Vous avez une heure pour débarrasser votre bureau, siffla-t-il. Vous avez entendu ? Une heure !

— Mais vous ne pouvez pas renvoyer les gens comme ça ! protesta Bruce d'une voix faible. Pas de nos jours…

— Écoutez-moi bien, reprit Todd. Il y a quelque temps, vous avez effectué une expertise et vous avez soutenu avoir inspecté les combles. Eh bien, figurez-vous que j'y suis allé et que j'ai vérifié : vous n'aviez rien inspecté du tout. Vous avez menti. Je gardais ça sous le coude depuis. Vous êtes de l'histoire ancienne.

Bruce demeura paralysé. C'était une sensation étrange que d'être de l'histoire ancienne.

108. Où l'on prend les choses en main

L'un des problèmes de Matthew, songeait Pat, était qu'il ne semblait jamais prêt à prendre de décisions. Son attitude vis-à-vis du Peploe ? – devenu, depuis, un non-Peploe – illustrait bien cette absence chronique d'initiative. Si Big Lou n'avait pas rencontré Guy Peploe, contraignant ainsi Matthew à agir, il était peu probable que l'on aurait identifié le tableau comme l'œuvre d'un autre peintre. L'on n'aurait pas découvert non plus qu'il s'agissait d'une surpeinture. Ce dernier point avait été établi par Guy Peploe, qui avait décelé la forme d'un parapluie au-dessus d'une colline.

À présent, la situation avait bien progressé, mais il fallait poursuivre. S'il s'agissait vraiment d'une surpeinture, ce qui se cachait dessous devait présenter un certain intérêt – même si ce n'était sans doute que l'œuvre d'un amateur maladroit. Pat avait demandé à Matthew s'il entendait faire quelque chose, mais il s'était contenté de hausser les épaules.

— Peut-être, avait-il répondu. Mais je ne vois pas qui pourrait peindre un parapluie.

— Un impressionniste français ? avait suggéré Pat. Les impressionnistes peignaient toujours les gens avec des parapluies. Il y a ce tableau célèbre exposé à l'Art Institute de Chicago. Je l'ai vu quand nous y sommes allés avec les professeurs d'histoire de l'art de l'Académie. Ils étaient vraiment bien, tu sais, ces professeurs-là. Il y avait Mrs Hope, Mr Ellis… Tu t'en souviens ? Ils nous emmenaient visiter toutes sortes de musées. Cela nous donnait de l'inspiration. Ce sont eux qui m'ont fait aimer la peinture.

Elle avait vu Matthew s'agiter sur son siège. Il y avait une part de mystère chez ce garçon. Il lui était arrivé quelque chose à l'école, elle en était sûre, mais quoi ? Beaucoup d'individus possédaient leurs zones d'ombre, leurs secrets, qui devaient rester cachés. Chacun avait un passé : pour elle, c'était l'Australie, et moins elle en disait à ce sujet, mieux cela valait. Elle n'était pour rien dans ce qui lui était arrivé – elle n'en doutait pas –, même si une ou deux personnes avaient insinué qu'elle n'aurait jamais dû adresser la parole à cet individu, au café, et qu'elle aurait dû comprendre que le borgne au bandeau n'était pas ce qu'il prétendait être. Elle réfléchit : maintenant qu'elle était rentrée, tout cela ne paraissait plus si terrible. En fait, elle avait vécu une aventure. Peut-être pourrait-elle en parler à Domenica un de ces jours. Domenica raffolait de ce genre d'histoires.

Matthew avait changé de sujet et l'on n'avait plus abordé la question du non-Peploe jusqu'à cet après-midi-là, lorsque la cloche de l'entrée sonna et qu'Angus Lordie pénétra dans la galerie, suivi de Cyril. Dès qu'il aperçut Pat, le chien remua la queue avec un plaisir évident et cligna de l'œil.

— Nous passions par là, lança Angus Lordie. Je promenais un peu Cyril et je me suis dit que je pourrais faire un tour ici, histoire de voir ce que vous aviez sur vos murs. Intéressant… Celui-là, là-bas, vaut un petit paquet, vous savez. Ah, vous ne le saviez pas ? Eh bien, il me semble que c'est un James Paterson.

Matthew se leva et vint rejoindre Angus Lordie devant un large tableau représentant une jeune fille dans un champ.

— Vous êtes sûr ? s'enquit-il.

Angus Lordie sourit.

— Absolument. S'il me restait de la place sur mes murs, je vous l'achèterais.

Matthew se retourna vers Pat.

— Je me disais bien que cela pouvait être ça, lui dit-il.

— Eh bien, voilà ! répliqua Angus Lordie. Il vivait à Moniaive, je crois. Ou peut-être un peu plus au sud…

Il s'interrompit. Il venait d'apercevoir le non-Peploe, posé négligemment au sol contre le bureau de Matthew.

— Mais dites donc ! Regardez-moi ça ! Voilà qui a de quoi intriguer…

— Ce n'est pas un Peploe, prévint Matthew en souriant.

Il commençait à trouver Angus Lordie sympathique, bien que sa première impression, au *Cumberland Bar*, avec Pat, n'eût pas été très positive. L'identification du Paterson lui avait mis du baume au cœur. Matthew n'avait pas la moindre idée de qui pouvait être James Paterson, mais il le découvrirait très bientôt. Il ne savait pas non plus où se situait Moniaive, détail qu'il vérifierait également.

— Oh, je vois bien que ce n'est pas un Peploe ! s'exclama Angus Lordie en traversant la salle pour venir prendre le tableau. Ce qui m'intéresse, c'est cette forme que l'on distingue, très vaguement, au-dessous.

— Un parapluie, lança Matthew. Un peu comme ceux que peignaient les impressionnistes français. Vous devez connaître cette œuvre qui est à Chicago, bien sûr. À l'Art Institute. Un endroit formidable…

Pat ne dit rien. Cela lui faisait plaisir de voir grandir l'assurance de Matthew. Elle regarda Cyril, assis près de la porte, gueule entrouverte, de sorte que le soleil faisait étinceler sa dent en or. Cyril possédait beaucoup d'assurance : il semblait parfaitement à l'aise dans l'espace qu'il occupait, comme le sont tous les animaux, sauf nous.

Angus Lordie inclina le tableau vers la lumière.

— Fascinant, dit-il. La peinture de surface est absolument nulle, bien sûr, mais avec un décapage soigneux, on devrait pouvoir découvrir quelque chose d'intéressant. Voudriez-vous que je m'en charge ? Nous pourrions faire ça dans mon atelier.

Matthew hésita.

— À vrai dire…

— C'est une excellente idée ! interrompit Pat. Tu n'es pas d'accord, Matthew ?

L'intéressé se retourna pour lui décocher un regard lourd de reproche. Il n'aimait pas que l'on prenne des décisions à sa place, ce que son entourage faisait pourtant invariablement. Un jour, je dirai non, se promit-il. Je deviendrai moi-même. Pour l'heure toutefois, il se contenta de répondre :

— Pourquoi pas ? Oui, je suppose que cela pourrait être bien de voir ce qu'il y a au-dessous.

— Ce soir, ça vous va ? suggéra Angus Lordie. Venez ensemble à mon atelier. Et emmenez Domenica avec vous. On en profitera pour organiser une petite fête.

Ils se mirent d'accord sur l'horaire, puis Angus Lordie repartit, Cyril sur ses talons. Tout en marchant, il ne put s'empêcher de songer au tableau. Que c'était excitant ! Il avait sa petite idée, bien sûr, de ce qui se dissimulait sous la couche de peinture superficielle, et si son intuition s'avérait, cela aurait des conséquences non négligeables pour Matthew. Qu'il serait agréable, de surcroît, de se voir attribuer le mérite de cette découverte, tout comme Sir Timothy Clifford avait été honoré après avoir trouvé un dessin de Léonard de Vinci sous un sofa du New Club (l'événement avait fait la une des journaux) ! On parlerait de lui dans la presse et peut-être le photographierait-on avec Cyril. Il aurait le triomphe modeste, bien sûr, et minimiserait l'importance de son exploit. N'importe qui aurait pu le voir, dirait-il. J'ai simplement eu la chance d'être au bon endroit au bon moment.

— Mais il a fallu votre main experte pour dévoiler ce secret, insisterait le journaliste.

Alors, il sourirait et répondrait, avec modestie :

— Peut-être, c'est vrai. Peut-être...

109. Une très remarquable et importante découverte

« Angus reçoit extrêmement bien », avait affirmé Domenica, et elle disait vrai. Il accueillit ses invités avec un plateau d'œufs à la diable et de galettes d'avoine garnies d'épaisses tranches de saumon fumé. Il y avait aussi des crackers ornés de tranches d'œufs durs surmontées d'œufs de lump et entourées de petits cercles de mayonnaise. Le tout en quantités abondantes.

Son appartement, qui occupait les deux derniers étages d'un immeuble de Drummond Place, était conçu avec une générosité qui échappait aux critères des architectes modernes. Les plafonds s'élevaient à quatre mètres cinquante de hauteur, les lambris de pin sombre arrivaient presque à la taille et les planches du parquet avaient trente bons centimètres de largeur. Et partout sur les murs, l'on voyait des tableaux : des portraits, des paysages, des études figuratives. Une peinture de Cardell, représentant un homme en haut-de-forme à l'allure aussi vagabonde que celle du maître des lieux, souriait au-dessus de la cheminée du salon. Un immense Philipson, foisonnant de cathédrales et de femmes, occupait un pan de mur à ses côtés, suivi d'un magnifique Cowie figurant des écolières réunies dans un atelier de peintre.

Et puis, il y avait aussi la bibliothèque, qui tapissait les murs du vestibule et de la salle à manger. Chacune des hautes étagères était chargée de deux ou trois rangées de livres. Un verre à la main, Domenica s'arrêta devant l'une d'elles et saisit un volume avec une exclamation de plaisir.

— Rudven Todd ! s'écria-t-elle. Personne ne le lit plus aujourd'hui, et c'est un tort ! Regardez cela : *Acreage of the Heart*[1], publié par William McLellan dans la collection « L'Écosse des poètes » !

Angus Lordie vint la rejoindre en léchant la mayonnaise sur ses doigts.

— Il comporte un très beau poème, Domenica, dit-il. *Personal History*[2]. Le connaissez-vous ?

Domenica tourna une page.

— « *I was born in this city*, lut-elle à haute voix, *Where dry minds...* »

— « *Grow crusts of hate / Like rocks grow lichen*[3] », poursuivit Angus Lordie. Comme c'est fort !

— Mais pourquoi a-t-il écrit cela ? interrogea Pat, perplexe.

1. « La superficie du cœur. » (*N.d.T.*)
2. « Histoire personnelle. » (*N.d.T.*)
3. « Je suis né dans cette ville, Où des esprits secs... Cultivent des croûtes de haine / Comme la roche génère le lichen. » (*N.d.T.*)

— Parce que c'est vrai, répondit Angus Lordie. Ou, du moins, ça l'était. Todd est né dans la haute bourgeoisie d'Édimbourg, qui était exactement comme il la décrit. Cassante, fermée, nombriliste et extrêmement snob.

— Et qui le reste encore un peu, fit remarquer Domenica. Du moins, dans ses pires moments.

— Mais qui s'est nettement améliorée, contra Angus Lordie. Il est devenu très rare de rencontrer ce genre de froideur à Édimbourg. Ces gens-là ont perdu de leur arrogance. Ils ne peuvent plus s'en tirer à si bon compte, ils sont obligés de changer. Cette répugnante habitude de dénigrer tout ce qui ressemble au progrès... c'est terminé.

Domenica ne parut pas convaincue.

— Je n'en suis pas si sûre, déclara-t-elle. Qu'est-ce qui rend Édimbourg si différente des autres villes de notre archipel ? Parce qu'elle est différente, vous ne le nierez pas. Je pense qu'elle a conservé une certaine hauteur, une sorte de dédain intellectuel. Ce n'est plus aussi marqué qu'à l'époque de Todd, mais...

— Mais Domenica apprécie ce côté-là, affirma Angus Lordie avec un sourire espiègle. C'est une sorte de Jean Brodie, voyez-vous...

Pat regarda sa voisine en se demandant si celle-ci se vexerait. Jean Brodie n'avait-elle pas été fasciste ? N'était-ce pas là son problème, avec l'Espagne, la trahison et tout le reste ? Quant à Matthew, il semblait perdu. Mais de quoi diable parlait cet homme ? Et puis, où était ce chien bizarre qu'il possédait ?

Ils se tenaient dans le salon qui dominait les jardins de Drummond Place. Il était neuf heures et le ciel restait clair. Les branches des arbres remuaient doucement, se détachant sur l'azur et sur les pierres des immeubles d'en face, car il soufflait une brise légère. Pat sirotait la boisson que lui avait servie Angus Lordie : un gin tonic parfumé au citron vert. Elle était heureuse de se trouver là, entourée de ces gens : Matthew, qu'elle appréciait de plus en plus pour son caractère égal, Angus Lordie, qui l'amusait, qui semblait lui être si reconnaissant de sa compagnie et ne représentait une menace pour personne, et Domenica, qu'elle admirait. Quelle différence, songeait-elle, entre ces personnes intéressantes et attentionnées, et Bruce et ses amis du *Cumberland Bar* ! Quelle profonde erreur elle avait commise en s'entichant de ce garçon, elle le constatait à présent ! Elle n'éprouvait plus pour lui aucun sentiment, pas même du dégoût : elle ne sentait rien. Au moment, décisif, où elle s'était aperçue qu'il ne dormait pas et lui souriait, elle avait compris qu'elle était de nouveau libre.

Angus Lordie interrompit le fil de ses pensées.

— Si nous nous occupions du tableau, à présent ? suggéra-t-il. Allons dans mon atelier et mettons-nous au travail.

Ils le suivirent le long d'un couloir rempli de livres, jusqu'à une vaste pièce haute de deux étages, au plafond percé de larges lucarnes. Matthew, qui n'avait pas lâché le tableau depuis son arrivée, le lui tendit avec appréhension et regarda le peintre le poser sur la table et préparer un gros flacon de verre opaque. Angus Lordie plaça ce dernier près de lui, puis leva son verre de whisky vers Matthew.

— C'est du décapant ! expliqua-t-il. Je veux dire, la bouteille, pas mon verre ! Ha, ha !

Matthew ne lui répondit pas. Les yeux plissés, il le regarda s'emparer du flacon pour répandre un liquide visqueux sur la toile, puis commencer à frotter tout doucement avec un chiffon.

— Approchez-vous et observez, dit Angus Lordie. Nous allons laisser un petit moment au produit pour agir, puis nous l'essuierons. Le secret nous sera alors révélé.

Peu à peu, des bulles se formèrent sur la surface de la peinture. La plage de Iona disparut et la côte de Mull subit le même sort. Ce fut ensuite au tour de la mer : les vagues bleues qui impressionnaient tant Matthew virèrent au gris, puis au brun.

— On va essuyer tout doucement à présent, expliqua Angus Lordie. Cela fera disparaître la couche de peinture superficielle. Allons-y.

Tous étaient penchés au-dessus du tableau. Pat observa Matthew ; il était pâle et respirait avec peine. Croisant le regard de la jeune fille, Domenica esquissa un signe de tête entendu. Le peintre, absorbé dans sa tâche, ne quittait pas des yeux la toile, dont les couleurs viraient de façon marquée.

— Bon, murmura-t-il en tamponnant un coin du tableau, maintenant, tout doucement. Tout doucement…

— Un parapluie, souffla Domenica. Regardez, un parapluie !

— Oui ! s'exclama Angus Lordie, triomphant. Oui, et regardez ce qu'il y a d'autre : une plage ! Oui, et n'y aurait-il pas aussi des gens en tenue de soirée qui dansent sous ce parapluie, que tient, n'est-ce pas, un maître d'hôtel ? Précisément ! Précisément !

Il se redressa.

— C'est bien ça ! s'écria-t-il. C'est exactement ce que je pensais ! Un Vettriano !

110. *Gains, perte, amitié, amour*

Matthew savourait sa joie en silence. Il avait perdu un Peploe (qu'il n'avait jamais réellement possédé, de toute façon), mais gagné un Vettriano (qu'il ignorait posséder). Après le choc initial de la révélation, il se tourna vers Angus Lordie et le serra dans ses bras avec chaleur.

— Je suis si heureux que vous vous soyez proposé pour faire ça ! s'exclama-t-il. Jamais je ne me serais imaginé… Un Vettriano !

Angus Lordie sourit en s'essuyant les mains sur un morceau de chiffon.

— C'est la forme du parapluie qui m'a alerté, expliqua-t-il. J'ai pensé que ce pouvait être notre ami Mr Vettriano qui se cachait là-dessous. Je ne sais pas pourquoi, c'était une impression.

— Ne sous-estimez jamais la puissance des intuitions, déclara Domenica. Elles constituent un guide extrêmement précieux. Les intuitions peuvent nous montrer la voie de toutes sortes de choses, y compris la façon de faire le bien.

Angus Lordie haussa un sourcil.

— Comment cela ? s'enquit-il. Qu'est-ce que les intuitions ont à voir avec le bien ?

— Elles nous aident à savoir ce qui est bon et ce qui est mauvais, expliqua Domenica. Si notre intuition nous indique que quelque chose est mauvais, c'est probablement le cas. D'ailleurs, dès que l'on commence à faire appel à ses facultés morales et que l'on réfléchit, l'on découvre que l'intuition de départ était la bonne.

— Intéressant, commenta Angus Lordie. Mais peut-être l'intuition n'est-elle qu'une forme de savoir existant. On sait quelque chose, et l'intuition ne fait que nous informer de la présence de cette connaissance, dissimulée au fin fond de notre cerveau.

— Mais l'intuition n'est rien d'autre que cela ! confirma Domenica. Et c'est pourquoi elle est si précieuse.

Angus Lordie reboucha le flacon de décapant.

— Et voilà, lança-t-il, c'est fini ! Je propose que nous allions ouvrir une bouteille de champagne au salon. Laissez le tableau ici, Matthew, il faut qu'il sèche un peu. Je reviendrai le chercher tout à l'heure.

Ils lui emboîtèrent le pas dans le couloir et débouchèrent dans l'immense salon au mobilier classique. Angus Lordie se chargea de faire sauter le bouchon du champagne, sorti d'un réfrigérateur dissimulé dans un meuble en noyer. Il en servit une flûte à chacun et, debout au milieu de la pièce, sous le chandelier de Murano, tous levèrent leur verre.

— À la vente du Vettriano ! s'exclama Angus Lordie en faisant tinter sa flute contre celle de Matthew. Enfin, à supposer que vous comptiez le vendre… Vettriano, bien sûr, n'est pas du goût de tout le monde, mais il se trouve qu'il existe un bon marché pour ses tableaux, un marché qui semble se renforcer de plus en plus.

Matthew contempla le champagne dans son verre. Il détestait parler d'argent, mais était curieux de connaître la valeur qu'Angus Lordie attribuait au tableau.

— Vous n'auriez pas une idée… commença-t-il.

— De ce qu'il vaut ?

— Oui.

— Voyons, dit Angus Lordie. Réfléchissons. Je pense que c'est un Vettriano des débuts, mais qui est important dans l'optique de son évolution ultérieure comme peintre populaire. C'est sa période plages, dirais-je… avec quelques touches de sa période parapluies. Cela en fait donc une œuvre extrêmement intéressante. La valeur serait donc… voyons… peut-être 100 000, ou quelque chose comme cela ?

Pat jeta un coup d'œil à Matthew : les mains du jeune homme tremblaient. Elle s'approcha et le prit doucement par l'épaule.

— Bien joué ! lui souffla-t-elle. Bien joué !

Matthew lui rendit son sourire. Il aimait beaucoup cette fille et se demandait s'il restait encore une chance qu'elle l'apprécie tout autant. Était-il possible qu'elle ait réussi à surmonter la ridicule attirance que lui inspirait cet abominable Bruce ? Peut-être souhaitera-t-elle un jour s'attacher à quelqu'un de plus stable, comme moi ? pensait-il, tout en sachant qu'il ne fallait pas nourrir trop d'espoirs. Lui, personne ne l'avait jamais aimé de cette façon-là. C'était comme ça.

Angus Lordie reposa son verre.

412

— Je vais aller le chercher, dit-il. La lumière est légèrement meilleure dans cette pièce à cette heure de la soirée. Nous pourrons l'examiner de plus près.

Il sortit et réapparut quelques instants plus tard, le tableau entre les mains. Il s'éclaircit la gorge et tenta de dire quelque chose, mais aucun son ne franchit ses lèvres. Aussitôt, ses invités comprirent que quelque chose n'allait pas.

Il tendit le tableau à Matthew.

— Je suis affreusement confus, déclara-t-il enfin. Il semble que le décapant ait continué son œuvre. Je crois que le Vettriano a disparu.

Incrédule, le jeune homme contempla le tableau. La plage, le parapluie, le majordome, le couple dansant, tout cela s'était fondu en une série de raies et de flaques de peinture. Matthew releva les yeux vers Angus Lordie, puis, soudain, éclata de rire. Un rire qui surprit tout le monde, sauf Pat.

— Vous savez, je n'ai jamais beaucoup aimé Vettriano ! s'exclama-t-il. Ne vous faites pas de souci !

Ce commentaire, ces paroles toutes simples de pardon, confirmèrent à Pat la profondeur de la bonté du jeune homme. Jamais, elle n'oublierait cet instant.

Angus Lordie poussa un soupir de soulagement.

— C'est vraiment très gentil à vous, dit-il. Mais j'ai pensé… peut-être pouvez-vous encore vendre ce tableau comme un Vettriano abstrait. C'est ce qu'il est devenu, voyez-vous. C'est Vettriano qui a mis sa peinture sur cette toile, et l'ensemble a bel et bien un aspect abstrait, désormais.

Matthew sourit.

— Peut-être, acquiesça-t-il.

Angus Lordie posa le Vettriano abstrait sur une table et alla tirer une seconde bouteille de champagne du réfrigérateur. Domenica, demeurée silencieuse depuis le retour de son ami avec la nouvelle de la restauration manquée, déclara :

413

— Angus, en matière de restauration d'œuvres d'art, vous êtes épouvantable, mais pour ce qui est de la poésie, vous restez, à mon avis, un peu plus compétent. Faites-nous donc vibrer avec l'une de vos improvisations !

— Quelque chose de chinois ? suggéra Angus Lordie. Fin de la période Tang écossaise ?

— Non. Autre chose.

— Pourquoi pas ? Que pensez-vous de cela ?...

Il gagna la fenêtre, puis se retourna pour faire face à ses invités.

— *De nouveau réunis*, commença-t-il.

> Ici, en cette ville aux rues en angle,
> Sous la lumière du Nord,
> Au clair de cette lune particulière, avec l'Écosse
> Ensommeillée, paisible, derrière et tout autour de
> [nous,
> Que dire, sinon évoquer l'amitié
> Et notre désir très humain d'amour – non pas juste
> [pour moi,
> Pour mes amis aussi, et pour ceux qui ne sont pas
> [mes amis ;
> Alors, si vous me demandez maintenant,
> [en cet instant,
> Quel est mon souhait, je vous répondrai :
> Que l'amour règne sur l'Écosse
> Qu'il la baigne comme des larmes de pluie – et ça
> [suffit.

Impression réalisée par

La Flèche (Sarthe), 59983
N° d'édition : 4069
Dépôt légal : juin 2008
Nouveau tirage : septembre 2010
X04759/06

Imprimé en France